Parfum d’anges

www.quebecloisirs.com

UNE ÉDITION DU CLUB QUÉBEC LOISIRS INC.

Dépôt légal — Bibliothèque nationale du Québec, 2003
ISBN 2-89430-604-0
(publié précédemment sous ISBN 2-89431-289-X)

Imprimé au Canada

HÉLÈNE POTVIN

Parfum d'anges

Roman

Quiconque devient porteur d'espoir et de rêves
alimente le fluide universel,
celui-là même qui embaume le jardin des hommes
à la manière d'un parfum d'anges
au pouvoir apaisant et curatif.

I

Les moutons du riche fermier de la côte à Tremblay paissaient à l'ombre d'un vieux pommier tordu, sans cesse maltraité par les vents impitoyables du noroît. Oublié par tous, l'arbre solitaire, en manque de compagnie humaine, s'épanchait outrageusement sur la clôture de perches qui bornait à peu près, quoique de manière officielle, les limites de deux propriétés distinctes : l'humble fermette d'Aurélia Fortin et la riche exploitation agricole du « Grand Tremblay ».

En laissant retomber avec nonchalance ses lourdes branches qui croulaient sous le poids des fruits mûrs, l'arbre centenaire tentait, tant bien que mal, de capter les sens d'Aurélia, la seule personne qui lui eût porté une attention soutenue au cours de toutes ses années d'existence. Malgré un soleil radieux qui le mettait en valeur et une brise légère et complice qui faisait gracieusement onduler ses pommes rouges, ses efforts demeuraient stériles.

Quant aux moutons, sentant bien qu'il s'agissait là d'un de leurs derniers repas champêtres avant bien longtemps, ils broutaient avec une frénésie peu commune les maigres restes d'une herbe jaunâtre et altérée par une longue sécheresse, comme s'il s'agissait d'un pâturage luxuriant. Il devait bien y en avoir une centaine : des gros, des maigres, des timorés, des audacieux...

Contrairement à Aurélia, les audacieux, souvent grassouillets, désirant sans cesse agrémenter leur pâture, ne purent – ni ne voulurent – résister à l'outrageuse provocation. Dès lors, ils s'approchèrent sans bruit de la clôture et étirèrent à peine le cou en relevant légèrement la tête. Un œil sur le chien repoussant, l'autre sur le pommier engageant, ils attrapèrent avec une agilité surprenante certaines de ces boules rouges et pimpantes au goût exquis. Quant aux plus timides, souvent maigrichons, ils passèrent maladroitement la tête à travers les perches, se contentant d'attendre le fruit en aumône de la main même de la douce Aurélia.

Malgré leur audace ou leurs bêlements incessants et l'aboiement autoritaire et régulier du gros Noiraud, qui s'épuisait à ramener les coupables dans le « droit chemin », les moutons pas plus que le vieux pommier n'arrivèrent à capter l'attention de la charmante Aurélia.

Assise dans sa chaise berçante, sur la galerie de planches usées et décolorées par les intempéries, Aurélia Fortin semblait imperturbable, perdue dans les moutons blancs qui zébraient joliment le ciel d'automne.

De loin, on aurait pu croire qu'elle dormait, immobile, la tête légèrement penchée en arrière, les mains jointes sur un tablier fleuri d'une propreté impeccable. Tel n'était pourtant pas le cas.

Aurélia Fortin, le regard vissé au ciel, rêvait. Plus exactement, le flot de ses pensées vagabondes était si puissant qu'il l'éloignait insidieusement de ses côtes familières, en la portant à la dérive pendant des heures...

***

En plus d'accoutrer les arbres d'un habit bigarré, l'équinoxe d'automne, chacun le sait, répartit équitablement les heures de clarté et de noirceur. Contre toute attente, ce phénomène naturel créait un effet contraire, et aussi pervers, sur l'humeur d'Aurélia Fortin. Dès la mi-septembre, elle devenait complètement terne et débalancée, se retrouvant dans une seule phase de grande noirceur.

Depuis aussi longtemps qu'elle s'en souvînt, Aurélia, d'un naturel enjoué, actif, serein et optimiste, se transformait à l'équinoxe en femme morose, léthargique, anxieuse et pessimiste. Sans qu'elle puisse l'empêcher, une déprime plutôt sévère venait prendre possession de sa personne jusqu'aux premiers flocons de neige. En effet, à lui seul, le scintillement de la poudre blanche, aux vertus de perlimpinpin, recouvrait du plus petit recoin gris de tristesse, au plus infime sursaut noir de mélancolie. Une fois l'hiver installé, la déprime, telle une feuille d'automne emportée très loin par les grands vents, ne devenait plus qu'un mauvais souvenir.

Par conséquent, depuis sa tendre enfance, sans aller jusqu'à abhorrer la saison automnale, Aurélia l'appréhendait au plus haut point. Pour définir l'état pitoyable dans lequel elle végétait, elle s'exprimait ainsi :

– En automne, je me sens soudain comme quelqu'un qui doit avancer dans la vie, en portant les souliers d'un autre!

L'institutrice du village, Béatrice Poulin, en l'occurrence la voisine, l'amie et la seule confidente d'Aurélia, avait bien tenté d'approfondir cette étrange déclaration. Sans être versée dans l'art de la psychanalyse, Béatrice était néanmoins reconnue pour ses talents innés de conseillère, voire de guide spirituel dans certains cas. Ces quelques mots, pour le moins inattendus dans la bouche d'une personne habituellement si cohérente, lui étaient apparus lourds de sens caché.

Malgré beaucoup d'efforts et de bonne volonté de part et d'autre, les deux femmes ne s'étaient pas rendues bien loin dans l'analyse du singulier énoncé (l'une, est-il besoin de le rappeler, étant fort mal chaussée!).

« Il vaut mieux abandonner, Béatrice. C'est trop dur à comprendre, même pour moi! avait un jour conclu Aurélia, en abdiquant. C'est une sensation... presque physique! Je l'éprouve depuis que je suis toute petite. Elle me colle à la peau, quand l'automne arrive. Aux pieds... devrais-je dire? Je commence à croire qu'il existe vraiment des problèmes auxquels on ne découvre ni explication ni solution. Que veux-tu? Je n'ai jamais trouvé de meilleure façon pour décrire l'impasse dans laquelle je me trouve.

« Essaie un peu de marcher avec les souliers d'un autre... Ton mari, Yvon, tiens! Tu verras comme c'est pas facile. Essaie! Tu m'en donneras des nouvelles! »

À cause de sa modestie, et aussi de sa candeur, Aurélia n'avait absolument aucune idée de l'inquiétude qu'elle pouvait susciter chez son amie l'institutrice, et également chez ses concitoyens. Pas besoin d'avoir fait un cours classique pour comprendre que Béatrice portait la belle Aurélia dans son cœur. Et, elle n'était pas la seule. Tous les habitants de Sainte-Rose, incluant le Grand Tremblay, le misanthrope du village, avaient beaucoup d'affection pour Aurélia Fortin.

Les Roserains respectaient beaucoup leur institutrice et, par conséquent, ils faisaient grand cas de son jugement. C'est pourquoi, lorsque Béatrice déclarait avec emphase : « Quand la simplicité, la bonté et l'humanité ont cherché un abri, elles ont trouvé refuge chez Aurélia Fortin. Quand la douceur s'exprime, ne parle-t-elle pas par sa bouche? Quand la grâce porte un vêtement, ne se revêt-elle pas d'elle? Quand la beauté se manifeste, n'est-ce pas à travers toute sa personne? », les villageois, cois devant tant de verve poétique, approuvaient avec un plaisir évident autant la forme que le fond de la pertinente plaidoirie.

En effet, comment ne pas tomber sous le charme de ces ravissants yeux noirs que voilaient délicatement de longs cils soyeux? Comment ne pas admirer ce petit nez ravissant, ces longs cheveux couleur sel d'argent coiffés en belle tresse indienne, cette jolie fossette au menton, ce visage angélique? Comment ne pas apprécier cette aristocratie innée, ce port altier, cette intelligence vive, ce bagage phénoménal de connaissances de toutes sortes? Sans nul doute, Aurélia Fortin était une femme hors du commun.

En dehors de toutes ces considérations, une question importante, que personne n'osait poser ouvertement, demeurait toutefois sans réponse : comment arriver à comprendre le choix d'Aurélia d'accepter de vivre... seule et, qui plus est, dans une condition si... ordinaire?

À l'exception de l'institutrice, personne au village ne connaissait son histoire. Tout ce que l'on savait à son sujet venait uniquement de Béatrice Poulin : Aurélia Fortin avait beaucoup souffert. Elle avait perdu des êtres chers, plusieurs même, dans des conditions dramatiques... Elle méritait « qu'on la respecte et qu'on la laisse en paix »!

Ainsi fut-il fait, chacun se contentant d'espérer pour la belle Aurélia une condition digne de ses innombrables qualités, une vie à la mesure de ses grandes capacités, et, pourquoi pas, un homme à la hauteur de son indéniable féminité.

***

Suite à l'échec de l'analyse de l'obscure formule, Béatrice, très peinée de voir son amie déprimée à une si belle période de l'année, ne s'était pas avouée vaincue pour autant. Patiente, persévérante et adroite dans l'art de soutirer les confidences, l'institutrice avait, par la suite, réussi à extraire délicatement quelques précieux aveux. La prouesse avait été de taille étant donné la retenue légendaire de la timide Aurélia. À son grand étonnement, les confidences, relatées avec parcimonie, faisaient toutes écho à des anniversaires... Il avait donc été facile pour Béatrice d'en dégager un thème récurrent, soit le comportement anormal de Zoé, la mère d'Aurélia.

Sans hésitation, l'institutrice avait jugé que les larmes de Zoé, son regard fuyant, son mutisme et son profond malaise, à chacun des anniversaires de sa fille unique en octobre, avaient largement contribué à causer puis à entretenir la déprime automnale d'Aurélia Fortin. Quant aux souliers, Béatrice s'était bien promis, dès que l'occasion se présenterait, de marcher avec ceux de son mari, « histoire de voir... »

Mais depuis le procès de la déprime et sa juste sentence, beaucoup, beaucoup d'eau avait coulé sous les ponts. Avec les années – dix... peut-être même quinze – il devenait évident que la responsabilité de Zoé, laquelle n'était pas remise en cause pour autant, s'atténuait, jusqu'à n'être plus qu'un vague argument. Sans plus de coupable présumé, la déprime aurait dû diminuer. Contre toute attente, celle-ci, probablement avec la force de l'âge et de l'habitude, s'intensifiait d'automne en automne, devenant insoutenable.

C'est pourquoi, vers la fin de l'été, sentant venir le coup une autre fois, Aurélia Fortin avait décidé d'agir plutôt que de réagir. Elle ne pouvait plus occulter l'aggravation certaine de son état, alors qu'une seule allusion à son anniversaire ou encore la moindre évocation de l'été des Indiens la faisait paniquer...

Aurélia avait finalement accepté de suivre l'ultime conseil de l'institutrice : elle était allée « consulter ».

Béatrice, à hauts cris, avait insisté en ces termes pour l'encourager et l'accompagner :

– Je vais prendre moi-même le rendez-vous. Je ne vais pas te laisser tomber à un moment pareil! Tu n'iras jamais si j'y vais pas avec toi. Je te connais mieux que personne, tu sais. Que t'aies la tête dure comme le cran à Beaulieu passe encore, mais que t'aies pas de voiture en 2001, ça, c'est hors de ma compréhension! Ah! bonne sainte Rose! Je suis certaine que t'aurais les moyens! Pour un p'tit char, en tout cas... O.K. O.K. N'en parlons plus! Oublie ce que je viens de dire. Mais, fais-moi plaisir, Aurélia, vas-y. Elle ne va pas te mordre, tu sais!

Par ce bel après-midi d'automne, Aurélia Fortin se disait qu'elle aurait préféré que son amie l'institutrice se trompe. Car, d'une morsure, si vilaine soit-elle, l'on guérit, question de jours et de quelques potions. Madame Nicole avait fait bien pire que de la mordre! Elle l'avait déstabilisée, estomaquée, grandement troublée... avant même l'équinoxe! Nicole, clamait Aurélia avec conviction, avait aggravé son cas.

Béatrice, qui n'en revenait pas de la tournure des événements, ne savait plus à quel saint se vouer pour libérer son amie des affres de la dépression :

– Ah! sainte Misère! Là, t'exagères, Aurélia! D'abord, je suis certaine que tu me caches l'essentiel. Mais, ça, j'y suis habituée. T'as toujours été très, non... trop si tu me permets, réservée de ta personne. Ensuite, la première fois, c'est toujours surprenant! Mais, il faut en prendre et en laisser, mon Aurélia. Cette petite madame Nicole est réputée pour son intégrité et sa franchise. Elle est directe et elle en dit beaucoup, c'est vrai. Moi, je dis que c'est pas plus mal, non? On peut ainsi mieux se préparer ou, pour le moins, espérer des jours meilleurs! L'espérance, la foi sont des valeurs essentielles dans la vie! Ne nous aident-elles pas à déplacer des montagnes, Aurélia?

« Et puis, pourquoi dirait-on partout qu'elle possède un vrai don? Hein? C'est parce qu'elle a fait ses preuves depuis belle lurette, tiens! Qu'est-ce que t'aurais voulu, Aurélia Fortin? Qu'elle te donne en plus la date et l'heure, ma parole?

– Ben non, voyons! Ce que j'aurais voulu? Comment veux-tu que je le sache, Béatrice Poulin? C'est la raison pour laquelle je suis allée la voir : je ne sais plus ce que je veux quand l'automne arrive! J'arrive plus à avancer d'un pas... Alors, pour ce qui est de déplacer des montagnes! C'est sûr que je veux tellement d'affaires aussi que c'est pas pour faciliter les choses! J'en conviens.

« Je ne veux pas finir mes jours toute seule, j'aimerais me promener, voir du pays, rencontrer du nouveau monde. J'aimerais ça aussi que le téléphone sonne plus souvent...

« J'aurais envie de dépenser mes petites économies, aller manger de la fine cuisine en bonne compagnie, comme on voit dans les films. Ça doit être tellement bon! J'aimerais apprendre l'informatique. Voyager sur Internet! Recevoir des courriels... Ah! juste le mot me fait rêver! Pas toi, Béatrice?

« Je voudrais tellement vivre quelque chose... quelque chose d'exaltant, d'excitant avant de mourir! Ah! si je pouvais enfin avoir du plomb dans la tête et cesser de me conduire comme une enfant! Je souhaiterais en finir une fois pour toutes avec cette maudite déprime! Et puis, je peux bien te l'avouer, Béatrice...

Encore aujourd'hui, j'aimerais ça savoir pourquoi maman Zoé pleurait tant à mes anniversaires! C'est certain que je n'aurai jamais de réponse à ce sujet! Les morts n'ont pas l'habitude de faire des confidences... Bref, la liste est si longue, Béatrice, que je n'aurais pas assez de l'automne pour t'en parler!

« Mais revenons plutôt à ta madame Nicole! J'aurais voulu... qu'elle me fasse pas tant d'accroires! Voilà. Elle a juste réussi à me déprimer encore plus, si tu veux vraiment savoir! Et puis, zut! n'en parlons plus. Ça va s'arranger. Je vais prendre mon mal en patience comme j'ai toujours fait! L'hiver va arriver et puis, je vais tout oublier... Fais-toi-z-en pas : la neige, elle, oubliera pas de recouvrir ma déprime en même temps que la galerie d'en avant, comme elle fait chaque année! Tu le sais bien, va! C'est toujours comme ça! Inquiète-toi plus pour moi... »

Ce qu'Aurélia, par pudeur ou par crainte du ridicule, avait volontairement évité de confier à sa voisine était justement ce qui la tourmentait par ce flamboyant jour d'octobre. Par conséquent, cette « cachotterie » occupait tout l'espace de sa réflexion, l'empêchant d'aller cueillir ses pommes, ce qui, par ricochet, faisait lamentablement bêler les moutons du Grand Tremblay.

L'extravagante madame Nicole, d'une voix ferme et assurée, sans même un soupçon d'hésitation, lui avait fait des prédictions insensées : tout ce qu'Aurélia Fortin voulait, Aurélia Fortin... l'aurait!

***

Comme prévu, Béatrice Poulin avait tenu parole. En plus de prendre elle-même le fameux rendez-vous, elle était venue chercher son amie en voiture, pour la conduire jusqu'à Chicoutimi. Aurélia avait constaté avec soulagement que la maison de madame Nicole ressemblait à toutes les autres : une maison de ville dans un quartier sans histoire apparente. Jusque-là, rien d'extraordinaire. Rien du moins qui puisse faire peur. Une fois à l'intérieur, Nicole avait insisté pour recevoir Aurélia seule. L'institutrice, un peu dépitée par la requête inattendue, s'était donc installée à contrecœur dans le petit salon adjacent au bureau de consultations.

Aurélia avait tout de suite ressenti beaucoup de sympathie pour cette femme qu'elle voyait pourtant pour la première fois. Nicole était plutôt jeune, jolie, de taille moyenne et très avenante. Ses yeux d'un beau brun noisette fouillaient ceux des autres, peut-être un peu trop effrontément, mais sans malice. Elle portait des vêtements amples, qui la rendaient presque aérienne. Peu de bijoux et aucun maquillage, ce qui était chez elle plus une expression de sobriété qu'un manque de coquetterie. Un foulard de soie mauve retenait de longs cheveux bruns qui retombaient en cascade sur une peau claire et lumineuse. Surtout, avait remarqué Aurélia, Nicole avait vraisemblablement le don de mettre les gens à l'aise et en confiance.

– Madame... Aurélia Fortin, c'est bien ça? avait demandé Nicole avec courtoisie.

– Oui, avait murmuré Aurélia timidement. Mais vous pouvez m'appeler juste Aurélia.

– C'est un prénom assez rare. Plus souvent, on entend Aurélie, non? Aurélia... Aurélia! Un très beau prénom... qui a représenté beaucoup de choses pour... votre mère! C'est elle-même qui l'a choisi... en pleurant!

Quoique totalement prise au dépourvu par cette déconcertante entrée en matière, Aurélia avait néanmoins eu le temps d'enregistrer le changement dans le timbre de la voix et aussi dans l'attitude de Nicole. Elle avait bizarrement associé cette légère variation à une « mince faille dans la forteresse du temps ». Malgré qu'elle ait été imperceptible, Aurélia en avait été profondément troublée. Perplexe, mais néanmoins curieuse d'entendre la suite, elle n'avait osé contredire la voyante en lui avouant d'entrée que son prénom venait tout bonnement de son père. Et, complètement sous le choc de la révélation, Aurélia s'était sentie à ce point désarmée qu'il lui avait été impossible de relever le sujet des larmes de Zoé.

– Enfin... Excusez-moi! Où en étais-je? Oui... Pourriez-vous me donner votre date de naissance, chère Aurélia?

– Est-ce vraiment nécessaire?

– Ce n'est pas obligatoire et ce n'est pas par indiscrétion, croyez-le bien. Mais disons que j'aurais ainsi un portrait de votre personnalité et je pourrais sûrement faire une meilleure consultation. À ce propos, j'aimerais vous citer un psychologue allemand qui disait : « *Nous sommes nés à un moment donné, en un lieu donné, et nous avons, comme les crus célèbres, les qualités de l'an et de la saison qui nous ont vus naître.* » N'est-ce pas intéressant, Aurélia?

« Bref, étant donné votre réticence, puis-je vous poser une question? Oui? Souhaitez-vous sincèrement être ici, Aurélia, ou venez-vous seulement pour... faire plaisir à une autre personne? »

Le ton était empreint d'une telle douceur qu'il avait, à lui seul, chassé les craintes et les dernières réserves qu'Aurélia pouvait encore avoir.

– Oh! pardonnez-moi. C'est la première fois... et je n'ai absolument aucune idée de ce qu'il faut dire ou faire. Je viens pour moi. Je vous assure. Je suis née le 17 octobre 1923.

Si les yeux de Nicole avaient vraiment pu sortir de leur orbite, ils auraient sûrement choisi ce moment précis de sa vie pour le faire. La voyante avait été incapable de cacher sa très grande surprise. Jamais, avait-elle dit, n'aurait-elle imaginé une seconde que la femme assise en face d'elle serait bientôt octogénaire! Puis, Nicole avait longuement complimenté sa consultante sur son apparence.

– Mil neuf cent vingt-trois! Vous faites à peine dans la jeune soixantaine! s'était-elle exclamée, sincèrement ravie. Mais, quel est donc votre secret, Aurélia?

– Secret? Je n'ai pas de secret... Jamais on ne m'a dit que je faisais plus jeune que mon âge! C'est vrai que peu de gens... personne, à bien y penser, ne connaît l'année exacte de ma naissance! Je suis...

– Ne dites plus rien, avait gentiment coupé Nicole. Vous êtes timide, discrète, très modeste et surtout rêveuse. Jamais vous n'avez abandonné vos rêves, surtout celui de faire quelque chose d'exaltant, d'extraordinaire, un peu hors norme, n'est-ce pas? Une femme-enfant! Ah! que c'est merveilleux!

Très loquace, Nicole avait continué à dessiner le portrait intérieur de sa cliente d'une manière si exacte qu'Aurélia en était restée bouche bée. Qualités, défauts, comportements, intelligence, caractère et sentiments avaient été interprétés avec beaucoup de justesse. De plus, la voyante avait mentionné les maris et les enfants décédés.

– Tous ces malheurs, c'est trop, pour une seule personne! avait-elle soupiré avec consternation et empathie.

Nicole avait évoqué les parents d'Aurélia – il y avait quelque chose d'un peu trouble à ce sujet qu'elle ne cernait pas bien –, le contact rapproché avec la nature, la vie solitaire et plutôt routinière depuis plusieurs années. Pour conclure cette partie de la consultation, la voyante avait judicieusement remarqué « une tendance manifeste à la déprime saisonnière » qu'il fallait surveiller de très près.

Ensuite, avec beaucoup de délicatesse, elle avait sorti, d'un écrin en velours, vingt-deux cartes d'une rare beauté.

– Aurélia, maintenant, vous allez vous concentrer sur vos aspirations, vos rêves, devrais-je dire, et, en même temps, essayer de vous relaxer au maximum. Ne croisez pas les jambes et respirez normalement. Vous sentez-vous à l'aise? Oui? C'est bien. Vous allez prendre cinq cartes et me les remettre avec votre main gauche. Allez-y.

Une fois la requête exécutée, un grand calme, aussi apaisant que troublant, avait envahi la petite pièce aux parfums d'ésotérisme... Seul le crépitement des chandelles qui brûlent s'était fait entendre. Malgré sa gêne, Aurélia, fascinée par les cartes, avait réussi à briser le grave silence qui s'éternisait.

– Excusez-moi, Nicole? Pouvez-vous m'expliquer... me décrire ces cartes? Elles sont si belles.

– J'y viens, j'y viens. C'est que je suis... je suis assez étonnée! Perplexe, aussi...

– Qu'y a-t-il? Vous ne vous sentez pas bien?

– Oh non, non! Ça va très bien... Au contraire! Je vois que vous ne connaissez pas le Tarot. Non, c'est vrai, c'est votre première fois. Alors, je vais vous révéler le nom que porte chacune de ces cartes. Je ne le fais pas habituellement, mais... Tous les noms portent une énergie, vous savez. Le vôtre aussi. Depuis que je l'ai entendu, je n'arrête pas de penser à votre mère! Que de tristesse! À une naissance... Comment est-ce possible? Votre prénom, à lui seul, recèle un secret d'une très grande portée énergétique. J'en suis sûre. Le Tarot, peut-être, voudra-t-il nous le dévoiler?

Ainsi, Aurélia avait appris que de simples cartes pouvaient porter des noms aussi fantaisistes que la Lune, le Pape, le Mat, l'Étoile et... la Tempérance. De plus, tout comme les notes de musique qui, une fois assemblées, produisent une mélodie, avait affirmé Nicole avec gravité et respect, les arcanes, une fois réunis, pouvaient raconter une histoire.

Mais, quelle histoire!

***

Le bêlement persistant des moutons finit par avoir raison de la torpeur dans laquelle était plongée Aurélia depuis des heures. Elle sortit enfin des nuages pour revenir sur terre. À ce moment-là, son regard erra sur la campagne environnante. Elle put ainsi voir le pommier qui croulait sous le poids des fruits mûrs.

– Bon! je ferais mieux d'aller cueillir mes pommes. Ça va me faire du bien de bouger et de me changer les idées. Il me semble qu'ils ont annoncé de la pluie pour demain. Je pourrai faire mon beurre de pommes et aussi de la compote. Cela me tiendra occupée! Je devrai m'arrêter un jour ou l'autre. J'ai même plus de tablettes pour ranger tous les pots! J'ai personne à qui les donner non plus! À moins que je ne rencontre... Eh non! eh non! eh non! Quelle idée est-elle allée me mettre en tête, celle-là! Et puis, pourquoi diable inventer une histoire pareille? Je ne lui en demandais pas tant...

Une fois près de la clôture, Aurélia ramassa machinalement quelques fruits mûrs qu'elle tendit gentiment aux moutons. Ensuite, elle déposa son panier en osier sur un vieux banc délabré, encore plus délaissé par les humains que le pommier, et elle scruta l'horizon.

Le paysage qui s'offrait à elle n'en finissait pas de la réjouir depuis trente ans. Situé à moins d'un kilomètre de sa maison, en contrebas de la côte à Tremblay, le notoire village de Sainte-Rose-du-Nord semblait faire une longue sieste au soleil. La majorité des touristes étrangers étaient enfin retournés chez eux, emportant pêle-mêle dans leurs valises les effluves de l'été des Indiens, les vestes à carreaux, les mocassins et le fameux sirop d'érable. Après des semaines d'explosion démographique dans le petit hameau de cinq cents âmes, Sainte-Rose, ceinturé de vastes pâturages, reprenait lentement son rythme rural à l'ombre des grands cyprès.

Le majestueux fjord du Saguenay, qui enveloppait le village dans un écrin – ne disait-on pas volontiers de Sainte-Rose qu'elle était la Perle du fjord –, retrouvait ses lettres de noblesse : ses grands espaces tranquilles, son isolement et ses Roserains. Ceux-là, dont Aurélia faisait partie, lui demeuraient fidèles, ne partant jamais bien loin ni pour bien longtemps. Les falaises abruptes, les escarpements rocheux, la majestueuse rivière faisaient autant partie du fjord imposant que de l'âme sensible de ses fiers habitants.

La grandeur du fjord et son incroyable exubérance n'eurent pour effet que de raviver le souvenir de Nicole dans l'esprit agité d'Aurélia Fortin. Celle-ci n'en revenait toujours pas du formidable potentiel imaginatif de la cartomancienne : « Comment est-elle arrivée à inventer une histoire pareille? »

Sentant un besoin urgent de confier son incroyable aventure, Aurélia, comme elle l'avait fait tant de fois auparavant, se mit à parler tout haut, en s'adressant aux moutons devant elle :

– Une nouvelle, qui me surprendra, viendra par téléphone d'un homme... comment déjà? Oui, quelqu'un d'une profession libérale : avocat, médecin, notaire... Nicole a aussi mentionné un journal... une annonce dans un journal! Cette nouvelle serait en rapport avec le passé et la famille. Nicole a insisté en ces termes : « Un secret vous sera dévoilé et changera le cours de votre paisible existence, Aurélia Fortin! » Ce à quoi j'ai rétorqué, en me moquant gentiment : « Tout le monde est mort depuis longtemps, chère Nicole, et, vu mon âge, je ne vois vraiment pas de quoi vous pouvez parler! À moins que je ne rencontre un médecin qui m'annonce ensuite par téléphone que j'ai un cancer... Si je mourais, en effet, le cours de mon existence serait à jamais perturbé, non?

« Suite à ma remarque, Nicole a fait une pause. Je croyais l'avoir vexée, mais non! Elle m'a regardée avec beaucoup de tendresse tout en me réprimandant vertement :

– Soyez sérieuse une minute, Aurélia! Quelle enfant, vous faites! Il n'est pas question de maladie pour vous, pas pour cette année, j'en suis sûre. Il s'agit d'autre chose... Qui sait si ce n'est pas le secret de votre nom!

« Cette fois, je n'ai pas pu m'empêcher de lui avouer qu'elle faisait fausse route :

– Je ne veux pas vous décevoir, Nicole, mais mon nom, c'est mon père qui l'a choisi en souvenir d'une vieille tante décédée, sa marraine, en fait.

« Nicole a alors pris un air mystérieux pour murmurer :

– Aurélia Fortin, si j'étais vous, je n'en serais pas si certaine!

« Bref, je dois faire un voyage ou un court déplacement en train! Oui! Moi qui n'ai jamais pris le train! Pour aller à la campagne, vers le nord, dans un endroit où il y a beaucoup d'eau et où je me lierai d'amitié avec des personnes très agréables. Il y aurait même une naissance, un petit enfant auquel je m'attacherais sans réserve. J'ai alors fait remarquer à Nicole que je vivais déjà à la campagne, près du Saguenay, à Sainte-Rose-du-Nord...

– Mais non, Aurélia! a-t-elle rétorqué, un peu contrariée par mon intervention, cela n'a rien à voir! Décidément, vous êtes incorrigible! C'est ailleurs, plus loin, parce qu'il y a le Mat! Cette carte signifie aussi que vous êtes arrivée à la fin d'un cycle. Vous en aurez bientôt terminé avec certaines choses de votre vie. Avec la solitude, bien sûr, mais, surtout, surtout avec la dépression qui sera plutôt sérieuse cet automne, je ne vous le cache pas, et qui pourrait même... Laissons cela pour le moment.

« Vous vivrez des événements extraordinaires, insensés, complètement différents de votre routine habituelle. Votre nouvelle réalité sera bien au-delà de vos rêves les plus fous!

« Mais, pour y accéder, vous devrez... vous devrez absolument reconnaître... votre ange gardien, quand il se révélera à vous. Aurélia, ne riez pas, je suis très sérieuse! Voyez! il est là, c'est la Tempérance, la carte qui porte le numéro quatorze, juste après le treize de la Mort qui n'est pas dans le tirage, mais qui rôde. L'ange se manifestera à un moment critique, très critique. Soyez extrêmement vigilante, chère Aurélia et gardez espoir, coûte que coûte, car les heureux événements annoncés peuvent connaître un délai dans le temps... Fin de l'hiver, début du printemps.

« Dieu merci! a-t-elle ajouté avec soulagement, vous semblez bien protégée par le Pape et l'Étoile! »

Hors d'haleine, Aurélia fit une pause. Elle attrapa

une pomme qu'elle croqua avec plaisir. Elle réalisa que le simple fait de raconter son histoire, même à des moutons, lui faisait le plus grand bien. Poussant son panier encore vide, elle décida de s'asseoir sur le banc délabré qui craqua lamentablement. Jaloux de l'affection exagérée qu'elle portait aux moutons, Noiraud en profita pour venir quémander une caresse. Patient et réaliste - les moutons ne bougeraient pas tant et aussi longtemps que la douce Aurélia leur porterait une attention aussi soutenue -, le chien noir s'assit sur ses pattes arrière, juste en face d'elle, et il attendit. Question de renouveler son auditoire, Aurélia s'adressa aussitôt à Noiraud avec une fougue inhabituelle :

– Noiraud! Écoute bien! Je vivrai une renaissance et je me lancerai aussi dans des dépenses extravagantes, comme acheter un ordinateur, entre autres! À cause, encore une fois, de Tempérance! Noiraud, tu ne trouves pas que c'est un peu poussé qu'une même carte puisse représenter à la fois les communications comme le téléphone, un journal ou même un ordinateur, des dépenses, un voyage en train, une renaissance et en plus... un ange gardien? Non? Eh ben! moi, j'ai de gros doutes...

Et, comme si elle craignait qu'on puisse l'entendre, Aurélia se pencha vers le chien pragmatique et lui souffla à l'oreille :

– Nicole a ajouté que j'éprouverai un sentiment profond pour un homme assez âgé, plus âgé que moi! Un homme bon, protecteur, chaleureux, sensible, fier de sa personne et respectueux des valeurs. Un homme à l'esprit encore vif, au cœur toujours jeune, un homme de longues amitiés. C'est facile de dire ça... Toutes les femmes seules aimeraient bien rencontrer un homme de même! Bref, Nicole a aussi précisé : « Il me paraît grand, pas physiquement, mais d'une grandeur intérieure. Tout en vivant seul, il a beaucoup d'influence sur ses proches. Une sorte de patriarche, un ancien qu'on consulte. Il aime particulièrement l'hiver. Il s'intéresse à tout, Aurélia, aux choses modernes autant qu'aux vieilles... »

– J'ai peut-être bien une chance, alors! plaisanta Aurélia en regardant le chien droit dans les yeux. Ben voyons! Pourquoi aboies-tu comme ça, Noiraud, c'était juste une blague! Je t'avoue, le chien, que madame Nicole m'a donné des frissons quand elle a parlé de l'énergie contenue dans le Mat! Il paraît que c'est une carte puissante, étant à la fois la dernière et la première du Tarot. Elle représente simultanément, ici et ailleurs, dedans et dehors, le possible et l'impossible, tout et rien, l'absurde et la cohérence, le génie et la folie... « C'est pourquoi, a spécifié la voyante, il y aura peut-être un autre étranger dans votre vie! Aussi de sexe masculin, mais plus jeune et près de vous, cette fois. Très près... Ce personnage, grand et fort d'apparence, sera extrêmement fragile à l'intérieur. Il aura peut-être besoin de votre aide. Avec le Mat, Aurélia, il faut vous rappeler que tout peut être relié, sans que quiconque arrive à voir des liens. Tout peut tendre vers un but sans que les événements paraissent suivre un quelconque cheminement... » Nicole a terminé en me disant de me fier à mes intuitions et à mes rêves dans les semaines à venir. Elle m'a dit de bien me préparer, car j'aurais un rôle important à jouer dans la vie de certaines personnes. Je peux toujours la consulter plus tard, si j'ai des questions, des doutes ou des inquiétudes. J'oublie certainement d'autres détails, mais avoue, Noiraud, que c'est... c'est insensé! Qui voudrait croire une histoire pareille? Un vrai roman-photo. Si encore j'étais plus jeune, peut-être...

« Ah! on ne m'y reprendra plus, Noiraud, c'est Aurélia Fortin qui te le dit! Oh! ce n'est pas que Nicole soit une mauvaise personne. Bien au contraire! Je l'ai trouvée particulièrement perspicace, clairvoyante et de bon conseil. Une femme très sympathique, d'une grande bonté. Honnête, à n'en pas douter. Rien à voir avec les charlatans de foire du dimanche. « Tous ceux qui viennent me consulter doivent toujours repartir avec l'espérance au cœur. » Telles furent ses paroles, quand nous nous sommes quittées.

« Son seul point faible, c'est les prédictions, on dirait qu'elles semblent provenir d'une imagination complètement débridée! Dommage! Allez! termina Aurélia en se levant avec grâce comme elle seule en était capable, autant cueillir mes pommes avant la brunante. Sacrée Nicole! »

Le chien, à travers la clôture, vint lui lécher la main. Calme et tout à fait détendue, sans prendre conscience que le simple fait de raconter son histoire la propulsait à mille lieues de sa déprime, Aurélia Fortin lui rendit volontiers sa caresse.

***

Malgré que ce fût toujours son désir le plus cher, Aurélia Fortin se voyait très mal partir à la conquête de nouvelles amitiés. Encore moins... en train!

Croyant avoir définitivement « perdu le tour » avec le monde, elle se contentait des simples contacts journaliers avec les Roserains, sans chercher plus loin. Le pharmacien, la postière, l'épicier, le curé (qu'on ne voyait plus qu'une fois par mois en raison de la pénurie sacerdotale), la mairesse et les quelques commerçants de Sainte-Rose étaient devenus son monde. Néanmoins, le contact de ce microcosme sécurisant – mais ô combien stérile – agissait chez elle comme un poison : Aurélia Fortin s'anesthésiait à vue d'âme. Ce qui lui faisait craindre de mourir plus sûrement d'ennui ou de solitude que de maladie.

Béatrice, toujours égale à elle-même, n'avait jamais apporté de réelle surprise dans le quotidien monotone d'Aurélia. Serviable, gentille, d'un bon jugement, polie, mais, hélas, trop stricte sur les principes de bienséance, l'institutrice, au grand désespoir d'Aurélia, la prévenait toujours de sa visite.

La seule autre personne qu'Aurélia côtoyait assez régulièrement était le Grand Tremblay, son plus proche voisin de droite, qui habitait au bout du chemin du vieux pommier. Quand Nicole avait mentionné un homme grand et solitaire, Aurélia, avec effroi, avait tout de suite songé à lui. Puis, quand la cartomancienne avait précisé : grand intérieurement, nonobstant l'éloignement de ladite personne dont avait parlé Nicole, l'effroi avait vite fait place au soulagement. Car la possibilité d'un rapport plus intime avec un tel homme était bien la dernière chose qu'elle eût souhaitée!

Sans pourtant connaître son voisin en profondeur, une évidence s'imposait à l'esprit critique d'Aurélia. La grandeur de ce dernier se situait à d'autres niveaux que celui mentionné par la voyante : son aspect extérieur et son portefeuille. En effet, tel un coq dans un poulailler, le Grand Tremblay se pavanait devant tout ce qui portait jupons, vantant ses six pieds, quatre pouces et ses quatorze de pointure, discourant bêtement et uniquement sur sa réussite et ses possibilités imminentes d'agrandir son territoire.

Un peu honteuse, Aurélia se disait souvent qu'elle faisait peut-être trop la difficile. Après tout, les prétendants ne couraient pas les rues à Sainte-Rose.

Pourtant, chaque fois que Joseph-Phydime-Elzéard Tremblay – il ne supportait aucune altération ou diminutif à son prestigieux prénom autre que Grand Tremblay – se trouvait devant Aurélia, elle baissait plus ou moins la tête.

Car, dans les faits, en plus de la clôture de perches, un pied les séparait, Aurélia mesurant cinq pieds, quatre pouces. Par conséquent, le simple fait de tenir la tête levée tout le temps de la conversation lui procurait un affreux torticolis. Garder la tête plus ou moins baissée servait aussi un autre dessein : celui d'empêcher le fou rire enfantin qui la prenait dès qu'elle apercevait l'extravagante pomme d'Adam, l'énorme pif, les grotesques arcades sourcilières et les longues oreilles du Grand Tremblay!

Ces considérations terre à terre auraient pu, avec un peu plus de solstices d'hiver et beaucoup de bonne volonté, être reléguées au second plan. Hélas! l'écart de grandeur entre eux dépassait largement le seul aspect physique. Il s'inscrivait dans un ordre plus profond, devenant ainsi infranchissable. Aurélia aimait avant tout le raffinement et l'originalité chez un être, et Elzéard Tremblay en était totalement dépourvu. Grande passionnée de lecture, elle avait dévoré des centaines de livres, de revues, de journaux et se tenait au courant des moindres faits de l'actualité. Lui n'avait lu aucun livre à ce jour, ne suivait aucun événement dans le monde, prétextant sottement :

– Y a pas grand intérêt à perdre son temps dans ces foutaises!

Plusieurs fois, il avait offert à Aurélia de la « racheter », tout en la dédommageant « grandement ». Peut-être même, se plaisait-il à sous-entendre en gloussant, si Aurélia le voulait bien, elle n'aurait pas à déménager bien loin...

Aurélia le savait plus ou moins épris d'elle depuis plusieurs années, mais, sans permission avouée de *la belle* – qui avait cessé de croire aux contes de fées – les avances de *la bête*, quoique répétées, n'avaient jamais osé dépasser les limites de la clôture de perches.

***

« Grand parleur, petit faiseur » : tel était l'irrévocable jugement d'Aurélia envers le Grand Tremblay, en cette matinée d'octobre, grise comme les pierres.

Elle s'était levée au chant du coq, le cœur lourd, l'âme blessée en se sentant particulièrement déprimée et très lasse. Depuis trois jours, un crachin lancinant tombait hargneusement d'un ciel quasiment noir dont le plafond bas violait la terre. Depuis trois nuits, des larmes accablantes coulaient de son cœur plongé dans les ténèbres dont la solitude insupportable ne cessait de profaner son corps. Le regard vide, les yeux bouffis par l'insomnie et les pleurs, Aurélia dut se contraindre à allumer quelques lampes pour y voir plus clair, tellement il faisait sombre.

« De plus, lui aussi doit croire que je suis bien plus jeune! songea-t-elle, désemparée. S'il savait que j'aurai soixante-dix-huit ans demain, il ne m'adresserait sûrement plus la parole! »

Sans aucun avertissement, plus vite que l'éclair, la noirceur du dehors sembla prendre possession de tout l'espace intérieur d'Aurélia. Son âme devint plus grise que le temps, et ses pleurs, plus abondants que la pluie. Une coupure se produisit dans sa tête comme un fil qu'on débranche et qui éteint abruptement la lumière. Dans ce noir enveloppant, elle perdit conscience de la réalité et n'arriva plus à suivre ses pensées. Un grand néant se fit et elle s'y abandonna.

Puis, une sorte de vague déferlante noire et sinistre la submergea totalement, la privant d'air et de clarté. Aurélia Fortin, à ce moment précis, fut hypnotisée par la Mort elle-même qui lui ouvrait grands les bras pour la porter vers une île enchanteresse où elle pourrait dormir d'un sommeil éternel...

Dans les phases de profonde tristesse - les derniers automnes, en particulier -, il était déjà arrivé à Aurélia d'espérer une quelconque maladie qui viendrait la délivrer de son ennui, de son désespoir et de son intolérable solitude. Cependant, pour la première fois de sa vie, Aurélia Fortin songea froidement à se donner la mort. Elle vit, dans ce pernicieux mirage, un remède définitif et instantané au mal-être de sa vie. Sous l'emprise d'un état morbide, elle devint convaincue de l'inutilité et de l'absurdité de sa vie.

– À part Béatrice, personne ne te pleurera, madame Fortin! s'écria Aurélia, d'une voix cynique et amère. Et, de toute façon, à force de pleurer sur toi-même, tu finiras, ma pauvre vieille, par te noyer dans tes larmes... C'est juste une question de temps, Aurélia Fortin! Tant qu'à mourir à petit feu... ne put-elle que conclure, sous l'emprise d'un pessimisme tout-puissant.

Son esprit devint si totalement obnubilé par cette sinistre pensée que plus rien autour d'elle n'exista. Tout à fait déconnectée de la réalité, tel un automate, elle se leva lentement de sa chaise et se dirigea vers l'escalier de la cave.

Une fois au sous-sol, elle trouva une chaise branlante et la plaça juste en dessous d'une grosse poutre de support en bois. Ensuite, elle réussit à trouver une vieille corde de marin qu'elle attacha autour de la poutre en faisant un double tour avec une minutie macabre. Inébranlable dans sa décision, elle exécuta froidement un nœud coulant à l'autre extrémité.

Sans hésitation et sans aucune peur, elle se mit debout sur la chaise et passa la tête dans le nœud coulant. Aurélia ressemblait à un fantôme, tant sa peau était livide et tant la Mort rôdait près d'elle. Bizarrement, la corde humide qui frôlait son cou la ramena aux prédictions de Nicole. Un rictus amer vint alors déformer le visage angélique d'Aurélia Fortin.

Juste à l'instant où elle allait faire tomber la chaise en soulevant ses pieds, elle entendit un bruit, là-haut dans la cuisine. Une voix lointaine se mit à l'appeler doucement, puis, de plus en plus fort, en insistant. Une voix connue et aimée la sortait de sa torpeur maladive :

– Aurélia? Aurélia? Ma chérie! Es-tu là? Où te caches-tu?

***

Au moment où Aurélia montait péniblement les marches de l'escalier, la porte de la cave s'ouvrit vivement, comme poussée par une grande force bienfaitrice. Béatrice Poulin, contrairement à ses fidèles principes, avait fait irruption dans la maison d'Aurélia, sans avoir ni frappé ni prévenu. Jamais une telle chose n'était arrivée en trente années d'amitié!

– Bonjour, ma belle! Je me doutais bien que t'étais à la cave, dans tes pots de confiture, probablement? J'avais prévu de t'appeler plus tard aujourd'hui et de venir demain. Excuse-moi de faire ainsi irruption chez toi. J'espère que je ne te dérange pas? Cela ne me ressemble guère, je le sais, mais... je ne pouvais plus attendre! Viens, monte vite! C'est vraiment trop spécial! Il faut que je te montre... Mais avant, autant t'offrir ton cadeau tout de suite! Oh! t'es bien pâle, mon Aurélia...

– Euh!... je n'ai pas très bien dormi la nuit dernière. C'est pas mal... poussiéreux dans la cave. Mais, c'était pas nécessaire... pour le cadeau. À mon âge! Je te remercie de ton attention. Tu es si gentille pour moi, réussit à marmonner Aurélia, le souffle court.

Elle fut soulagée de voir Béatrice ainsi absorbée par Dieu sait quel événement extraordinaire. Si inhabituel, en fait, qu'il semblait avoir relégué à l'arrière-plan toute notion de bienséance chez l'institutrice. Il était clair que Béatrice, tout à son affaire, ne se doutait pas une seconde du drame qui venait juste d'être évité.

Encore sous le choc, Aurélia en profita pour repasser – avec la même main qui venait de nouer la corde! – un faux pli imaginaire sur son tablier blanc. Ce geste, d'une simplicité navrante, tout en la déconcertant, l'aida néanmoins à retrouver un début d'équilibre.

– À ton âge?! reprit l'institutrice, comme si elle se réveillait soudain. Qu'est-ce que tu racontes, Aurélia Fortin? C'est vrai que je ne connais pas ton âge exact, mais quand même. Voyons, on est pas si vieux que ça, dans la soixantaine!

– Quoi? La soixantaine? Béatrice, t'es pas sérieuse? Dis-moi pas que toi aussi...

– Moi aussi, quoi?

– Toi aussi, tu crois... que j'ai dans la soixantaine?

La lumière dans son esprit se ralluma aussi rapidement qu'elle s'était éteinte quelques minutes auparavant. Aurélia se sentit de nouveau en contrôle d'elle-même. La vie reprenait ses droits. Le dangereux mirage avait totalement disparu. C'est alors qu'un accès de rire nerveux la prit inopinément, ce qui dérouta Béatrice au plus haut point.

– Oh! je suis sincèrement désolée, lança Béatrice, soudain mal à l'aise. T'es peut-être pas encore arrivée là?

Et Aurélia, les yeux ronds, s'esclaffa de plus belle :

– Arrête, Béatrice! Arrête! Tu vas me faire mourir de rire!

L'expression, si anodine en temps normal, lui coupa net la parole. Des ciseaux n'auraient pas fait mieux, même bien aiguisés. À cet instant précis, Aurélia aurait aimé se confier à Béatrice. Mais comment paraître saine d'esprit en avouant que quelques minutes auparavant, elle avait failli mourir... de peine! Soudain, l'idée qu'elle n'était peut-être pas tout à fait dans son état normal, pour avoir tenté de commettre un pareil geste, vint l'ébranler sérieusement. Toutefois, ne voulant pas inquiéter sa seule amie et même, qui sait, risquer de la perdre, Aurélia se contenta d'affirmer le plus sérieusement du monde :

– J'aurai soixante-dix-huit ans, demain, chère madame Poulin!

En entendant ces mots, Béatrice conclut sur le coup qu'Aurélia n'était pas dans son assiette. La blancheur cadavérique, le manque de sommeil, les yeux bouffis, sans parler de la déprime et ce fou rire nerveux qui ne lui ressemblait guère...

« Ou alors, Aurélia se moque de moi! » spécula Béatrice, peu fière d'elle. L'institutrice considéra qu'elle méritait bien cette boutade. À cause de son manque de tact, elle venait peut-être de gâcher l'anniversaire de sa plus chère amie.

– Oh! je m'excuse sincèrement de ma bêtise, Aurélia. Ce que je voulais dire, c'est que tu fais ton âge, juste ton âge... cinquante-huit... cinquante-neuf?

– Arrête, je te dis! trancha Aurélia. Je suis née le 17 octobre 1923! T'as juste à faire le compte. T'es maîtresse d'école, non? Je veux bien croire que tu enseignes au primaire, mais tout de même!

– Je ne te crois pas, Aurélia Fortin! rétorqua Béatrice, piquée au vif. C'est... c'est impossible! Je l'aurais deviné, quand même! Tu me montes un bateau!

– Je te jure que non! Ma parole, elle ne me croit pas! Attends-moi une minute.

Et Aurélia se leva pour aller chercher son baptistère. À la lecture de ce dernier, Béatrice Poulin, les yeux agrandis par la stupéfaction, ne put que se rendre à l'évidence.

– Ça alors! Bonne Sainte Vierge! Toutes ces années! C'est la meilleure! Et je t'ai forcée à aller voir une voyante! Et je te disais tout le temps de t'acheter une voiture! Je croyais que tu avais soixante... et des poussières! Tu as dû rire de moi! Oh!... je ne veux pas dire par là qu'il ne peut plus rien arriver à ton âge ou que tu ne peux conduire... Ah! je ferais mieux de me taire! Je ne sais plus ce que je dis! J'en perds mon latin! s'exclama l'institutrice, affolée et complètement déboussolée.

– Remets-toi, Béatrice! Ce n'est pas grave, voyons. C'est surtout de ma faute. Je n'ai jamais pensé que quiconque pouvait me rajeunir autant! Maintenant, la situation est claire! J'espère que cela ne changera rien à notre amitié? questionna Aurélia, soudainement inquiète, en déballant son cadeau.

– Comment peux-tu oser poser une telle question? s'offensa Béatrice. Jamais de la vie! Mais, avoue que je t'en dois une et je pense même que tu vas l'avoir tout de suite, à part ça, ajouta l'institutrice, d'un ton coquin. Attends de voir ce que j'ai pour toi!

Pendant que Béatrice se levait pour aller chercher son sac à main pendu à la patère près de la porte d'entrée, Aurélia s'exclamait de joie à la vue de la boîte de chocolats.

– Des chocolats aux bleuets des Pères trappistes de Mistassini! Ça fait longtemps que j'en ai mangé!

Quelle belle attention! Merci, Béatrice. Viens que je te fasse la bise.

C'est alors qu'il se passa quelque chose d'extraordinaire, du moins aux yeux d'Aurélia Fortin...

***

Béatrice, qui revenait vers Aurélia le sourire aux lèvres, se mit à se dandiner de gauche à droite. Elle portait une jolie robe à manches longues, cintrée à la taille, qui descendait jusqu'aux chevilles. Le balancement de son corps créait un mouvement qui faisait légèrement onduler sa robe. Béatrice avait coiffé ses longs cheveux bouclés en faisant une raie au centre. Elle les avait laissés retomber de chaque côté, en les rejetant librement vers l'arrière. Cette coiffure était tout à fait inhabituelle chez elle.

De plus, son amie tenait un journal plié en deux qu'elle passait d'une main à l'autre. Ne lui manquait... que les ailes!

En un éclair, Aurélia y vit franchement la représentation de l'arcane Tempérance. Des bribes éparses remontèrent à sa mémoire : « À un moment très critique... reconnaître l'ange... pour accéder à une nouvelle réalité... » L'ange gardien se tenait là, juste devant ses yeux ébahis, et il avait emprunté les traits de Béatrice Poulin. L'ange venait de la sauver d'une mort certaine et assurément prématurée.

Tout à fait inconsciente du rôle crucial qu'elle était en train de jouer dans la vie d'Aurélia Fortin, Béatrice prit une chaise et s'assit près de son amie. Sans un mot, l'institutrice déplia lentement le journal en question et exhiba la première page devant les yeux d'Aurélia.

Curieuse et surprise par ce manège, Aurélia se

pencha pour lire *Les vagues du Lac*. Il ne s'agissait pas du journal local et, de surcroît, il était froissé. Elle ne voyait pas où Béatrice voulait en venir. Cependant, ne désirant en aucune façon casser le plaisir évident de l'institutrice, Aurélia attendit patiemment la suite. N'avait-elle pas toute la vie devant elle, maintenant?

– Je n'en suis pas revenue moi-même! Bonne sainte Rose! Je ne croyais pas que c'était possible, les histoires de sosie! s'exclama Béatrice, au comble de l'excitation. Mais là, mais là... Attends, j'y arrive, c'est sous la rubrique... Voyons, je ne la retrouve plus!

Pendant que les pages du journal volaient dans tous les sens, l'institutrice en profitait pour continuer sa tirade :

– Il faut aussi que je te raconte. Ce journal est arrivé avec le chocolat aux bleuets. J'avais demandé à Rosianne, tu sais, la femme à Louis, mon frère qui habite Sainte-Croix, au Lac-Saint-Jean, de me dénicher du chocolat à tout prix. Pour toi, bien sûr, puisque je savais que tu l'aimais beaucoup et que tu n'avais pas eu l'occasion d'en manger, cet été, étant donné que les touristes... enfin, passons.

« Ma belle-sœur a réussi à en trouver et elle a enveloppé la boîte de chocolats dans ce vieux journal qui date de... 1998. Trois ans, c'est pas vieux tout de même! J'aime ça feuilleter les journaux, surtout ceux qui viennent d'ailleurs. Là, c'est là! Regarde, Aurélia. Regarde bien! »

Très intriguée, Aurélia se pencha et lorgna à l'endroit indiqué par l'institutrice. Et elle vit, effectivement, son double, son sosie! Sa photo, en quelque sorte, était imprimée dans un journal du Lac, sous la rubrique... nécrologique!

Aurélia sentit au plus profond d'elle-même que quelque chose de très, très spécial était en train de se passer, sans pourtant être en mesure de comprendre quoi que ce soit à l'extravagante situation. Toutefois, elle fut apte à réaliser que le premier acte de la prédiction de Nicole venait de se jouer, là, sous ses yeux émerveillés.

Parce qu'elle avait reconnu l'ange, Aurélia Fortin décida, sur-le-champ, de ne plus jamais perdre espoir.

Sereine, détendue et enjouée, elle confia à Béatrice :

– Je crois qu'il va bientôt neiger... chère Béatrice. Très, très bientôt!

II

De son lit moelleux, en roucoulant de bien-être, Marie-Ève Saint-Amour étira légèrement le cou pour regarder par la fenêtre. Les carreaux givrés l'obligèrent à faire un effort supplémentaire et elle dut se hisser sur les genoux. Ce qu'elle vit la combla d'aise. Comme un gamin, Jean, qui avait fini de nettoyer l'entrée à la pelle, s'amusait à jouer avec Trompette en lui lançant des balles de neige.

Depuis le temps, le petit griffon, bien que ne comprenant toujours pas l'enjeu d'une telle manœuvre, avait quand même pris des notes. Tout objet rapporté immédiatement à celui ou celle qui l'avait projeté équivalait à une caresse et, pour des raisons obscures, à une considération accrue. Il n'avait donc rien à perdre à participer à ce jeu insignifiant. Pourtant, dans ce cas précis, malgré une attention soutenue et un bon vouloir exemplaire, Trompette avait beau suivre le projectile jusqu'à son point d'impact sans le quitter des yeux une seconde, rien n'y faisait. Chaque fois, la petite boule blanche, sous ses grands yeux noirs incrédules, disparaissait comme par magie! Par conséquent, il revenait bredouille, dépité et de plus en plus d'humeur mauvaise...

Le griffon décida d'arrêter de faire le pitre et, les sens aux aguets, il se mit en quête d'un nouveau centre d'intérêt. Quand il vit le visage de sa divine maîtresse par la fenêtre, il se mit à japper sans arrêt. Plus question de perdre son précieux temps de chien! Plus que tout, il voulait être près d'elle – pour une fois que « l'autre » se trouvait dehors – et il le montrait sans vergogne, la queue bien droite, les oreilles relevées et les poils hérissés.

C'est que, depuis la rentrée officielle du notaire Huot dans la petite demeure du rang des Apis, en janvier, l'ordre hiérarchique de la maisonnée avait grandement été chamboulé. On avait osé ne tenir aucun compte de son ancienneté dans la maison de la Fine! Il avait été grossièrement rétrogradé, tant au point de vue affectif que social. Trompette, quoique de race canine, n'était pas bête pour autant! Il avait vite compris qu'il n'était plus le seul « Toutou » de la maison. Avec désarroi, le griffon avait aussi réalisé que la place bien chaude dans le lit de la demoiselle se faisait de moins en moins libre...

Jusque-là, le fait d'avoir une maîtresse jeune et jolie n'avait apporté que des avantages. Sans contredit, Marie-Ève Saint-Amour était plus dynamique, plus excentrique, plus amusante et plus moderne que Joséphine Frigon. Quand on complimentait Marie-Ève, on faisait aussitôt l'éloge du « mignon petit chien » qui l'accompagnait, la plupart du temps. Trompette était alors traité en roi, recevant mille caresses, dormant souvent dans le lit de Marie-Ève, mangeant dans sa main.

Le chien était prêt à jurer que le notaire, qui lui paraissait plutôt lunatique, avait apporté dans ses valises plus d'inconvénients que de vêtements. Désormais, Trompette mangeait dans une gamelle. La seule vue du récipient en plastique jaune citron – couleur vieille Ford de l'antiquaire – lui soulevait le cœur, au vrai comme au figuré. De plus, le petit griffon dormait sur une couverture à l'odeur de grenier poussiéreux, dans une espèce de panier en osier grotesque. Sa vie ayant changé du tout au tout, il se prenait parfois à regretter cette chère vieille fille, Joséphine...

Cependant, comme Marie-Ève paraissait vraiment enchantée de la présence de ce grand mâle à lunettes et qu'elle s'était même remplumée à son contact, Trompette ne pouvait, en toute décence, avoir le notaire en horreur. Disons qu'il l'avait seulement en grippe, plus particulièrement les jours froids de fin d'hiver, comme celui-ci.

– Ça y est. Il m'a vue! se dit Marie-Ève. Il veut rentrer. Bof! il peut bien rester avec Jean encore un peu. Il faudra qu'il s'habitue à sa présence, après tout! Si j'en profitais pour me dorloter un peu... Hum! le bon lit!

Avant de ramener sa doudou sur elle, dans un geste maintenant familier, Marie-Ève releva sa nuisette et admira franchement son ventre et ses seins devenus, pour l'heure, « la huitième merveille du monde ». Trois petits mois de grossesse dessinaient déjà, sans aucun effort de sa part, de très jolies formes! Elle était vraiment impatiente de voir le résultat final.

De l'extérieur, on ne voyait évidemment aucun changement, même si Marie insistait pour prétendre le contraire. Mais, en tenue d'Ève, une certaine transformation était tout de même visible. Perdue, la taille fine! Oubliés, les seins menus! Juste une douce rondeur qui donnait envie de caresser et, surtout, de protéger. Satisfaite, elle se sourit dans le miroir de la commode et alla se blottir au fond du lit moelleux de Joséphine.

Que Jean ne voulût pas connaître le sexe de l'enfant ne fut une surprise pour personne. En raison des circonstances douloureuses passées, encore très proches, le notaire affirmait n'avoir pas d'autre choix s'il voulait mener à terme – telle était son expression – cette deuxième expérience. Selon lui, aussi longtemps que le bébé n'avait pas de prénom, il était protégé de tout danger.

– Peu de choses peuvent atteindre un passager

clandestin, confiait-il bizarrement à Marie-Ève en essayant de badiner et en cherchant vraisemblablement à se convaincre du bien-fondé de sa décision.

Ce qu'il n'osait avouer, et que Marie-Ève interprétait bien malgré elle, c'est que le fait de ne pas identifier l'enfant le rendait moins réel, moins présent et, par conséquent, moins attachant.

Pendant le temps de la gestation de sa conjointe, Jean Huot avait décidé de s'appliquer à une tâche bien spécifique. Une tâche qui, croyait-il, tout en le conjuguant à son présent, l'aiderait non seulement à composer avec son passé, mais aussi à s'accorder avec le futur. Il occuperait une partie de son temps à retrouver une enfant abandonnée qui avait une réelle identité et avec qui il n'avait jamais entretenu de liens affectifs. Il était question d'Aurélia Fortin, l'enfant dont Joséphine Frigon avait dû se séparer. En agissant ainsi, Jean affirmait avoir trouvé un moyen de conjurer le sort à sa manière, tout en exauçant le dernier vœu de la Fine.

Le vieux Pamphile, qui n'était pas né de la dernière pluie, ne se gênait pas pour confier à sa protégée :

– La peur n'a jamais conjuré le mauvais sort, ma belle enfant. Elle fait juste l'alimenter! T'es ben placée pour le savoir! L'amour seul arrive à faire des miracles! Heureusement, de l'amour, vous en avez à revendre, même que je pourrais peut-être ben en faire commerce dans ma boutique... Ah! ah! Au moins, i va s'occuper l'esprit! C'est un notaire, la Marie, pas un gars de bois! À voir s'il va la trouver, la Aurélia, ça, c'est une autre affaire...

L'antiquaire avait raison : l'amour unissait Jean Huot et Marie-Ève Saint-Amour! Un amour très fort, du genre qui déplace les montagnes, qui défie les lois du temps et de l'espace, qui déteint sur tous ceux et celles qui le frôlent.

« Le docteur et Joséphine ont sûrement connu un

amour aussi intense! Comme cela a dû être difficile de se séparer de la petite Aurélia, songea Marie-Ève, en caressant la courbe gracieuse de son ventre. Elle avait juré de ne jamais essayer de revoir l'enfant et elle a respecté son serment, mais à quel prix! C'est seulement maintenant que je suis en mesure de mieux comprendre le supplice que Joséphine a dû éprouver tout au long de sa vie solitaire! »

Elle savait que Jean avait déjà entrepris les démarches pour retrouver Aurélia, mais il demeurait muet à ce sujet. Probablement parce qu'il n'avait encore rien découvert à ce jour...

***

Les yeux mi-clos, l'esprit au ralenti, Marie-Ève n'en revenait pas de sa chance et de son bonheur. Elle vivait en harmonie avec l'homme de ses rêves et elle attendait son enfant.

Pêle-mêle, d'heureux souvenirs remontèrent à sa mémoire comme le fameux jour du *barda d'hiver*...

Le soir de l'anniversaire de Pamphile, le 29 décembre 2001, à l'annonce de l'enfant à venir, Jean Huot avait pris la décision de vivre officiellement avec Marie-Ève Saint-Amour dans la maison de la Fine. Le notaire avait emménagé aux premiers jours de janvier, juste au moment où le ciel avait subitement décidé qu'il était temps de neiger.

La veille du *barda d'hiver*, plus de soixante-dix centimètres de belle poudreuse avaient recouvert le lac Saint-Jean, la campagne jeannoise ainsi que ses routes et ses petits rangs en l'espace de quelques heures. Le premier réflexe du notaire avait été de vouloir appeler une compagnie de déménagement. Idée que Marie-Ève s'était empressée de repousser :

– Tu vas faire de la peine à Pamphile, Jean Huot! Tu sais qu'il s'est offert de bon cœur pour t'aider. Après tout, tu n'as que quelques effets à prendre... pour le moment! Allez! dis oui. Tu n'auras qu'à conduire la Ford toi-même et le tour sera joué!

Par souci de plaire à sa bien-aimée et pour ne pas froisser son vieil ami Pamphile, Jean avait finalement accepté de prendre la Ford jaune citron de l'antiquaire. À cause des chemins enneigés et de la poudrerie par endroits, et surtout en raison de son inaptitude à conduire la vieille, l'antique camionnette, dix fois le notaire avait failli se retrouver dans le décor.

– Tu t'es trompée, mademoiselle Saint-Amour, lui soufflait-il malicieusement à l'oreille à chaque débarquement de cargaison, c'est la Ford qui me joue des tours, pas l'inverse! Dans quoi me suis-je embarqué?

– Dans une antiquité, mon cher! Ah! ah! ah! Pourtant, je te croyais fin connaisseur dans ce domaine? avait lancé sa compagne, dans un beau rire juvénile.

Dans une forme superbe pour ses quatre-vingt-treize ans, Pamphile Côté avait effectivement aidé le notaire à déménager. Et bien aidé! Malgré une faiblesse au cœur, la force physique et la bonne condition générale du vieillard ne faisaient aucun doute dans l'esprit du notaire : Pamphile avait encore « plusieurs hivers » devant lui.

Bien à l'aise sur le siège du passager, l'antiquaire, plus qu'aguerri aux saisons froides, s'était amusé comme un fou. Jean avait insisté pour conduire la Ford lui-même, et Pamphile, surpris, n'avait osé le contrarier. Quant à Trompette, qui voyageait incognito dans la cabine arrière, se cachant adroitement entre les chaises, les lampes et les guéridons antiques, il jouissait de voir le mâle à lunettes dans une si fâcheuse position. Marie-Ève, sommée d'attendre bien sagement au rang des Apis, se moquait gentiment du notaire, visiblement peu doué pour les déménagements, les vieux camions et les bonnes bordées de neige.

À la fin de la journée, exténué, mais heureux, Jean avait fini par admettre qu'avec beaucoup d'humour, de persévérance et de gros bras, on pouvait se rendre bien loin dans la vie.

– Je ne sais pas si on peut inclure la Ford dans cette liste! avait-il conclu dans un bel éclat de rire qui avait transporté le cœur de Marie-Ève.

La journée du *barda d'hiver*, comme disait Pamphile, resterait mémorable dans l'esprit de tous.

À l'ameublement déjà en place, le notaire avait donc ajouté quelques meubles anciens pour compléter l'aménagement restreint de la maison de la Fine, qui s'était dépouillée avec la vente aux enchères. Lorsque Marie-Ève lui demandait s'il ne s'ennuyait pas trop de sa belle grande maison ancestrale et de sa vue imprenable, Jean la regardait drôlement en disant :

– Bien sûr que non! J'ai pleuré dans cette maison. Claire y a beaucoup souffert. Pour le moment, je la garde, car j'y suis très attaché. On verra plus tard. Rien ne presse. J'aime vivre avec toi dans la demeure de la Fine! C'est grâce à elle, si l'on s'est rencontrés! On est très bien ici pour le moment. Je t'aime, ma douce Marie. Tu es ma lumière, tu es mon seul refuge. Je ne pouvais espérer meilleure maman pour notre enfant!

***

En se caressant le ventre, le cours des pensées de Marie-Ève se transporta naturellement vers sa mère, Francine...

Cette dernière était venue passer deux semaines à la fin de janvier. Elle ne s'était pas formalisée de la chambrette qu'on lui avait préparée, laquelle, de l'aveu même de sa fille, ressemblait plutôt à une grande penderie aménagée d'urgence qu'à une chambre d'amis! Le lit étant des plus confortables, Francine s'en était très bien accommodée.

Être la première à donner les conseils appropriés à sa fille unique, connaître enfin son futur gendre et se trouver en leur présence pour cette occasion spéciale, voilà ce qui importait aux yeux de la future grand-mère.

Marie était enchantée de la belle complicité qui avait pris naissance entre sa mère et Jean dès les premiers instants de leur rencontre. De plus, Francine avait beaucoup apprécié la compagnie de l'antiquaire à qui elle confiait, en riant :

– Savez-vous, cher Pamphile, que j'ai pensé vous avoir un jour pour gendre! Oui, oui! Marie-Ève n'avait d'éloges que pour vous quand elle venait me rendre visite à Sherbrooke. D'une certaine façon, je la comprends, car un antiquaire comme vous, ça n'a pas de prix! Mais avouez, cher ami, qu'il est difficile de résister à un si charmant notaire!

Et Pamphile Côté, ne voulant pas être en reste, répondait avec fantaisie, dans ses mots du dimanche :

– Je savais *bien*, en effet, que la Marie avait un p'tit faible pour moi. Malgré que je l'aie toujours découragée, parole d'antiquaire! C'est sûr, les voyages, ça rapproche, hein, fillon? Mais, naviguer sur la Ternette, ça porte pas à conséquence. Vous avez *bien* raison, Francine, ce *petit* notaire-là, il est charmant et... abordable, car une antiquité comme monsieur, icitte, ça a pus de prix, tellement c'est antique!

Et tous riaient de ces échanges humoristiques. Ils prenaient un plaisir évident à être ensemble, soit en écoutant une bonne musique au coin du feu, soit en jouant de longues parties de cartes ou d'échecs ou simplement installés autour de la table de la cuisine, à discuter et refaire le monde en savourant les délicieux repas préparés, la plupart du temps, par Francine.

Après plusieurs années d'inquiétude à savoir Marie-Ève prise au piège dans les filets d'un voleur, d'un homme narcissique qu'elle sentait fragile mentalement, d'un manipulateur habile, prêt à tout pour assouvir sa soif du jeu et son appétit de domination, Francine était repartie comblée et rassurée. Sa fille, qu'elle soupçonnait de dépendance affective depuis le décès subit de son père, se retrouvait désormais entre de très, très bonnes mains.

***

Quelques ombres venaient toutefois assombrir le tableau idyllique de la vie de Marie-Ève. La première avait pour nom Louise Huot. Entêtée, la mère de Jean ne voulait pas changer d'idée, même après moult tentatives de son fils. Louise ne voulait pas rencontrer Marie-Ève Saint-Amour.

– Pas tout de suite, en tout cas, avait-elle précisé d'une voix pincée et sans grande conviction.

Louise avait ouvertement désapprouvé le fait que Jean se soit remis en ménage si tôt, sans parler du choc reçu à l'annonce de cette autre naissance, prévue en août. Elle soutenait qu'une liaison aussi prématurée n'était qu'inconséquence et déraison, et ne pouvait que favoriser l'instabilité et la précarité. Son fils, selon elle, avait complètement perdu les pédales!

Lors de leur dernier entretien téléphonique, elle s'était montrée d'une dureté implacable :

– Tout ce qui t'est arrivé, Jean Huot, tu l'as cherché! avait-elle vociféré dans le combiné. (Marie avait pu l'entendre, même à l'autre bout de la pièce, tellement le timbre de sa voix était fort et acariâtre.) Tu n'as rien voulu entendre! Tu as insisté pour demeurer dans cette région nordique perdue! Même avec une grande malade! Si vous étiez restés sagement à Montréal, Claire et toi, rien, tu m'entends, Jean, rien de tout cela ne serait arrivé! Et tu voudrais aujourd'hui que je t'encourage à refaire les mêmes erreurs? Excuse-moi, mais je ne peux ni ne veux faire une telle chose!

Pour atténuer la peine et la colère de son amoureux, Marie avait tenté de le réconforter par ces paroles :

– Tu le sais bien, Jean, on ne peut pas plaire à tout le monde! Ça va s'arranger. Donne-lui le temps. Il y a des gens qui ont besoin de beaucoup plus de temps pour soigner leurs blessures. Tu verras, une fois le bébé arrivé, elle ne pourra pas résister!

Ce à quoi le notaire avait répondu, amer :

– Oh! tu ne la connais pas! Pas encore! En fin de compte, c'est peut-être mieux ainsi. Les blessures, elle est passée maître dans l'art de les infliger aux autres. Elle ne s'arrange vraiment pas avec les années. Je ne veux pas être malintentionné, mais je doute fort qu'elle vienne jamais au Lac! Elle attendra, le reste de sa vie s'il le faut, pour que nous fassions les premiers pas, en rampant de préférence. Je n'ai pas envie de me battre contre elle. Pas maintenant. On en reparlera plus tard, O.K.?

Marie-Ève n'avait pas d'autre choix que d'éviter le sujet, mais elle n'était pas dupe. Ne pas parler de Louise était loin d'empêcher la deuxième ombre de s'immiscer sournoisement dans le tableau.

Tel un ogre insatiable, cette ombre invisible issue du passé douloureux du notaire semblait se nourrir de ses moindres inquiétudes, de ses plus minimes craintes, de ses plus petits doutes, de ses infimes hésitations pour les transformer en grande détresse, en pure angoisse et en profond désarroi.

Or, en recouvrant totalement son bien-aimé, cette ombre malfaisante l'éloignait d'elle. Souvent quelques minutes, rarement quelques heures, mais qui semblaient toujours une éternité à Marie-Ève.

Il était évident que le notaire, au souvenir de la petite Sophie, décédée à la naissance, et de sa femme, Claire, morte à son tour de n'avoir pas pu supporter la perte de l'enfant, se tourmentait maintenant pour Marie-Ève. Et, à son tour, elle s'inquiétait pour lui.

Heureusement, depuis que les nausées avaient cessé, Jean paraissait plus calme et acceptait de la laisser seule plusieurs heures d'affilée. À force de douceur persuasive, et avec l'aide de Pamphile, Marie avait réussi à lui faire admettre qu'il était essentiel pour elle de continuer à travailler à Alma. Elle avait toutefois fait un compromis : elle travaillerait trois jours au bureau et le reste du temps à la maison.

Lorsque Jean lui avait demandé de « jurer sur leur enfant » qu'elle ne courrait aucun risque inutile, Marie-Ève avait senti la fragilité de son amoureux. Lorsqu'elle s'en était ouverte à son ami l'antiquaire, ce dernier, de bon conseil, lui avait suggéré d'être patiente et d'éviter toutes sources d'inquiétude, quelles qu'elles soient, jusqu'au jour de la naissance.

– Le temps, avait conclu le patriarche avec philosophie, fera le reste. Sa blessure est pas encore cicatrisée, fillon. La moindre émotion ou le plus p'tit tracas pourrait la rouvrir pis Dieu sait avec quelle force et pour combien de temps! C'est un homme ben sensible, notre p'tit notaire, pis i a souffert beaucoup, pis ben longtemps! Tu dois être ben prudente avec ta santé, la Marie, pis amener le bébé à terme. Après ça, tout va s'arranger pour le mieux... Parole d'antiquaire!

***

En cherchant une position plus confortable dans son lit, Marie-Ève se sentit tout à coup attristée.

Dans ses dernières lectures, toutes en rapport avec son état, elle avait découvert qu'il était désormais prouvé que, en plus d'un bon rythme de vie dont des exercices appropriés, une saine alimentation ou encore la relaxation par la respiration, les humeurs et l'état émotif de la mère influençaient grandement le fœtus. Cette affirmation l'avait particulièrement impressionnée. C'est pourquoi la jeune femme décida de se lever sur-le-champ pour chasser ses pensées moroses.

Les samedis matin, Jean se levait toujours avant elle, sans un bruit, et il préparait un délicieux déjeuner : œufs, fruits, croissants, fromages, café... Gênée par tant d'attentions, Marie-Ève n'avait plus qu'à s'asseoir et manger. Quand elle osait dire qu'il en faisait bien trop, le notaire se transformait en « docteur Provencher » pour affirmer :

– Il faut que tu manges pour deux. C'est connu, Marie. Sois raisonnable! Toi et le bébé avez besoin de beaucoup de calcium, de potassium, de fer...

Elle l'écoutait avec ravissement énumérer toutes les choses que son corps nécessitait, puis, rétorquait :

– Je ne veux pas me transformer en réserve de minéraux, monsieur le Docteur, juste en femme enceinte!

Une fois à la cuisine, en ouvrant le réfrigérateur, Marie constata la pénurie d'œufs, de beurre, de lait. La veille, elle devait faire des courses, mais, se sentant fatiguée, elle avait préféré rester sagement à la maison. Déçue de ne pas être en mesure de préparer le déjeuner pour son compagnon, elle se versa néanmoins un café, qu'il avait pris soin de garder au chaud. La tasse à la main, en chantonnant, elle retourna vers la chambre pour s'habiller.

C'est alors que la sonnerie du téléphone se fit entendre.

– Oui... bonjour! répondit-elle, de bonne humeur.

– Marie-Ève? C'est bien toi?

– Oui! Qui parle, s'il vous plaît?

– Tu ne me reconnais pas? C'est pas vrai! Allez... Un p'tit effort!

Ce n'est pas au timbre de la voix que Marie-Ève reconnut celui qui l'appelait. C'est à l'expression qu'il venait d'employer.

– Gilles? Gilles Ducharme? C'est toi?

– Ah! c'est mieux. Eh oui! Gilles Ducharme en personne! *Long time no see*, hein? J'imagine que tu t'attendais pas à ça? Hein, ma toute belle?

Sidérée, prise de court, Marie-Ève ne sut que répondre. Elle se sentait désorientée. Le ton de la voix se voulait tellement familier et possessif qu'il en devenait indécent.

– Gilles Ducharme! T'es parti un jour, il y a longtemps, comme un... Passons. Tu ne m'as jamais donné signe de vie depuis. Ça fait que tu peux être sûr que je ne m'attendais plus jamais à te parler ou à entendre parler de toi! Mais, dis-moi, pourquoi cet appel, soudainement, après toutes ces années de silence?

– Bien, pour dire vrai, Marie-Ève, je me suis senti plutôt *cheap* envers toi. T'avais toujours été tellement correcte, et moi... J'aimerais ça te revoir et me faire pardonner.

– Comment as-tu fait pour me retrouver, au fait?

– Euh!... comment? Bien, figure-toi donc que j'ai rencontré ta mère, par hasard, il y a quelques semaines et je lui ai demandé de tes nouvelles. C'est elle qui m'a dit que tu te trouvais toujours au Lac.

– Écoute, Gilles. Je vis avec quelqu'un et de plus je suis...

– Ça, je le sais! coupa Gilles brusquement. Ça n'empêche rien, Marie-Ève! Ce que je veux dire – sa voix était vite redevenue douce et persuasive – c'est que j'aimerais juste qu'on se voie comme deux vieux amis!

– Comment sais-tu que je vis avec quelqu'un?

– Euh!... on dirait Sherlock Holmes, ma parole! T'étais pas curieuse comme ça, avant! Bien, je voulais juste dire que... je m'en doutais, tiens! Une belle fille comme toi peut pas rester toute seule bien longtemps, non? Allez... qu'est-ce que t'en penses, Marie-Ève? T'as juste à dire oui, comme avant!

Il y avait quelque chose de franchement dérangeant, de profondément déplacé dans le ton de la voix, ce qui créa une sorte de court-circuit dans la mémoire de la jeune femme. Elle revit Gilles la priant de lui pardonner après qu'il lui eut volé de l'argent dans son sac... « Je te le jure, ma toute belle! Je ne jouerai plus jamais. Tout va redevenir comme avant... » disait-il suppliant, la voix suave, les yeux mouillés d'un bel adolescent pris en défaut et bourrelé de remords... Elle pardonnait, confiante, et il recommençait deux ou trois jours après à mentir et à voler pour jouer, sans aucun regret.

Un frisson parcourut le corps chaud de Marie-Ève. À travers la fenêtre, elle vit Jean revenir lentement vers la maison, Trompette sur ses talons. Est-ce pour cette raison qu'elle ressentit l'urgence de répondre? Ou était-ce simplement une intuition profonde qui guida sa réponse?

– Franchement, Gilles, je pense que ce n'est pas une bonne idée. Nous n'avons plus rien à nous dire. Nous avons été amants, c'est vrai, mais pas vraiment amis! Néanmoins, si cela peut te rassurer, je ne t'en veux plus. C'est fini depuis longtemps. Oublié. C'est loin. C'est du passé, de l'histoire ancienne, lança-t-elle en rafale. Tu dois m'excuser. Je dois te laisser... C'est gentil d'avoir appelé. Bon vent!

Et elle raccrocha abruptement, sans lui donner la possibilité de répondre. Marie-Ève se sentit un peu honteuse, car le bon vent de la fin signifiait davantage bon débarras que bonne chance...

De toute façon, elle n'avait pu faire autrement, car le combiné commençait à lui brûler les mains. Pour se remonter, elle but une grande gorgée de café. Il avait tant refroidi que son goût rebutant lui donna la nausée.

***

Confortablement installé à sa table habituelle, l'antiquaire sirotait tranquillement sa bière. En ce froid et gris samedi de mars, il regardait la neige tomber. L'hiver commençait sérieusement à lui peser. Il n'était probablement pas le seul, car L'Escalier était bondé. Plus aucune place de libre, comme si la grisaille des derniers mois chassait les gens de leur maison pour les porter vers des lieux plus éclairés, plus conviviaux. Les jeunes restaurateurs, Valérie et Stéphane Tremblay, faisaient des affaires d'or sous un ciel d'argent.

Le printemps serait là dans deux semaines, officiellement du moins, et pas un centimètre de neige n'avait encore fondu! Depuis janvier, on aurait dit que la même grosse masse nuageuse s'était installée au-dessus du Lac, à perpétuité, déclarant ainsi une guerre sans merci au soleil. Ne restait plus aux humains qu'à s'armer de patience – et de pelles – pour chasser la neige que les nuages blancs déversaient impunément tous les jours.

À brûle-pourpoint, Pamphile songea à la Marie et à Jean. Quelle joie de les savoir officiellement réunis! Bien sûr, quelques inquiétudes persistaient par rapport à Jean, mais l'antiquaire était persuadé que tout rentrerait dans l'ordre une fois le bébé arrivé. Quelle ne fut pas sa surprise de voir le notaire stationner sa voiture, juste devant lui! En sortant, Jean lui fit un sourire et un signe de la main. Pamphile le vit se diriger du côté passager pour ouvrir avec élégance la portière.

« Quel gentleman, ce notaire! On voit pus ça ben gros de nos jours, pis c'est de valeur. Est-i assez embellie, la Marie! Tiens, i ont emmené Trompette! I doit être content, le snoreau. I a l'air à jalouser un brin le nouveau venu. I s'en viennent par icitte. C'est vrai qu'i savent ben où me trouver! Chus plus régulier qu'une montre suisse. N'empêche que j'aimerais ça, des fois, avoir une compagne, moi itou, pis mettre un brin d'imprévu dans ma vie... Ça me dit pas grand-chose de mourir tout seul... »

Les amoureux se tenaient la main en entrant à L'Escalier. Les clients se retournèrent pour les admirer, car, de l'avis de tous, ils faisaient vraiment un beau couple. Toutefois, à part Valérie, Stéphane et l'antiquaire, personne au village n'était encore au courant du nouvel état de l'informaticienne.

– Ben, la belle visite! lança l'antiquaire à la volée.

Pamphile se leva pour accueillir chaleureusement ses amis.

– J'aurais-ti le plaisir de vous avoir à ma table? Oui! Ben, on va demander dret-là à Valérie d'ajouter deux couverts.

Pendant que Marie-Ève et Valérie se confiaient

quelques secrets féminins en catimini, Jean se pencha vers Pamphile pour dire :

– Moi aussi, j'ai un secret à vous dévoiler... Mais, attendons Marie-Ève. Ça va à votre goût, mon cher Pamphile?

– Oh!... oui pis non, répondit évasivement l'antiquaire. La santé, ça, y a pas de problème. Le cœur, i répond présent à chaque matin. Mais, je pensais justement que l'hiver était rendu ben long pis que la solitude venait à être de plus en plus pesante, notaire. Malgré mon âge, j'aimerais encore ça avoir une compagne de temps à autre pis partager des plaisirs avec elle. Mais, les belles créatures, intelligentes pis fines comme de raison, elles courent pas les rues de Saint-Gédéon après un vieil antiquaire démodé pis surtout passé date! N'empêche, vingueu! Ça donne ben envie quand on vous voit ensemble!

Marie-Ève, qui avait entendu les dernières paroles de l'antiquaire, se leva aussitôt de sa chaise et vint lui faire l'accolade.

– Oh! monsieur Pamphile. Nous sommes là! Hein, Jean? Peut-être que nous vous avons un peu négligé depuis décembre? Mais je vous comprends tellement et je vous souhaite de tout cœur que votre désir se réalise! Sachez qu'on vous aime fort, fort. Ne vous gênez donc pas. Venez nous voir plus souvent! Le printemps va être bientôt là et ce sera plus facile, vous verrez.

– Je le sais, la Marie, pis heureusement que vous êtes là! Pis vous m'avez pas négligé un brin, voyons donc! Tu sais-ti que tu t'en viens pas mal belle! lui chuchota-t-il dans le creux de l'oreille. T'avais ben raison. Ça peut être juste une fille!

– C'est la journée des secrets, on dirait? observa le notaire, en plaisantant. Bien, comme je ne veux pas être en reste, moi aussi, j'ai quelque chose à vous confier!

Et, pour faire une plus grande impression sur son auditoire resté pantois, Jean s'arrêta un bref instant avant de continuer :

– Mais... pas tout de suite!

– Oh! Jean Huot! gronda Marie-Ève. T'es pas correct. Tu nous mets l'eau à la bouche et puis tu t'arrêtes!

– Justement! Parlons-en de l'eau à la bouche! Ça tombe bien, ma chérie d'amour! Comme je suis affamé, on va d'abord manger! Monsieur Pamphile, sachez que ma blonde ne m'a même pas nourri ce matin! Madame a oublié d'aller à l'épicerie : plus de pain, plus de beurre... Pelleter, ça ouvre l'appétit, n'est-ce pas, monsieur Pamphile? Et comme il paraît que je force bien trop pour rien, pauvre de moi, j'ai dû brûler toutes mes calories!

Pendant que les deux hommes riaient de cette boutade et continuaient la conversation, Marie-Ève en profita pour faire le point. Entendre Jean parler de secrets l'avait forcément ramenée à Gilles. Pour Dieu sait quelle raison, elle n'avait osé parler à Jean de l'appel téléphonique. Elle avait ressenti tant d'insistance et de convoitise dans la voix de son ancien amant qu'elle en avait été fortement ébranlée. Se rappelant les derniers conseils de l'antiquaire, Marie-Ève ne voulait d'aucune manière créer de souci au notaire, même minime.

« De toute façon, ce n'est pas grave puisque j'ai refusé son invitation, songea-t-elle. Je suis certaine qu'il joue encore. Il avait exactement cette voix quand il me mentait. Dieu sait s'il n'a pas encore besoin d'argent! Puis, c'était pas très convaincant, son affaire. Je suis certaine que maman, quand elle est venue en janvier, me l'aurait dit si elle l'avait rencontré. Elle l'avait assez en horreur! Y a quelque chose qui tourne pas rond. Il savait aussi que j'étais avec quelqu'un... Au fait, je lui ai même pas demandé d'où il appelait? »

– Hou, hou! Marie? Sors de la lune, un instant! Valérie te demande ce que tu as choisi. Tu es bien songeuse, ce matin. Tout va bien, ma chérie?

Dans un réflexe de complicité et d'entendement mutuel, Pamphile et Marie-Ève, ayant noté l'inquiétude dans la voix du notaire, se regardèrent. La jeune femme comprit vite le message inscrit dans le regard du vieil homme : rassurer Jean au plus tôt. Ce léger incident vint conforter Marie dans sa décision de s'abstenir de parler du coup de téléphone.

– Excusez-moi. Je pensais... J'étais en train de songer... qu'il faudrait que je m'achète du nouveau linge très bientôt!

– Ah! les femmes! soupira d'aise le notaire, rasséréné. Toutes les excuses sont bonnes, n'est-ce pas, mon cher Pamphile?

Comme d'habitude, ils se régalèrent à la table de Stéphane. Le jeune chef, qui avait remporté avec de grands honneurs le prix du « Buffet le plus original du Premier de l'an, région Lac-Saint-Jean », ne cessait de se surpasser. Suivant les conseils de Valérie, sa charmante épouse ronde de sept mois de grossesse, les trois amis avaient opté pour le délicieux chou-fleur Saint-Gédéon, parsemé de cheddar fondant, qui accompagnait à merveille les côtes de porc à l'érable. Quand ils dégustèrent la salade de fruits au miel du Lac, Marie-Ève ne put s'empêcher de s'exclamer :

– Que c'est divin, n'est-ce pas? J'aurais dû garder quelques pots de miel de la Fine en réserve. Pour les grandes occasions! Je m'en veux de ma gourmandise!

En entendant le surnom de Joséphine Frigon, Jean se décida à parler.

– Je crois qu'il est temps de vous dévoiler mon secret!

Et le notaire, contrairement à ses habitudes, baissa la tête et s'éclaircit la voix. Puis, à la surprise de Marie-Ève, il enleva ses lunettes. Ensuite, il se trémoussa sur sa chaise. Finalement, il prit une voix de crieur public pour annoncer solennellement :

– Mes chers amis! J'ai retrouvé... Aurélia Fortin!

***

Au volant d'une vieille Toyota noire, Gilles Ducharme roulait modérément sur la route 172 en direction ouest, ne dérogeant pas d'un poil au code de la route. Comme il avait épuisé tous ses points d'inaptitude, il n'avait guère d'autre choix. De plus, il ne pouvait absolument pas se permettre de se retrouver à pied. Il rentrait chez lui, dans la région du Saguenay où il habitait depuis cinq mois. Gilles Ducharme jubilait : il n'avait pas connu un tel bonheur depuis des semaines.

Le paysage grandiose qui s'offrait à lui était loin d'être la cause de son allégresse. Gilles ne voyait pas les scintillements lumineux et féeriques que créait la lumière du soleil printanier sur la fougueuse rivière Sainte-Marguerite. De belles collines qui ressemblaient à de gros mamelons généreux bordaient le flanc gauche de la route sinueuse, laquelle suivait intimement le cours d'eau impétueux. Autant que la rivière enchanteresse, ces formes évocatrices laissaient Gilles Ducharme de bois. En effet, il détestait tout ce qui portait le nom de « nature » ou lui ressemblait de loin, n'ayant de respect et d'éloges que pour la grande ville et ses attraits qui lui manquaient atrocement.

Ce qui le rendait euphorique était d'un autre

ordre. Il venait de gagner deux mille dollars au casino de Charlevoix!

« Je savais bien que la chance allait revenir avec Marie-Ève! se répétait-il depuis son départ du casino. *La voix* avait raison... J'ai bien fait de l'écouter. C'est Marie-Ève qui va me remettre à flot.

« Tout s'est mis ensemble pour que je te retrouve, ma toute belle, comme les pièces d'un casse-tête, une dans l'autre, une après l'autre. J'ai rien eu d'autre à faire que d'être là où la voix me disait d'être... Et, attends-moi, j'arrive bientôt! Parce que la voix m'a suggéré d'aller te rencontrer au restaurant où tu manges, les mardis : Chez Gilou!

« Ah! y a pas plus prédestination que ça! Je dirai que je passais par là, juste par hasard. Faut pas la brusquer, la demoiselle de la campagne, elle paraît bien délicate. Quand elle a raccroché l'autre jour, c'était sûrement parce qu'elle était trop émue de me retrouver et elle avait probablement peur de succomber... C'est normal! Elle était tellement dépendante et accrochée à moi!

« Je suis certain qu'elle se meurt d'avoir son dieu grec près d'elle. Un notaire, ça doit être plate à mort! En m'attendant, c'était certainement mieux que rien! Je ne peux pas lui en vouloir pour ça. Ah! tout va revenir comme avant... »

Et l'homme partit d'un grand rire fou, lequel s'échappa de la vitre baissée pour se répercuter tragiquement dans le silence de la nature, à peine à ses premiers balbutiements du réveil printanier.

***

Au moment où Gilles Ducharme avait brusquement quitté Marie-Ève Saint-Amour en 1997, la veille du départ de cette dernière pour le Lac, il était encore en possession de lui-même. Sa dépendance au jeu, quoique bouleversant sa vie intime et sociale, ne lui avait pas encore complètement perturbé l'esprit. Il avait quitté la jeune femme sur un simple coup de tête.

À cette époque, Gilles Ducharme, extrêmement imbu de lui-même, considérait le vol, l'abus de confiance et les mensonges comme de simples faiblesses passagères, sans gravité. C'est pourquoi il ne pouvait plus supporter d'entendre parler de chercher de l'aide. Marie-Ève, à l'instar de ses amis et des membres de sa famille dont Françoise, sa sœur aînée, en particulier, ne cessait de le harceler à ce propos. Ils utilisaient tous de bien grands mots pour parler d'un simple plaisir, d'un jeu!

« Dépendance, dépendance : ils n'avaient plus que ce mot stupide à la bouche », songeait-il, hargneux, la main gauche se cramponnant nerveusement au volant pendant que la droite cherchait une chaîne intéressante à la radio.

Pourtant, si Gilles n'arrivait plus à trouver aucun intérêt chez la jeune femme à cette époque, c'est qu'il se sentait totalement impuissant devant l'appel du jeu. Dans les premiers mois de leur rencontre, jouer était chez lui une simple habitude. La deuxième année, il ressentait de plus en plus de désir, d'envie subite et incontrôlable de jouer. Puis, vers la fin de leur liaison, sa seule et unique préoccupation consistait à « quand, comment et où jouer ». L'anticipation du jeu suffisait, à elle seule, à le rendre extatique. Sans s'en rendre compte, Gilles Ducharme avait abandonné progressivement tout autre centre d'intérêt, y compris le sport et l'informatique, ses grandes passions.

Quand il se retrouva seul, il vécut les premières semaines dans une sorte d'état euphorique : il n'avait plus aucun compte à rendre à personne. Il devint excessivement habile dans l'art d'inventer des alibis, tant à ses patrons successifs qu'à ses nombreuses et éphémères conquêtes. À tous et à toutes, il empruntait d'importantes sommes d'argent, ou volait un peu si l'occasion se présentait, sans jamais être en mesure de rembourser ses dettes. Gilles s'enfonçait lentement dans des sables mouvants, sans trop le réaliser.

Il joua beaucoup, gagna peu et perdit trop. En août 2000, il se retrouva encore une fois sans travail et sans compagne. À cette occasion, sa banque, jusque-là conciliante, dépêcha un huissier pour reprendre sa voiture, pratiquement le seul bien disponible. Comme on le harcelait de toutes parts pour rembourser ses dettes devenues énormes, il paniqua pour la première fois de sa vie.

C'est alors qu'il se mit à développer un comportement étrange. Il commença à éprouver un profond sentiment d'échec et de honte par rapport à lui-même et ne voulut plus voir personne. Il se sentait dépressif, vide de toute émotion, frustré, irritable et confus. Il ne mangeait presque plus, sans parler de son sommeil, devenu de plus en plus irrégulier. Comme il se mit à avoir des idées suicidaires, il décida – enfin – de se renseigner sur l'aide disponible.

Il se rendit à une réunion des Joueurs anonymes. Une seule! Gilles Ducharme, alors âgé de quarante ans, n'avait supporté à ce jour de leçon de morale de personne. Entendre parler d'examen de conscience, de discipline positive, de travail bien accompli, de loisirs fructueux et surtout de capacité de choisir le rendit encore plus rébarbatif à toute forme d'aide. L'inutilité d'un tel discours ne faisait aucun doute dans son esprit embrouillé. C'est pourquoi il s'était levé en plein milieu de la séance en bafouillant :

– C'est facile à dire! Moi, je vous dis que c'est impossible à faire. C'est juste des mots, tout ça. Dépendance, assuétude... Pendant que vous avez ces grands mots à la bouche, moi, j'ai le jeu dans le sang, pis j'y peux plus rien! Si je me l'enlève, je meurs. Pareil que celui qui se couperait les veines... Salut, la gang!

Par la suite, la détérioration de sa vie sociale et affective ne fit que s'aggraver. Ses nouvelles conquêtes le quittaient une après l'autre et il gardait ses emplois à peine quelques mois. Il n'avait plus d'énergie, ni aucune motivation pour quoi que ce soit. Il retomba donc plus fort dans la dépression. Il lui arrivait souvent de perdre le contrôle de ses pensées, surtout quand elles s'accéléraient dans sa tête à un rythme fou. Sa mémoire devint défaillante et il arrivait difficilement à se concentrer.

Une nuit de septembre de l'année suivante, il se réveilla en sueur. Il se leva comme un somnambule et déambula, hagard, dans le petit appartement presque vide situé dans Hochelaga-Maisonneuve. Des pensées bizarres se mirent alors à défiler dans sa tête, mais, cette fois, au ralenti. Il eut la nette impression d'être soudain quelqu'un d'autre, une personne totalement différente. C'est alors que, pour la première fois, Gilles Ducharme se mit à entendre *une voix*. Cette voix répétait inlassablement le nom de Marie-Ève Saint-Amour.

Ensuite, la voix lui rappela que l'informaticienne était la seule à ne l'avoir jamais quitté. C'était lui qui était parti. La voix lui fit réaliser que tous ses malheurs avaient commencé le jour de ce brusque départ. Il n'aurait jamais dû quitter la seule femme qui lui avait porté chance. La voix affirmait qu'elle l'aiderait à retrouver Marie-Ève coûte que coûte, car l'état de santé et la situation financière de Gilles en dépendaient. La voix promettait que tout irait mieux, qu'il n'aurait rien d'autre à faire que de suivre ses instructions à la lettre... Elle avait terminé en le tentant par ces paroles :

– En attendant de te refaire, tu aurais beaucoup à gagner à t'amuser à ce nouveau jeu, Gilles : utilise ton charme et apprends à contrôler les pensées des autres... Tu verras! Tu arriveras à les soumettre à ta volonté...

Dès lors, sa vision de la réalité devint complètement déformée.

Au début d'octobre, il reçut un appel téléphonique de sa sœur, Françoise, qui se disait, comme toujours, inquiète pour lui. Sachant qu'il vivait seul et qu'il ne travaillait plus, elle lui fit part, à tout hasard, d'une offre d'emploi parue dans *Le Journal de Montréal*. Une compagnie de pâtes et papiers du Saguenay cherchait un ingénieur système à Chicoutimi, pour un contrat de six à douze mois. Selon elle, l'éloignement en région, loin de toute tentation, même de courte durée, ne pouvait qu'être bénéfique.

À la grande surprise de Françoise Ducharme, Gilles prit les coordonnées de l'entreprise et la remercia sincèrement de son aide. N'ayant plus rien à perdre, il se disait prêt à tenter l'expérience. En réalité, ce que la sœur aînée prenait pour une chance inestimable, un concours de circonstances favorables pour son frère cadet, était considéré par ce dernier comme le premier signe tangible de la voix...

Celle-là même qu'il entendait encore, en ce jour de printemps, au moment de virer à gauche, pour enfin rentrer chez lui.

Même si le panneau à moitié de guingois indiquait toujours « La Descente des femmes », Gilles Ducharme, à l'instar des résidants du coin, persistait à appeler familièrement ce chemin, la « côte à Tremblay ».

III

Lorsque Aurélia entendit deux coups de klaxon dans le silence de l'après-midi, jusque-là strictement interrompu par les *cââhr... cââhr...* perçants des corneilles en parade nuptiale, son premier réflexe fut de sursauter. Très vite, elle abandonna sa lecture et releva la tête. De sa berceuse près de la fenêtre entrouverte, elle reconnut facilement Jules, au volant de sa vieille voiture noire. Un sourire fendu jusqu'aux oreilles, monsieur Duchesne lui faisait un grand signe en sortant le bras à travers la vitre baissée. En se penchant légèrement en avant, Aurélia s'empressa de lui retourner avec plaisir un salut de la main.

Elle en profita également pour respirer un peu d'air frais. L'odeur forte de l'humus (la neige précoce de novembre avait contraint Aurélia à laisser pourrir les feuilles mortes sur le terrain) monta jusqu'à ses narines paresseuses. La moue fugace qui vint se dessiner sur ses lèvres se transforma vite en sourire quand elle vit la douce brise printanière faire danser les rideaux de dentelle.

– Ah! quelque chose me dit que la chance a tourné; il a dû gagner gros! C'est la première fois qu'il klaxonne deux coups! C'est quand même dommage, cette dépendance! Lui, il dit que non, mais je n'en suis pas si sûre... Par contre, une chose est certaine : cet homme ressemble en tous points à l'étranger décrit par Nicole... Quelle drôle de coïncidence!

Après le passage de la voiture, Aurélia referma son livre et songea aux derniers mois qui venaient de s'écouler. Depuis l'histoire de l'ange, certaines choses avaient changé dans sa vie. Quand elle retournait les souvenirs dans sa tête, elle préférait faire référence à l'ange plutôt qu'à sa tentative de suicide. À ses yeux, quoique les deux événements fussent à jamais indissociables, la réminiscence angélique était plus... aérienne, plus lumineuse à la manière de la neige qui la guérissait, nettement plus salutaire et, surtout, plus décente que l'autre!

Aurélia Fortin avait eu raison sur un point : la première neige avait recouvert le sol dès le début novembre et sa dépression avait aussitôt disparu, pour ne plus revenir. En revanche, elle avait peut-être eu tort sur un autre sujet : avait-elle porté un jugement trop hâtif et arbitraire sur les talents de cartomancienne de madame Nicole? Elle se sentait un peu mal à l'aise et surtout très confuse à ce propos. N'y avait-il pas eu « un moment très critique » – même extrêmement dramatique, à son avis –, puis l'ange, ensuite l'article dans le journal et... l'étranger? Tous ces événements étaient-ils dus au simple hasard? Tout cela était-il le fruit de son imagination débridée?

– Un, peut-être bien deux ou trois, passe encore, mais quatre, ça commence à faire beaucoup de coïncidences, il me semble? se mit à spéculer Aurélia, encore perplexe.

Sans en divulguer tous les détails, Aurélia avait de nouveau abordé le sujet de la prédiction avec son amie l'institutrice, en mentionnant uniquement le journal et l'étranger.

Béatrice, plutôt fière d'elle (n'avait-elle pas pris le rendez-vous avec Nicole et n'avait-elle pas, en personne, porté ce journal particulier à Aurélia?), avait eu la brillante idée de se rendre à la bibliothèque de Chicoutimi pour se renseigner plus à fond :

– Je sais qu'on peut y trouver des livres sur l'ésotérisme. Nous n'en avons pas, ici, à Sainte-Rose. Et puis, ce sera l'occasion de faire une petite sortie en ville toutes les deux, non?

Pendant les longues soirées d'hiver, au fur et à mesure de ses lectures, Aurélia avait découvert tout un monde qu'elle était loin d'imaginer, simplement pour ne l'avoir jamais côtoyé. Les phénomènes occultes et paranormaux, les rêves, les archétypes, la destinée, le Tarot, la voyance, Nostradamus, Edgar Cayce, tous ces médiums connus, et inconnus comme Nicole! Aurélia avait apprivoisé – hélas, trop peu! – l'extraordinaire notion d'inconscient collectif, une sorte de géant invisible qui gardait un souvenir immémorial des pensées et des actions de l'humanité entière! Elle s'était questionnée à savoir si elle avait accès à ce monde implicite, s'il lui appartenait, à elle aussi, ou si elle en était simplement un banal élément.

La notion de synchronicité avait retenu son attention. Car il était question d'un ordre acausal, comme un monde secret à l'intérieur même de l'univers visible, qui favorisait des relations entre les êtres, les choses et les événements « seulement en raison de leur sens et de leur ressemblance » au lieu de la simple cause à effet habituelle. Et ces événements parallèles, qui ne semblaient pourtant pas liés à première vue, se produisaient en même temps et étaient, en fait, étrangement reliés par une même signification. D'aucuns, pour décrire ces phénomènes spécifiques, et, de l'avis d'Aurélia, plus fréquents qu'il n'y paraissait, parlaient aussi de coïncidences significatives.

Cependant, comme après un repas très vite englouti, alors que l'estomac se retourne en valsant dans les talons, ce trop-plein d'informations avait sursaturé l'esprit d'Aurélia qui s'agitait comme une marionnette démantibulée. En fait, elle avait trouvé un si grand nombre de possibilités de réponses que la simple mention de hasard semblait désormais bien dérisoire.

***

Comme elle venait juste d'apercevoir furtivement « l'étranger de Nicole », c'est vers lui, en premier lieu, que ses pensées se dirigèrent.

Le lendemain de son anniversaire, elle avait vu débarquer ce bel homme dans la quarantaine, cet inconnu venu d'ailleurs. Il avait stationné sa voiture devant chez elle et était venu frapper à la porte en demandant poliment :

– Excusez-moi de vous déranger, madame. Bonjour! Je cherche la maison de monsieur... Elzéard Tremblay, mais je n'arrive pas à la trouver. Il m'avait dit de prendre la descente qui mène au village de Sainte-Rose et de tourner à gauche sur le premier chemin, celui du vieux pommier. C'est bien celui-ci? avait-il questionné en désignant la piste devant la maison.

– Oui, en effet. Vous avez dû vous rendre jusqu'au bout, n'est-ce pas? Pour constater que le chemin s'arrêtait net sur un haut portail en fer forgé et une grosse remise branlante en bois brut?

– En plein ça!

– Eh bien! le chemin ne s'arrête pas là, en fait. C'est que, non, on ne peut pas continuer en voiture, mais on peut continuer à pied. Le Grand... Pardon! Monsieur Tremblay stationne son véhicule dans cette remise qui lui sert de garage, il utilise très rarement sa Grand Marquis, voyez-vous, et sa maison se trouve à cent pieds de là environ. Une maison blanc et rouge, entourée de hauts sapins verts. On ne la voit pas du chemin. C'est un homme qui vit... assez retiré!

– Je vois! Bon, eh bien! je vous remercie sincèrement de votre aide... et je vous dis à bientôt, peut-être? Madame?...

– Madame Fortin... Mais, si je peux me montrer indiscrète, cela voudrait-il dire que vous vous préparez à venir habiter dans notre beau village de Sainte-Rose?

– En effet. Je me présente : ... G... Jules Duchesne! Je viens travailler à Chicoutimi pour six mois, peut-être un peu plus, et j'ai trouvé ce cabanon à louer...

– Parleriez-vous du chalet qui appartient à monsieur Tremblay et qui se trouve juste là, à côté de chez moi? avait interrompu Aurélia, étonnée. Regardez vous-même, l'autre bord de la clôture! On arrive à le voir assez bien, d'ici. Le propriétaire a dû vous dire qu'il est plutôt « trois saisons », non? Personne n'est jamais resté dedans en hiver, vous savez. Il l'a toujours loué à des touristes, l'été surtout. Ah! pour sûr, la vue sur le fjord y est imprenable et je pense qu'il est en ordre et très bien équipé. C'est le seul chalet, à ma connaissance, que monsieur Tremblay a à louer...

– Si vous le dites, ce doit être lui, madame Fortin! Nous serons peut-être voisins! Ne vous inquiétez pas. En effet, il m'a dit que le cabanon était trois saisons, mais il a ajouté qu'il y avait un foyer et du bois en masse! Je vis une situation... provisoire. Je suis... seul, pour le moment, et n'ai pas besoin de grand-chose. Je ne suis pas frileux non plus! Bon! je ne vais pas vous déranger plus longtemps. On se reverra sûrement! Bonne fin de journée, madame, et merci encore!

Depuis maintenant cinq mois, Aurélia Fortin avait donc comme proche voisin Jules Duchesne! Tout de suite, elle avait éprouvé beaucoup de sympathie pour cet homme charismatique d'âge mûr à l'allure plutôt donjuanesque! La beauté et la finesse de ses traits, le magnétisme du regard, la blondeur des cheveux soyeux, à peine longs, qui lui caressaient la nuque, une barbe naissante ainsi qu'un corps svelte et athlétique étaient remarquables et plaidaient plutôt en sa faveur. Sans le connaître, Aurélia avait eu le réflexe juvénile d'y associer gentillesse, galanterie, stabilité et... honnêteté. Même après avoir côtoyé le Grand Tremblay pendant des années, Aurélia n'avait certes pas perdu son sens esthétique, mais, de l'avis de l'institutrice qui s'amusait à taquiner son amie :

– Au contact répété de ce Jules... Apollon, tu perds peut-être bien un peu de ton sens critique, ma chère Aurélia. Heureusement que tu m'as avoué ton âge, sinon, je pourrais facilement croire...

Les nouveaux voisins avaient l'occasion de se côtoyer et aussi de converser assez régulièrement. Pour être exact, la plupart du temps, Jules parlait et Aurélia écoutait. Il avait eu l'autorisation de son employeur de réaliser une large partie de son contrat chez lui, l'ordinateur étant son principal outil de travail. Par conséquent, quand Aurélia descendait au village, le matin, pour faire ses courses journalières, Jules l'accompagnait souvent et insistait pour porter ses paquets au retour. Ils avaient appris à vite se découvrir et à s'apprécier mutuellement.

Au fil des conversations, Jules mentionna qu'il était encore célibataire, ce qui étonna franchement Aurélia. Il avait toujours vécu à Montréal et il venait tout juste de se sortir de problèmes passagers concernant son « penchant marqué pour le jeu »; il jouait bien encore un peu, avait-il avoué, mais seulement pour le plaisir. Il avait accepté ce contrat en région pour l'aspect financier évidemment, ses finances étant à sec, mais surtout pour retrouver son ex, qui habitait avec un autre depuis plusieurs mois. Jules demeurait persuadé que le malentendu se dissiperait et qu'il reconquerrait sa belle.

Attentive et expérimentée, Aurélia Fortin avait été

en mesure de déceler quelques fausses notes dans les complaintes de son volubile voisin. Au fur et à mesure de ses nombreuses confidences, sans s'en apercevoir, Jules Duchesne laissait parfois tomber une sorte de masque protecteur. Alors, il devenait soit agité, soit très léthargique et même, de l'avis d'Aurélia, carrément une autre personne.

Au cours de leur dernier entretien, un déclic s'était produit chez Aurélia. Elle avait réalisé que monsieur Duchesne avait peut-être bien un autre problème, grave également, dont il semblait être totalement inconscient.

En effet, se sentant de plus en plus à l'aise, Jules lui avait confié avoir téléphoné à cette femme dont il ne pouvait dévoiler le nom, de peur de rompre le charme et aussi de contrarier *la voix*. Tout en avouant qu'elle avait brusquement raccroché, il demeurait persuadé qu'elle était simplement sous le choc de l'entendre après toutes ces années de silence et qu'elle craignait de lui succomber vite, tant elle l'aimait encore... Bizarrement, il avait ajouté, un sourire béat aux lèvres :

– Le seul fait d'avoir parlé à mon ancienne maîtresse m'a fait gagner au casino!

Aurélia avait remarqué que les soi-disant mois de séparation s'étaient soudain transformés en années... Et, que dire de cette voix qu'il ne désirait pas contrarier?... Non seulement le discours de Jules avait semblé incohérent, mais des signes extrêmement troublants, et dans le regard de l'homme, et dans sa voix, étaient apparus. Il s'était mis à bafouiller, puis à parler très vite pendant que ses mains tremblaient et que ses yeux devenaient hagards, presque révulsés.

En se berçant au rythme de la brise légère, Aurélia se souvint alors d'un conseil de la voyante. Ne lui avait-elle pas suggéré de se fier à ses intuitions?

« Un homme qui entend des voix ne peut que délirer! conclut-elle, attristée. Pourtant sain d'apparence, Jules semble s'égarer dans les labyrinthes d'une utopie dangereuse; traiter une femme comme un banal porte-bonheur me paraît un sentiment bien douteux et plutôt malsain. La fragilité et la force se heurtent chez lui d'une manière équivoque et douloureuse. Tiens! comme le génie et la folie du Mat, dont a parlé Nicole! Je me demande s'il n'aura pas besoin d'aide bientôt. Je suis persuadée qu'il revient du casino. Il y va toutes les fins de semaine, du vendredi soir jusqu'au lundi parfois, comme c'est le cas aujourd'hui. Je le verrai sûrement plus tard dans la journée ou demain. Je ne tarderai pas à en savoir plus... »

***

Entraînée loin par le flot ininterrompu de ses pensées, Aurélia échappa le livre qu'elle tenait entre ses mains. En se penchant pour le ramasser, elle remarqua la coupure de journal qui gisait, inerte, juste à côté. Elle l'avait précieusement insérée dans les pages du livre prêté par Béatrice : *La Vie ne ment pas* de Pierre Cardinal.

Un sourire perplexe sur les lèvres, les lunettes sur le bout du nez, elle relut pour une énième fois le court extrait encore visible sous la photo en noir et blanc afin de déceler une quelconque signification à la surprenante coïncidence :

Le 16 octobre 1998, est décédée paisiblement à sa résidence, à l'âge de 97 ans et onze mois, dame Joséphine Frigon, fille de feu M. Paul-Émile Frigon et de feu dame Éléonore Ouellet, demeurant au rang des Apis, à Saint-André, Lac-Saint-Jean.

À part les détails pour les funérailles et l'inhumation, on ne faisait mention d'aucune famille. Aussi surprenant que cela pût paraître, cette femme, très âgée, ne laissait pas de parenté dans le deuil!

Tant de fois, au cours de l'hiver, Aurélia et son amie l'institutrice étaient revenues sur ce sujet! Premièrement, elles avaient toutes deux convenu de la ressemblance.

– L'extraordinaire ressemblance! surenchérissait Béatrice, avec emphase.

Ensuite, d'autres faits comme, entre autres, le nom de famille Ouellet, demeuraient troublants. Cette fois encore, Aurélia tenta de réunir le peu d'éléments à sa disposition pour arriver à un résultat.

Alors qu'elle n'était âgée que de sept ou huit ans – c'était tellement loin tout ça! – Aurélia se souvint vaguement que sa mère, Zoé Ouellet, s'était rendue seule aux funérailles de l'une de ses sœurs, dans la région du Lac-Saint-Jean. Une sœur dont le prénom était Laure... ou Hélène ou... peut-être bien Éléonore?

En revanche, Aurélia était certaine de n'avoir jamais entendu le nom Frigon ou elle n'en avait gardé aucun souvenir. C'est que sa mère avait toujours été extrêmement circonspecte concernant sa famille. Justement, après le décès de cette tante du Lac, sa maman Zoé était revenue des funérailles en insistant pour qu'on ne parle pas des morts.

– Les morts, i ont pas besoin qu'on les dérange. I veulent juste avoir la sainte paix. Prononcer leurs noms, c'est comme les rappeler de force à nous autres! Pis, ça porte juste malchance aux vivants, tout le monde sait ça! se contentait de répéter maladroitement Zoé.

Mais un jour, au décès d'Arthur Fortin, une dame inconnue était débarquée à la maison, se présentant comme une sœur de Zoé. Une autre tante maternelle...

– ... Marie?... Marie-Anne?... MARIE-ANGE! Voilà le nom que je cherche depuis des semaines! s'écria soudain Aurélia à haute voix.

Puis, les souvenirs se firent plus nets, comme si la seule évocation de ce nom angélique venait d'ouvrir des portes closes et certains tiroirs secrets de sa mémoire enfantine :

– Ah! je me souviens maintenant! Tante Marie-Ange était très, très exubérante, et maman ne semblait pas à l'aise de l'avoir dans les parages. En me voyant... Oh oui, ça me revient! Elle s'était écriée : « C'est pas possible, Zoé! Par tous les saints du ciel! Cette enfant-là ressemble tellement à notre sœur... Éléonore et de plus en plus à sa cousine... Joséphine, en vieillissant! Tu ne trouves pas?

« Oui, c'est bien ça. Oui! Il n'y a aucun doute. Éléonore Ouellet était ma tante maternelle et sa fille, Joséphine, ma cousine! »

Quand, par la suite, Aurélia avait demandé des explications à sa mère, cette dernière avait hésité avant de répondre.

« Zoé semblait toujours vouloir se défiler quand il était temps de parler famille, songea Aurélia, de plus en plus convaincue des faits. Elle avait simplement déclaré que Joséphine, la fille de sa sœur Éléonore, était beaucoup plus âgée que moi et qu'elle s'était finalement mariée à un Madelinot. Elle avait quitté le Lac et personne n'avait plus jamais eu de ses nouvelles. »

– Joséphine Frigon était ma cousine! s'exclama Aurélia, sans ambages. Ça alors! Voilà pour la ressemblance. C'est Béatrice Poulin qui n'en reviendra pas! Une cousine que je n'ai jamais eu l'occasion de rencontrer... Comme c'est dommage! Elle a dû vouloir revenir aux sources, mourir dans son pays natal...

En regardant les parcelles de terre fraîche, déshabillées de l'hiver, qui exhibaient courageusement leurs contours figés sous le chaud soleil printanier, la Roseraine eut des regrets :

« Ah! si j'avais su! Le Lac, c'est à moins de deux heures en voiture! Je serais allée à ses funérailles! Mais peut-être n'était-elle revenue que depuis peu... Étrange toutefois, on ne mentionne pas son mari des Îles-de-la-Madeleine! Et puis, elle n'aurait jamais eu d'enfants de lui? »

En se disant qu'il fallait appeler Béatrice pour la mettre au courant des derniers développements, Aurélia comprit qu'elle devrait cependant omettre une partie délicate concernant l'histoire du journal.

– La date! Oh oui, la date! Ça, c'est... C'est trop... Je ne peux pas lui en parler. Cette Joséphine, qui me ressemble comme deux gouttes d'eau, est décédée un 16 octobre. Plusieurs années après, à la même date, le jour où j'aurais pu mourir, le seul jour de ma vie où j'ai totalement perdu l'espérance, la foi, le courage, j'apprends sa mort dans une chronique nécrologique! Et cette annonce... m'a sauvé la vie, en quelque sorte! La veille de mon anniversaire... le 16 octobre! Ça doit ressembler à ça, une coïncidence significative! Même si je n'en comprends pas encore le sens exact, je peux pas voir autre chose que ça!

La sonnerie du téléphone sortit Aurélia de ses profondes réflexions. Elle posa la coupure de journal et son livre sur le guéridon près de la fenêtre et se leva lentement. Aurélia adorait entendre le timbre retentissant de l'appareil téléphonique D'ailleurs, elle l'ajustait à la fréquence la plus forte, ce qui étonnait l'institutrice au plus haut point. Questionnée par son amie à ce propos, Aurélia avait fourni l'explication suivante :

– Non seulement me sort-il de mes rêveries interminables, Béatrice, mais il signifie clairement qu'on pense à moi!

– Oui, ici Aurélia Fortin. Bonjour! répondit-elle d'une voix douce et enjouée, fidèle à son habitude.

– Bonjour, madame... Fortin, murmura une voix inconnue, à l'accent courtois et professionnel. Permettez-moi de me présenter, madame : je suis Jean Huot, notaire de Saint-André, au Lac-Saint-Jean! Je vous appelle au sujet d'une de mes clientes... malheureusement décédée. Il s'agit de... dame Joséphine Frigon!

***

La grisaille avait totalement disparu, à tel point qu'on oublia rapidement qu'elle avait assombri le ciel du Lac pendant des mois. En ce début avril, la magnifique lumière matinale éclairait les plaines autour de Saint-Gédéon, leur redonnant leur aspect familier et caractéristique, si cher au cœur de tous les Jeannois. Même si la terre n'en était qu'à ses premiers balbutiements printaniers, on l'imaginait pourtant déjà verte des jeunes pousses de luzerne, lilas des fleurs de trèfle, jaune du colza haut dansant sous la brise estivale venant du Lac. De plus, pour bien s'assurer d'un gage de prospérité, on se languissait d'y voir paître les grands troupeaux de Holstein aux robes noir et blanc, à la bigarrure extravagante.

Comme un enfant dont on pressent ce qu'il sera plus tard, chacun y allait de ses prévisions estivales. Étrangement, cette année, elles allaient toutes dans le même sens pour annoncer un été chaud, un été sec sans eau, une saison estivale calme, sans vent, et surtout longue, encore plus longue que l'hiver interminable qui venait de s'achever. Certains assuraient avoir entendu la mésange dès la mi-février, au moins un mois en avance sur son temps habituel. D'autres avaient aperçu sur la neige blanche les rouges-gorges au ventre orangé et au costume gris. Revenus plus tôt de leur exil saisonnier, les merles ne cessaient de faire entendre leur turlutte claire et joyeuse. Sans l'ombre d'un doute, ce chant précoce ne pouvait qu'annoncer de beaux jours à venir.

Cependant, la majorité ne jurait que par l'Almanach du peuple, la bible moderne des agriculteurs, des cultivateurs et des campagnards avertis. À ceux qui osaient douter des augures annoncés dans le petit livre magique, on répondait :

– Ceux qui écrivent dans l'Almanach, c'est pas n'importe qui! En plus de l'instruction, ils ont des outils modernes qu'on a pas, nous autres, Jeannois. Les oiseaux, les corneilles sur le bord du chemin, les siffleux qui sortent de leurs trous, c'était bon pour les anciens, pas pour nous autres!

Toutefois, après cet hiver sans fin, digne des annales du Lac, la plupart, sans l'avouer ouvertement, se moquaient autant des prévisions, qui se révélaient souvent fausses, que des systèmes pour les fonder. En réalité, tous n'avaient comme certitude qu'un profond désir : que les choses se passent selon leur bon vouloir et pas autrement!

Il restait bien quelques bancs de neige grisâtre au fond et sur les versants des coulées, mais seulement sur leur face nord. Comme ils étaient minuscules dans l'immensité du paysage, nul n'en tenait plus compte. Tous se plaisaient à dire que la neige, qu'on croyait pourtant installée à perpétuité, avait, fort heureusement, bien vite fondu!

***

Une des personnes les plus soulagées de voir cet hiver prendre fin était incontestablement l'antiquaire de Saint-Gédéon. Pour la première fois depuis belle lurette, la saison blanche lui avait paru longue, grise et ennuyeuse.

Marie-Ève l'avait bien visité régulièrement, mais pas autant que l'année précédente; il n'y avait là rien d'anormal : n'était-elle pas en ménage? Enfin, le printemps était de retour et Pamphile Côté était certain que son moral s'améliorerait avec le beau temps. D'autant plus qu'un événement très particulier se préparait et, à son grand bonheur, il y participerait.

En effet, le notaire avait retrouvé, plus facilement et plus vite que prévu, Aurélia Fortin. Qui plus est, à la surprise de tous, cette dernière n'habitait pas si loin, à Sainte-Rose-du-Nord, au Saguenay, à seulement une heure et demie en voiture du Lac! Pamphile et Marie-Ève étaient restés bouche bée à cette annonce.

– Dire qu'elle était juste pas loin, s'était contenté de murmurer l'antiquaire, le cœur gros. Si c'est pas malheureux. Vingueu! que ça fait de la peine. Pauvre Joséphine! Avoir su...

Jean Huot avait volontiers fourni moult détails. Il avait expliqué que, par le plus grand des hasards, Aurélia avait eu en main, l'automne dernier pour être précis, *Les vagues du Lac* d'octobre 98, dans lequel était annoncé le décès de Joséphine. Jean avait avoué à ses amis que sa tâche avait été largement facilitée du fait que madame Fortin savait déjà que sa prétendue cousine, qu'elle n'avait jamais eu la chance de rencontrer, était décédée. Il n'avait rien démenti quand elle l'avait questionné à savoir si la rencontre qu'il prévoyait concernait un possible héritage :

– Ben! j'allais pas lui dire la vérité par téléphone tout de même! s'était-il défendu en voyant l'air réprobateur de Marie-Ève. Et puis, oui, il y a le médaillon en héritage et autre chose, dont je vous entretiendrai plus tard... Je tiens à ce qu'elle vienne ici, au Lac, apprendre les événements qui la concernent, dans la maison même où elle a été... Bref, madame Fortin a une voix très douce et son langage est distingué. Je suis persuadé qu'elle a beaucoup de classe. Elle ne conduit pas, mais je lui ai dit que je la rappellerais et qu'on discuterait des détails.

Jean avait insisté pour que l'antiquaire soit inclus dans ce qu'il appelait son plan des retrouvailles :

– Voyez-vous, monsieur Pamphile, il se trouve que vous étiez le plus grand et, si je ne m'abuse, le seul ami de sa mère, Joséphine Frigon. Sa seule famille, en quelque sorte! Sans vous, aurions-nous jamais découvert tout ce que nous savons aujourd'hui? J'insiste donc pour que vous soyez présent aux retrouvailles.

Et voilà que cette journée particulière s'était levée avec lui, par ce beau matin d'avril.

– Que le temps passe, vingueu! Nous voilà arrivés au jour J, comme dit le notaire! C'est-ti « J » pour Joséphine, coudon?... Bon, assez ruminé. Comment donc que je vas m'habiller pour aller la chercher à la gare d'Hébertville-Station, cette p'tite madame-là! J'ai jamais fait une affaire de même, moi! Quelle couleur de bretelles que je vas choisir? Si j'appelais la Marie?... Oh! c'est vrai, c'est mardi, elle travaille à Alma, pas chez elle. Mais, juste à matin qu'elle a dit, vu qu'elle veut être là, après-midi. Coudon. Je vas me fier à mon goût personnel.

L'heure avançait et l'antiquaire n'arrivait toujours pas à se décider. C'est qu'il essayait de se souvenir de ce que Marie-Ève lui avait dit, un jour, au sujet des couleurs.

– Me semble qu'elle a affirmé dur comme fer que

les couleurs aussi avaient des nergies. Ce qu'i faut pas entendre! Euh!... juge pas trop vite, le père, elle s'est pas trompée pour les vieux meubles! Coudon... Elle a dit que le rouge pis le noir, c'était pas trop recommandé. Pourquoi donc? Je m'en rappelle pus, vingueu! C'est vrai que mes noires, je les porte juste aux enterrements! La nergie est pas mal basse, dans ce temps-là! Pis, des rouges, c'est extravagant en vingueu! C'est ben juste pour Noël! Le jaune, le bleu, le vert, c'était O.K.

« Mais, me semble qu'elle a parlé aussi du blanc? Elle a dit que, quand on passe le blanc à travers une sorte de... boîte spéciale, i contient toutes les autres couleurs, i paraît! C'est-ti une drôle d'idée!? Coudon...

« N'empêche que ça m'arrangerait ben gros à matin! Blanches? Pourquoi pas! Hum! ce sera pas ben beau sur une chemise blanche. Si je ressortais ma belle chemise jaune des boules à mites? Ouais! Ça pourrait avoir de l'allure... Vingueu! j'ai pus ben de temps à perdre. I arrive onze heures, le père. »

***

Aurélia Fortin venait juste d'embrasser son amie Béatrice sur le quai de la gare, à Jonquière. Comme elles ne s'étaient jamais séparées de cette manière – c'était toujours Béatrice qui partait en vacances et elles se disaient au revoir à la maison d'Aurélia –, il s'agissait là d'une toute nouvelle expérience. Quiconque aurait suivi la scène aurait pu facilement croire que les deux femmes allaient vivre une très longue séparation.

Une fois confortablement installée dans le train des voyageurs, Aurélia déposa son sac à main, juste à côté d'elle. Elle constata qu'ils n'étaient que deux passagers dans la spacieuse voiture, un peu vétuste, mais très propre. Au préposé qui vérifiait les billets, elle posa la question suivante :

– Il n'y a pas beaucoup de monde dans le train... C'est normal?

– Oh oui, ma p'tite madame! C'est juste mardi aujourd'hui, personne va à Montréal en début de semaine! Le train va être plus rempli au retour, demain, avec les voyageurs de commerce. À partir de jeudi, ça va être ben occupé dans les deux sens. Pis, le printemps, c'est pas tellement la saison des vacances non plus! Oh! vous allez pas ben loin! constata-t-il déçu, en vérifiant le billet.

– Non, en effet... Combien de temps faut-il pour se rendre à...

– Pour Hébertville-Station, ça va nous prendre juste quarante-cinq minutes, peut-être cinquante-cinq, tout au plus, répondit-il promptement, comme s'il conduisait lui-même le train. Vous allez-ti voir de la famille?

– ... Oui, oui. En quelque sorte. De la famille...

– Bon, ben! bon trajet, profitez-en quand même, il fait beau, pas à peu près!

Même si le voyage était de courte durée, elle était bien décidée à en profiter. Depuis deux semaines, depuis l'appel du notaire Huot, Aurélia était en train de passer par une panoplie d'émotions inconnues : stupéfaction, excitation, émoi, remise en question, enthousiasme, indécision, effervescence. Ce matin encore, comme jamais auparavant, elle ressentait une nervosité indescriptible et se sentait en pleine turbulence émotive. Craignant d'en oublier des bouts, elle avait pris quelques notes sur un calepin. Malgré qu'elle en connût le texte par cœur, Aurélia sortit à nouveau le petit carnet de son sac et lut attentivement :

Descendre à Hébertville-Station. Le notaire a prévu quelqu'un, monsieur Pamphile Côté, antiquaire de Saint-Gédéon, pour venir me chercher à la gare. Pour le reconnaître : bretelles, barbe blanche et il conduit un camion Ford, jaune citron. Il m'accompagnera à l'étude du notaire, à Saint-André, qui se trouve à une quinzaine de kilomètres de la gare.

P.-S. : Le notaire décidera après de la suite des événements...

Aurélia avait aussi noté l'adresse et les numéros de téléphone du notaire et de l'antiquaire.

« La suite des événements... Je trouve ça bien drôle! C'est pourtant ce qu'il a dit. Pourquoi n'a-t-il pas mentionné de lecture de testament ou quelque chose dans le genre? Il n'a pas parlé du délai non plus : ça fait quasiment quatre ans qu'elle est morte! Bon! Je ne vais pas encore me tracasser à ce sujet! Il sait ce qu'il a à faire. Peut-être qu'il y a des gens qui tiennent à se rendre sur la tombe du défunt, avant? Ou visiter les lieux où les personnes décédées ont vécu toute leur vie? Il y a bien des requêtes possibles, j'imagine... »

Lorsque Béatrice avait appris les développements de l'affaire, incluant l'appel du notaire, elle était entrée dans une phase de grande excitation :

– Mais, rends-toi compte! Rends-toi compte, Aurélia Fortin! C'est une histoire... extraordinaire! Toi qui voulais du changement, tu es plutôt bien servie! Et dire que, à ma façon, j'y ai participé! C'est incroyable. Tu es certaine que madame Nicole ne t'a pas parlé d'un héritage? Pourtant, ça m'a tout l'air que ça ressemble à ça. Aurélia Fortin qui va hériter! Et, je suis certaine, je ne sais pas pourquoi, une intuition comme ça, il doit s'agir de quelque chose de gros! C'est sûr que madame Nicole peut pas tout voir non plus.

« Je comprends aussi que tu veuilles y aller seule. Je trouve que c'est une bien drôle d'idée de faire le trajet en train, mais, bon! puisque le notaire te l'a conseillé... C'est sûr que ça va te faire voir du pays, après tout. Seulement, tu vas me promettre d'être extrêmement prudente. C'est quand même étrange que ce monsieur... Huot, c'est ça?, t'ait demandé de prévoir deux jours. Ma foi! on est au moins sûres d'une chose. Quand j'ai appelé ma belle-sœur, Rosianne, sans rien lui dire de notre histoire évidemment, elle m'a assuré très bien connaître le notaire de Saint-André, Jean Huot. Elle a dit que c'était un homme bien, de bonne réputation, un monsieur honnête et... charmant! C'est ça qu'elle a dit! »

Au souvenir des paroles de son amie, Aurélia sourit. En la voyant si heureuse, Aurélia songea que, peut-être, un jour, elle lui révélerait l'histoire de l'ange. Que ferait-elle sans Béatrice? Sachant qu'Aurélia n'avait pas bougé du village depuis trente ans, l'institutrice avait tenu à l'aider dans toutes ses démarches. Elle avait été présente lors de la confirmation du rendez-vous avec le notaire par téléphone et elle avait récupéré les horaires du train à Chicoutimi. Puis, il y avait eu la réservation, les préparatifs, l'accompagnement, les derniers conseils d'usage et les au revoir à n'en plus finir sur le quai de la gare.

Ce n'est qu'en sortant de Jonquière, qu'Aurélia commença à s'intéresser au paysage. Pendant une vingtaine de minutes, le train, tout en montant une sorte de colline bien ronde, traversa un boisé très dense. Les sapins, les épinettes et les cyprès, hauts et serrés, firent un écran à la lumière solaire, créant ainsi une pénombre éphémère dans le compartiment. Puis, la plaine vierge de végétation apparut dans toute sa splendeur tranquille pendant que les rayons du soleil revenaient traverser allègrement les vitres poussiéreuses.

Aurélia songea que le paysage qui s'étalait devant elle n'avait rien de comparable avec son fjord tourmenté aux falaises abruptes et à la grande rivière tumultueuse. Ici, tout n'était que plat pays à perte de vue. La campagne bucolique, en ce beau matin d'avril, vint, d'une manière inattendue mais bienvenue, calmer son esprit agité. Pour la première fois depuis l'histoire de l'ange, Aurélia se sentit franchement heureuse et détendue. Comme une jeune fille à son premier rendez-vous, elle aurait désiré, en cet instant précis, partager sa joie avec le monde entier. Même en ne sachant pas ce que les jours prochains lui réservaient, elle ne ressentait plus aucune inquiétude.

Le train laissa Saint-Bruno sur la droite, puis, il amorça un lent virage sur la gauche, vers Hébertville-Station.

« À compter d'aujourd'hui, se fit-elle la promesse, je vis l'instant qui passe. Je m'ouvre à l'inconnu, à la vie. Je dis oui... juste oui! Mon cœur est encore jeune, il peut en prendre! Parce qu'un rêve qui se réalise, je pense que ça n'arrive pas tous les jours. C'est ce que me conseillerait Nicole, j'en suis sûre! »

Quand Aurélia entendit le fort sifflement émis par la locomotive dans l'air frais, elle eut la nette impression qu'il faisait écho à son propre appel : « J'arrive! J'arrive! »

En cet instant de pure joie, elle aima le sourd roulement du train sur les rails, elle apprécia les terres jaunes, brunes ou noires encore figées par le dernier gel, elle admira le village coquet aux maisons centenaires qui se pavanait devant ses yeux émerveillés. Juste quand le convoi ralentit pour s'arrêter, Aurélia Fortin eut soudain besoin de rendre grâce de tant de beauté.

« Merci... l'ange! Merci de m'avoir gardée en vie. Je ne sais pas encore trop pourquoi, mais je suis sûre que vous allez me le laisser savoir un de ces jours... En passant, si vous n'êtes pas trop occupé, envoyez donc un peu de protection du bord de mon voisin, Jules, à Sainte-Rose. Il m'inquiète. Je ne l'ai pas revu depuis deux semaines malgré qu'il soit toujours là. Quand je reviendrai de... ma tournée, j'y verrai personnellement. »

***

Habituellement, Gilles Ducharme ouvrait les yeux à la sonnerie du réveil et il se levait quelques minutes après. Mais il en fut autrement en ce matin d'avril. Il se contenta de prendre son oreiller et de s'en couvrir la tête d'un geste impatient.

Il s'était déjà levé une première fois vers huit heures, ne trouvant plus le sommeil. À partir du milieu de la nuit, l'anxiété et la fébrilité l'avaient gardé éveillé pendant de longues heures. Au petit matin, une fois debout, il avait même regardé par la fenêtre, histoire de voir le temps qu'il faisait. Un soleil radieux éclairait les rochers du fjord, les faisant scintiller comme des diamants. Une belle journée en perspective.

Une autre réverbération, qui provenait cette fois d'un rétroviseur d'automobile, avait retenu son attention. Ce qu'il avait surpris avait de quoi étonner! Une voiture, qui ressemblait à celle de l'institutrice du village, était stationnée dans la cour de la maison de sa voisine. Au moment où il avait commencé à s'interroger, la porte s'était ouverte et Aurélia, endimanchée, suivie de madame Poulin, sortait de chez elle en tenant une petite valise à la main et en fermant la porte à clef.

Suite à cette scène insolite, en dépit du fait qu'il

était tout à fait réveillé et ne désirant surtout pas étirer l'attente inutilement, Gilles avait considéré qu'il était bien trop tôt pour se lever. Il avait donc préféré se remettre sous les couvertures pour, aussitôt, se rendormir profondément.

Abruti, l'esprit émergeant avec difficulté des lourdeurs d'un sommeil de plomb, Gilles ouvrit lentement les yeux et regarda l'heure : neuf heures trente. Il s'étira et rejeta, avec une vigueur juvénile, les couvertures à ses pieds. À la pensée de ce qui l'attendait, un grand sourire de satisfaction vint éclairer son visage et le réveiller complètement. En sortant du lit, il décocha un regard par la fenêtre : la journée se passerait sous le signe du soleil! C'est alors qu'il pensa à sa voisine. Depuis presque six mois qu'il était là, il n'avait jamais vu Aurélia Fortin quitter le village de Sainte-Rose et, à part l'institutrice, personne n'était jamais venu chez elle :

– Probablement des noces ou de la mortalité, au loin. Elle est pas trop bavarde, madame Aurélia! En fait, je ne sais pas grand-chose de sa vie. Elle doit bien se demander comment ça se fait que je ne viens plus la voir. Je lui en ai trop confié déjà! Ah! je n'avais pas prévu de m'en faire une amie. Avoir su, je lui aurais dit mon vrai nom, à elle! Les autres, c'est pas important, mais elle, c'est pas pareil! Bon, c'est pas tout, vaut mieux me grouiller si je ne veux pas être en retard à mon rendez-vous.

L'idée de changer son identité - une suggestion de la voix - coïncidait avec son arrivée à Sainte-Rose. Gilles s'était dit que, s'il devait quitter précipitamment la région sans payer son loyer ou encore être poursuivi pour des dettes impayées, ce stratagème pourrait s'avérer salutaire. Loin d'être naïf, Gilles avait pris ses précautions en optant pour « Jules Duchesne », un homme qui existait bel et bien. Il s'agissait d'un oncle maternel bien nanti, expatrié aux États-Unis depuis des années. La conscience plutôt élastique, le joueur avait ainsi statué :

– Après tout, je ne fais qu'emprunter, le temps d'un contrat, un nom qui appartient à la famille!

Gilles prit une longue douche chaude. Une fois devant la glace, il contempla son corps qu'il trouvait parfait, juste assez musclé, très physique et plutôt sensuel. Souffrant de narcissisme prononcé depuis l'adolescence, il se dit que la quarantaine n'avait rien de désagréable! Au contraire, elle lui donnait un charme fou et une virilité saisissante. Elle accentuait ce charisme et ce magnétisme qu'il savait posséder depuis déjà fort longtemps. Satisfait de ce qu'il avait sous les yeux, Gilles décida de laisser sa barbe de deux jours, car il s'était aperçu du regard insistant des femmes quand il n'était pas fraîchement rasé. Puis, il choisit ses vêtements avec soin. Se souvenant des goûts de celle qu'il allait rencontrer, il opta pour un jeans délavé, un gros pull noir à col roulé et des bottes de montagne.

– Pas le temps de déjeuner! Je prendrai un café en route. Y a quand même un peu plus de cent kilomètres à faire...

***

Décidément, le choix du jour était, lui aussi, parfait! La route 172, encore un peu cahoteuse à cause du dégel printanier, se fit tout de même hospitalière jusqu'au pont Dubuc qui enjambait la rivière Saguenay. Une fois le pont traversé, Gilles décida de prendre le boulevard Saguenay qui longeait le cours d'eau pendant plusieurs kilomètres et qui menait vers Jonquière.

Jusque-là, il se sentit étrangement calme et confiant.

– Ah! je suis sûr qu'elle va me tomber dans les bras. J'arrive, j'arrive, ma toute belle...

La circulation se faisait plutôt rare à cette heure matinale. C'est pourquoi traverser le centre-ville de Jonquière ne lui prit que quelques minutes. Son cœur se mit à battre plus fort à la vue du panneau « Alma ». Il commença à cligner des yeux et, très vite, il ressentit des picotements dans les mains. En règle générale, ces signes précurseurs annonçaient la voix :

– Tu vois bien... Tu éprouves les mêmes sensations quand tu t'apprêtes à aller jouer! Comprends-tu maintenant que tu ne peux plus jouer et... gagner, sans elle! Encore trente minutes et tu y es, Gilles. Comme tu vas la voir et lui parler et, qui sait, peut-être même l'embrasser, tu pourras aller jouer après sans problème, car elle va te porter chance. C'est sûr que tu vas gagner, c'est certain!

L'horloge géante du dépanneur au coin de l'avenue du Pont et de la route du Lac, où Gilles venait de s'arrêter pour faire le plein, indiquait onze heures quarante-cinq minutes et quatorze beaux degrés.

– Je vais me rendre directement au restaurant. Je prendrai une table. Comme ça, c'est elle qui viendra vers moi! Ouais! brillante idée, mon Gilles. Elle ne pourra pas m'accuser de harcèlement. Ce sera juste le hasard, un drôle de hasard!

Gilles était attablé depuis trente minutes et l'impatience commençait à faire son œuvre. De sa table, il pouvait très bien voir le personnel sortir de l'immeuble en face, pour aller se restaurer. Il n'avait pas encore repéré Marie-Ève Saint-Amour. L'avait-il manquée?

À la serveuse qui insistait pour prendre sa commande, il répondit sèchement :

– Ça vous ferait rien de me laisser tranquille deux minutes! Allez donc voir ailleurs si j'y suis! Oui, je vais manger, mais pas tout de suite! Vous voyez pas que j'attends quelqu'un?

– Pas besoin de monter sur vos grands chevaux! Au moins, vous auriez pu prendre une table à deux!

En voyant le regard enragé de l'homme, la serveuse prit réellement peur et se retourna brusquement en pensant :

« Ça vaut bien la peine d'être aussi beau pis d'avoir un sale caractère comme ça! Je voudrais pas être à la place de sa blonde... Ouf! Moi, la patronne aura beau me tordre un bras, je le sers pas, ce gars-là! Pas question! »

Et puis, enfin, après ce qui avait semblé une éternité, Gilles vit apparaître celle qu'il attendait. Il se sentit tout à coup complètement euphorique. Malgré le fait qu'il n'arrivait pas à clairement distinguer les traits du visage de Marie-Ève, il reconnut sa démarche et sa chevelure, si belle et si souple. Mais, l'extase fut de très courte durée.

Au lieu de traverser le boulevard, comme elle le faisait tous les mardis pour venir dîner chez Gilou, la jeune femme vira subitement à gauche vers le stationnement. Elle se dirigea vers sa voiture, ouvrit la portière, démarra et... disparut!

D'abord incrédule, puis sidéré, Gilles se sentit devenir fou de rage :

« Mais qu'est-ce qu'elle fait là? Où est-ce qu'elle va? Pourquoi qu'elle change d'habitude... juste aujourd'hui?! »

Ne sachant plus que penser, il décida d'attendre. Après tout, peut-être était-elle seulement allée faire une course et reviendrait-elle aussitôt?

« Du calme, Gilles Ducharme. Les jeux ne sont pas encore faits! »

Dans une sorte de nervosité extrême, il tapa si fort

la table de ses dix doigts que plusieurs clients se mirent à le dévisager franchement. Loin de s'en formaliser, par dépit, il accentua son geste rageur. Quand il se décida à regarder sa montre, elle indiquait une heure et demie.

« Elle est partie. Elle ne reviendra plus travailler aujourd'hui. Bon sang! Foutue vie merdique! Conne de vie! La voix m'aurait-elle menti? Non, elle oserait pas! Elle s'est trompée, c'est tout. Elle s'est juste trompée de jour! »

Alors, aveuglé par la colère, Gilles se leva sauvagement et renversa sa chaise. Il ne la remit même pas en place tant il était amer, déçu et extrêmement contrarié. Avant de sortir du restaurant, après avoir volontairement bousculé quelques clients au passage, il repéra la serveuse et lui lança, l'air complètement déséquilibré :

– T'es contente, non? La table est vide, astheure. Mais attends-moi, parce que je vais revenir. Je suis chez moi, icitte, bien plus que tu penses. Je vais revenir... pis là, tu pourras plus faire ta fine, tu pourras plus t'esquiver. Je vais finir par gagner et sur tous les plans! Compte sur moi, on va se revoir... ma toute belle!

Et il partit d'un grand rire dément qui glaça le sang de la jeune serveuse et qui effraya les quelques badauds attardés aux tables du paisible restaurant.

IV

Pamphile Côté n'avait que quinze minutes d'avance sur l'heure prévue. Une fois à la gare, il avait laissé la Ford dans le stationnement désert et il était allé s'informer sur l'arrivée du train en provenance de Jonquière. « Onze heures trente, tel que prévu », lui avait-on confirmé. Comme la température le permettait, il s'installa dehors, à l'ombre, sur le banc prévu à cet effet. Ce n'est qu'une fois l'attente amorcée que l'antiquaire se rendit compte qu'il n'avait absolument aucune description de la femme qu'il venait chercher.

« Vingueu! Le notaire m'a jamais rien dit à ce sujet! Comment que je vas la reconnaître, astheure? Je me rappelle pas par cœur le numéro de téléphone de Jean, pis la Marie est pas encore rentrée! C'est quoi que chus censé faire? »

En réfléchissant, il arriva à une conclusion : le préposé au guichet – qui avait plutôt l'air affable – devait sûrement avoir une liste des passagers.

« Ça se peut que ce soit pareil que sur les avions... Pourquoi pas? Astheure, avec l'informatique... J'ai rien à perdre à demander! »

Il se leva donc et entra de nouveau dans la bâtisse, laquelle, nonobstant sa modestie, ne manquait certes pas de charme. Le hall de gare, quoique spacieux au plafond élevé, n'avait certainement rien de comparable avec celui d'une grande ville. Par contre, les bancs d'église du début du siècle, les murs lambrissés de planches et les hautes fenêtres à carreaux munis de fins barbelés protecteurs côtoyaient allègrement les comptoirs en formica, les planchers en terazzo, les cendriers sur pied en chrome brillant et les guichets des années soixante, tout autant que les présentoirs de dépliants et les affiches modernes, donnant à l'ensemble un aspect hétéroclite, mais fort sympathique.

On pouvait lire sur les posters plastifiés : « Pédalez, roulez et visitez... sans vous arrêter, sans vous fatiguer! » Comme preuve à l'appui, un couple de cyclistes souriants et dispos se préparaient à monter leurs vélos dans le train tout en faisant un signe de la main à des amis ou des parents. À l'arrière-plan, dans une sorte de flou artistique, on voyait des randonneurs sur la Véloroute des bleuets ceinturant le grand lac Saint-Jean ainsi qu'un train de voyageurs traversant la verte campagne jeannoise. La publicité, quoique fort bien conçue et très prometteuse, fit sourire Pamphile, malgré lui :

« Ces affaires-là, c'est toujours ben beau sur les images. Mais, quand i mouille à siaux, ça doit pas être si beau pis si aisé que ça de rouler en bicycle! Cent soixante milles de long qu'elle fait, la piste, y paraît! I aiment ben à se donner du trouble pareil, le monde d'aujourd'hui! Ça leur prendrait pas tout à fait une journée pour faire le tour du Lac en char alors que là, à pédaler, apparence qu'i mettent quatre à cinq jours! Je comprends pas trop l'idée, mais coudon! Allons voir au guichet, astheure... »

À son grand soulagement, Pamphile apprit que deux passagers seulement descendaient à Hébertville-Station. Il n'eut plus le temps de s'inquiéter outre mesure puisque le train annonçait fièrement son entrée en gare.

En voyant descendre les deux voyageurs, Pamphile eut un choc. Assez fort même pour lui donner des palpitations et quelques sueurs :

– Il aurait pu y avoir des centaines de passagers qui seraient descendus de ce train-là. Ça aurait rien changé pantoute. J'aurais reconnu Aurélia entre mille!

Madame Fortin était la copie conforme de sa mère Joséphine, au même âge. Pamphile, en venant à sa rencontre, se demanda toutefois si le compte était juste :

«Vingueu! apparence qu'elle est née en 1923. Ça y ferait pas loin de... quatre-vingts! Y a quelque chose qui marche pas dans cette affaire-là. La Fine a dû se tromper d'année. Cette madame-là est pas mal plus jeune! »

– Monsieur Côté? L'antiquaire de Saint-Gédéon? questionna Aurélia, en s'adressant poliment à Pamphile. Vous portez des bretelles, une barbe blanche et vous devez avoir une voiture jaune citron, si je ne m'abuse? Je me présente, Aurélia Fortin de Sainte-Rose. Enchantée!

Et elle arbora le plus beau des sourires que Pamphile eût jamais vu, en même temps qu'elle lui tendait, avec une grâce naturelle, sa main blanche et délicate. L'antiquaire demeura cloué sur place. Quand le notaire avait fait mention du langage distingué de la Roseraine, Pamphile s'était dit que, pour la circonstance, il pourrait essayer d'utiliser ses mots du dimanche. Mais en entendant Aurélia Fortin, il se dit que même ces mots-là ne seraient pas à la hauteur.

– Euh!... enchanté, madame Fortin.

Gêné, un peu gauche, il prit la main tendue, la serra brièvement en la relâchant aussi vite, craignant de lui faire mal.

– Vous avez-ti fait un bon voyage, j'espère? Excusez... Je me présente moi de même : Pamphile Côté, antiquaire. Passez-moi donc votre malle; la Ford, enfin... la camionnette jaune citron, comme vous dites, est juste là dans le... le pa... le pacage! (C'est le premier mot qui lui vint à l'esprit pour remplacer « parking » qu'il savait être un terme anglais.) Le notaire nous attend à son étude.

– Très bien, monsieur Côté. Je vous suis, répondit Aurélia, avec un sourire narquois au coin des lèvres. Vous êtes un... ami de maître Huot?

– Euh!... du notaire, vous voulez dire? Oui, oui. Nous sommes bien intimes, lui, moi et puis sa jeune et gentille fiancée, ma protégée, voyez-vous! C'est un peu comme mes enfants, vous comprenez. Mais, ajouta-t-il perplexe, vous... vous craindriez-ti d'être seule en ma présence, madame?

– Oh non, non! Pas du tout. Je m'excuse de la méprise que j'ai pu susciter par ma question. Je vous demandais cela simplement par curiosité. Je me sens en parfaite confiance, je vous assure, monsieur Côté.

– Ah! c'est mieux de même! De toute ma longue vie, j'ai jamais causé de crainte à personne, vous savez. Puis, c'est pas aujourd'hui que ça va commencer!

Sans autre commentaire, Aurélia prit place sur le siège du passager. Elle en profita pour examiner l'antiquaire. Les vêtements qu'il portait étaient de bon goût, propres et bien repassés. La barbe, les cheveux, les ongles, soignés. Les bretelles blanches, sur la chemise jaune, tout à fait originales!

« Quel âge peut-il bien avoir? Certainement dans les quatre-vingts... mais bien, vraiment bien de sa personne. Pourquoi surveille-t-il tant son langage? Est-ce à cause de moi? » se questionna Aurélia, fort intriguée.

Pendant que Pamphile conduisait lentement sur un petit rang de campagne, la Roseraine détailla avec intérêt le paysage maintenant vallonné et parsemé de fermes aux silos pittoresques, lesquels dominaient les terres agricoles de leur hauteur parlante. En effet, on pouvait y lire, peints en couleurs vives sur le ciment gris, les noms des fiers propriétaires, comme autant de chapitres distinctifs de l'histoire jeannoise : Martel, Dufour, Savard, Pelletier... Un peu plus loin, aux abords de Saint-André, le rang sinueux, en compagnon de longue date, se mit à côtoyer intimement une jolie rivière qui chantait le printemps à tue-tête. L'antiquaire devait suivre le regard de sa passagère, car il annonça fièrement :

– C'est la Belle-Rivière qui coule, juste là! Elle porte bien son nom.

Depuis trente ans qu'Aurélia goûtait aux joies de la nature, elle eut la nette impression qu'elle aurait, un jour lointain, plus de temps pour conquérir ce merveilleux et paisible coin de pays. Pour l'heure, c'est l'homme assis près d'elle qui l'intéressait; elle eut envie d'en savoir davantage :

– Vous êtes donc antiquaire... C'est très intéressant. Êtes-vous encore en affaires, monsieur Côté? Avec votre épouse, je suppose? Êtes-vous natif de la région? Oh!... je suis peut-être indiscrète avec mes questions!

– Ma Toinette, mon épouse, est morte depuis plus de vingt années, madame. Mon père est né ici, son père à lui et moi avec. J'ai jamais quitté mon Lac. Je tiens encore la boutique d'antiquités familiale tout fin seul, vous savez. Mais seulement les après-midi. Je dois dire pourtant que je m'en désintéresse bien gros depuis deux ou trois ans. Chus..., scusez, je suis plus intéressé envers les ordinateurs, voyez-vous.

– Vous vendez des ordinateurs?

– Non! non! C'est pas ce que j'ai voulu dire! Je vogue sur la Ternette à travers le globe terrestre, madame, et j'envoye ma malle personnelle par le système « iméle ». C'est sûr que, pour le moment, c'est bien juste à Marie-Ève que j'écris des p'tits mots vu que le monde que je connais, il est pas branché, voyez-vous. Je désespère pas! La Marie, elle dit que je suis pas mal bon pour mon âge. C'est que j'ai fêté mes quatre-vingt-treize hivers, en décembre dernier! J'ai pour mon dire que les ordinateurs, c'est le moderne, donc ça garde jeune. Puis, j'étais très tanné... du vieux, voyez-vous.

– Permettez que je vous félicite, monsieur l'antiquaire! Vous ne faites pas du tout votre âge! s'exclama Aurélia spontanément.

Pendant que Pamphile rougissait sous le coup du compliment fortuit – et mourait d'envie de lui retourner le même –, Aurélia fut prise de court par son audace et elle s'éclaircit la voix avant de poursuivre :

– Euh!... voulez-vous dire, monsieur Côté, que vous naviguez sur Internet, sur cette immense toile extraordinaire, et que vous envoyez des courriels?

– En plein ça! Ça vous intéresse-ti, vous aussi?

– J'en rêve, monsieur Côté. J'en rêve!

– Ben... la belle affaire! Si vous voulez, quand vous aurez une minute de libre, bien entendu, je peux vous faire visiter ma boutique à Saint-Gédéon, et puis vous montrer mon ordinateur...

– Avec plaisir! Avec grand plaisir! Ah! quelle heureuse coïncidence.

– C'est sûr, par exemple, que si vous voulez vous brancher chez vous, un jour, à Sainte-Rose, il faut assurément que vous connaissiez quelqu'un dans le domaine parce que c'est bien compliqué l'installation, les programmes et tout et tout... Moi, c'est la Marie, enfin... Marie-Ève Saint-Amour, qui a été mon professeur.

– En fait, oui! J'aurais une personne sous la main. Pourquoi n'y ai-je pas pensé avant?

Après quelques minutes de silence, changeant de sujet du tout au tout, Aurélia demanda à brûle-pourpoint :

– Monsieur Côté, dites-moi, puisque vous êtes né ici et que vous n'avez jamais quitté votre Lac, vous avez sûrement connu ma cousine, Joséphine Frigon?

Pamphile fut pris de court. Il ne s'attendait pas à cette question.

« Jean m'a demandé de pas aborder le sujet de Joséphine Frigon pour pas créer des... « paires »? Que c'est qu'i voulait dire par là? Des paires de quoi, vingueu? J'en sais trop rien, mais ça semblait de haute importance. Coudon, je sais pus où ce que j'en suis. Elle me fait un drôle d'effet, la belle Aurélia! C'est comme si qu'on se connaissait depuis belle lurette... La conversation coule toute seule, au rythme de la Belle-Rivière... Quoi y répondre, vingueu! sans la rendre soupçonneuse? »

– Oh! ben, le voyage a été bien court, on dirait! Nous voilà presque arrivés, ma petite madame. Dans deux, trois minutes, on y est!

***

Les rayons du soleil filtrant à travers les rideaux de dentelle mettaient au jour quelques poussières récalcitrantes et audacieuses sur les meubles antiques, pourtant polis avec soin. Fébrile et impatient, Jean Huot en prit bonne note lorsqu'il se promena de long en large dans son étude. Il allait et venait, de la salle d'attente vide et silencieuse jusqu'à son bureau, tout aussi désert, car même la secrétaire réceptionniste avait obtenu congé à partir de onze heures trente, jusqu'au jeudi matin. Aucun rendez-vous n'avait été pris pour ce mardi et ce mercredi du mois d'avril 2002. Jean lorgna encore du côté de l'horloge ancienne. À son grand soulagement, elle lui indiqua, cette fois, midi.

– Enfin! Ils ne vont pas tarder à arriver... Ah! je ne sais pas encore comment présenter la chose. On verra, au fur et à mesure. J'ai tellement hâte de la voir!

Le cours de ses pensées fut interrompu par un bruit familier : la Ford de l'antiquaire venait d'arriver. N'y tenant plus, Jean se permit un regard discret à la fenêtre. De cette dernière qui donnait sur le stationnement réservé à la clientèle, il vit Pamphile se dépêcher pour venir ouvrir la portière du côté passager. Avec beaucoup d'empressement et de délicatesse, l'antiquaire, alerte et courtois, proposa son bras à madame Fortin et l'aida à descendre.

N'ayant jamais eu l'occasion de découvrir cet aspect de la personnalité du vieil homme, le notaire fut touché par les gestes de galanterie et d'amabilité dont faisait preuve l'antiquaire envers Aurélia. Plus qu'attentif, Jean fut aussi en mesure de capter le sourire de connivence qui passa entre eux. Léger, imperceptible, mais bien réel.

– Ah! qu'elle est belle et gracieuse. On dirait la Fine, plus jeune. Quelle classe! Ça alors! Comme Joséphine aurait été fière de son Aurélia!

Le notaire, qui appréciait beaucoup les gens possédant ce je-ne-sais-quoi d'aristocratique, s'empressa de détailler madame Fortin. Sa toilette, quoique sobre et classique, révélait néanmoins un goût infaillible. Elle portait une jupe de couleur foncée, légèrement ample, juste en dessous des genoux. Un chemisier blanc en coton indien rendait hommage au teint d'Aurélia, bien coloré par le grand air du fjord. Et, recouvrant ses épaules délicates, un cardigan couleur topaze d'une très belle qualité rehaussait agréablement l'ensemble. Un sac en cuir d'un joli brun rouille sur l'épaule droite et des chaussures à talons moyens, assortis au sac, complétaient la tenue. Des boucles d'oreille fines et un collier délicat, couleur d'ambre, mettaient en valeur les cheveux longs et argentés, coiffés en une magnifique tresse indienne.

Puis, sans raison particulière, Jean nota les bretelles blanches de Pamphile sur une chemise... jaune!

– Hein? Pamphile a changé de couleur de chemise? Ça alors! Bon, bon, assez fouiné! Ça y est, ils arrivent!

***

Jean Huot s'empressa d'aller à leur rencontre. Quand il arriva dans l'antichambre, le couple était déjà à l'intérieur. Le notaire, qui ne songea pas un instant à contrôler son élan tant l'excitation était à son comble, n'entendit même pas ses propres paroles. Ainsi, contrairement à Pamphile, il ne fut pas en mesure de se rendre compte du malaise qu'il créait chez celle qui se considérait alors une simple cliente.

– Aurélia Fortin! Aurélia Fortin! Quelle joie, quel plaisir de vous voir, enfin! Vous avez fait bon voyage? Tout s'est bien passé? Ah! quand Marie-Ève va vous voir. Vous ressemblez tant à votre... Euh!... euh!... excusez-moi. Je vous en prie, madame, veuillez entrer...

Tout en suivant Aurélia de près, l'antiquaire en profita pour décocher un regard interrogatif à Jean. Ce dernier, qui venait de prendre conscience de sa bévue, ne put que soulever les épaules et se tordre la bouche dans une sorte de mimique enfantine de celui qui est pris en faute et qui ne sait pas ce qui l'attend. Pamphile, une étincelle particulière dans l'œil, ne put que s'amuser de l'agitation inopinée du compagnon de la Marie.

– Euh!... je suis le notaire Jean Huot, donc, et vous connaissez déjà monsieur Côté, n'est-ce pas? Oui... oui... bon. Euh!... asseyez-vous, je vous en prie. Passons aux choses sérieuses. Prendriez-vous quelque chose à boire? De l'eau? Un jus de fruits, peut-être?

Comme Aurélia faisait un signe négatif de la tête,

Jean, qui avait espéré une pause pour se ressaisir, dut se résoudre à continuer.

– Madame Fortin, j'ai une première requête à vous soumettre. Si je peux me permettre d'insister, j'aimerais que monsieur Pamphile Côté, ici présent, puisse assister à... tous nos entretiens.

– Je n'y vois pas d'inconvénients majeurs, monsieur Huot, mais votre demande me surprend...

– Oh! je vous explique... Pendant près d'un demi-siècle, monsieur Côté a été le plus grand, et même le seul ami, de votre... cousine, Joséphine Frigon. À part vous évidemment, dont personne ici ne connaissait l'existence, Pamphile était, en quelque sorte, sa seule famille. C'est à ce titre d'ailleurs qu'elle lui a laissé une part d'héritage...

– Excusez-moi de vous interrompre, monsieur Huot. Mais, s'il vous plaît, que faites-vous de son mari? s'enquit timidement Aurélia, complètement dépassée par l'atmosphère étrange qui régnait dans la pièce.

Qu'avait voulu dire le notaire par « nos » entretiens? Il y en aurait plusieurs? Elle était franchement abasourdie par l'accueil très empressé de Jean Huot. Béatrice lui avait décrit avec emphase l'abord chaleureux des Jeannois, mais tout de même!

– Son mari? lancèrent en chœur le notaire et l'antiquaire. Quel mari?

– Mais... son mari des Îles-de-la-Madeleine, voyons! D'ailleurs, le journal n'en faisait pas mention non plus...

Jean songea alors que l'intervalle silencieux qui suivit devait ressembler à un trou noir dans le temps. Pamphile et le notaire se regardèrent, sidérés, sachant pertinemment ce que l'autre pensait : « Se pourrait-il qu'il y ait erreur sur la personne, malgré l'extravagante ressemblance? »

– Voyez-vous, notaire Huot, reprit Aurélia avec plus d'assurance, ma mère, Zoé Ouellet, la sœur d'Éléonore Ouellet, m'a dit de son vivant que ma cousine Joséphine, plus âgée que moi, avait épousé un Madelinot et qu'elle avait définitivement quitté le Lac. Je ne saisis pas...

À nouveau, les deux hommes échangèrent un regard entendu. Ils comprenaient maintenant fort bien la situation : il y avait erreur, ou plus probablement omission préméditée, mais simplement sur les faits rapportés.

– Euh!... votre maman... a dû être mal informée, j'en ai peur. Joséphine Frigon ne s'est jamais mariée. Elle a vécu toute sa vie à Saint-André en tant que célibataire. Mais je crois pouvoir éclaircir ce malentendu... un peu plus tard, si vous le permettez. (Jean se racla la gorge avant de continuer.) Joséphine Frigon a laissé quelque chose de très précis... pour vous, madame Fortin!

– Pour moi? s'exclama Aurélia, tout à fait surprise. Elle me connaissait? Oui... elle devait bien connaître mon nom. Mais nous ne nous sommes jamais rencontrées, notaire! Il n'y a jamais eu aucun lien entre nous! Pourquoi aurait-elle fait ça?

À ce moment précis, Jean ne sut comment aborder le vif du sujet. Il rougit et perdit contenance. Il détourna la tête, indécis sur la marche à suivre. C'est Pamphile qui vint à sa rescousse :

– Excusez, notaire... C'est pas mon idée ici de paraître impoli. Il approche une heure de l'après-midi. Peut-être bien que madame Aurélia aurait une petite faim? Ou qu'elle aimerait à se restaurer d'une manière ou d'une autre? J'avoue sincèrement que c'est un peu mon cas...

– Oh oui! En effet, vous avez raison, Pamphile!

lança le notaire, soulagé. Euh!... ma compagne, Marie-Ève Saint-Amour, qui vit dans la maison de... Joséphine, a prévu un repas froid pour dîner. Nous pensions vous inviter dans la demeure où votre cousine a vécu toute sa vie. Et puis, nous serions très à l'aise pour continuer notre entretien. Est-ce que cela vous convient, madame Fortin?

Malgré la meilleure volonté du monde et un intérêt soutenu, Aurélia n'arrivait plus à suivre. Comment sa mère avait-elle pu être si mal renseignée au sujet de Joséphine, sa propre nièce? Aurélia devenait incapable de se concentrer et comprenait mal l'embarras évident du notaire. Que venait faire sa fiancée dans les faits et comment s'était-elle retrouvée dans la maison de Joséphine? Qui, hormis l'antiquaire, avait hérité de la plupart des biens de sa cousine?

« Oh! que ça me paraît compliqué! Les choses prennent une tournure qui ne me plaît guère... » songea-t-elle pour elle-même. Pourtant, se souvenant de sa promesse dans le train, elle répondit, en haussant légèrement les épaules en signe d'abdication :

– Comme vous voulez, notaire Huot. Comme vous voulez! Je vous avoue être confuse et perplexe. Vous avez soulevé une tempête de questions...

– Je vous comprends. C'est une affaire délicate et compliquée, je vous le concède. Mais je répondrai à toutes vos questions, madame Aurélia. Toutes, sans exception! Je vous le promets. J'espère que vous avez prévu deux jours, comme je vous l'ai demandé?

Était-ce le regard perçant et clair de Jean qui exprimait l'honnêteté ou bien sa voix tendre et persuasive? Était-ce son charme particulier qu'on ne savait pas à quoi associer exactement? Toujours est-il qu'à ce moment précis, Aurélia le compara à Jules Duchesne.

« Ils sont très différents, mais aussi charismatiques

l'un que l'autre. Jules, animé par la passion et le désir, peut finir, s'il n'apprend pas à se contrôler, par mettre le feu à ce qui l'entoure ou se consumer lui-même. Quand on est près de Jean Huot, on pense à l'eau calme qui apaise, à l'amour, à une force beaucoup plus intérieure. Cet homme a souffert! Il a perdu des êtres chers, comme moi, j'en suis sûre. Je peux lui faire confiance. »

– Oui, oui, cher notaire. Ne vous inquiétez pas. Je ne repars que demain vers seize heures, je crois... Bon, eh bien! je vous suis, messieurs. J'ai très faim, en effet – elle lorgna du côté de l'antiquaire en lui faisant un clin d'œil complice – et j'ai bien hâte de voir cette maison et de rencontrer celle qui est également la protégée de notre antiquaire, non?!

Sans chercher à connaître la raison exacte d'un tel revirement d'ambiance, Jean se contenta de voir, et de sentir, que la glace était définitivement rompue. Pour la première fois, madame Fortin avait dit « cher notaire », sans parler du « notre antiquaire » qui avait joliment coloré les joues de Pamphile.

La Roseraine semblait à nouveau détendue et en confiance. Jean Huot sourit à son tour à la belle Aurélia, et il se leva avec son aisance habituelle.

***

Marie-Ève et son compagnon s'affairaient tranquillement au jardin. Cela leur semblait un moyen comme un autre pour occuper le temps et pour se changer les idées. Marie râtelait quelques feuilles oubliées par les vents d'automne, mais elle se plaignait sans arrêt, sûrement pour chasser la tension qui la gagnait :

– Ah! j'aurais bien dû les ramasser avant l'hiver! Au printemps, elles collent au râteau et on s'en sort plus! Ouf! j'ai déjà mal au bras!

– Marie, tu t'obstines à vouloir les enlever à tout prix! Il y en a si peu. Laisse-les sur le terrain, elles vont l'engraisser! Et ne te fatigue pas trop, c'est dur de râteler!

– Ouais! peut-être bien... Trompette! Non! Pousse-toi de là! Ah! on dirait qu'il fait exprès de se rouler dans les tas de feuilles pour les éparpiller. Zut et rezut! J'abandonne. Je vais m'asseoir sur la galerie avec Pamphile.

– Bonne idée, ma chérie. Et calme-toi, tout va bien aller, j'en suis certain.

Le griffon se mit à courir ici et là, totalement inconscient des événements importants qui se déroulaient à côté de lui. Le chien, en aboyant maladroitement, tentait d'effrayer les merles et les pics dorés, fraîchement débarqués du Sud, qui se nourrissaient de vers et d'insectes à même la pelouse encore détrempée.

L'antiquaire, qui se berçait sur la galerie, essayait, malgré une certaine nervosité, de profiter de ce beau jour printanier. Il observait deux couples d'hirondelles qui tentaient de déloger de leur territoire une crécerelle qui chassait en volant sur place avec des battements d'ailes rapides. Le petit faucon, de la taille d'un geai, ne semblait pas le moins du monde importuné par les nouveaux arrivants. L'air d'avril était rempli du zézaiement ténu des bruants ou encore du chant coulant et gloussé des carouges à épaulettes ou bien du *djé... djé...* retentissant des geais bleus qui avaient pris possession des prés, des fossés et des boisés en l'espace d'une nuit.

À la vue de Marie-Ève qui revenait vers lui, les cheveux décoiffés, le visage rouge et le ventre arrondi, Pamphile sourit. À quatre mois de grossesse, en vêtements légers, on commençait à deviner son état. Il est vrai que sa protégée déployait les efforts nécessaires dans ce sens. Quand elle vint prendre place à côté de lui, il lui fit la remarque suivante :

– La Marie! je pensais justement à quelque chose en te voyant ben ronde. La Fine, elle était pas itou en famille de quatre mois quand elle a décidé qu'il fallait partir du rang des Apis? Pis, c'est aujourd'hui que sa propre fille revient icitte, après toutes ces années! Vingueu! Que la vie est pleine de surprises, tu trouves pas? J'aurais jamais cru être témoin d'une affaire pareille.

– Vous avez raison, monsieur Pamphile! Je n'avais pas fait le rapprochement. Ah! ça, vous pouvez le dire! Depuis que je suis en possession du secrétaire, on dirait que les événements extraordinaires font la queue pour me surprendre... Ah! ça fait combien de temps qu'elle est dans l'officine? Quelle heure est-il? Juste trois heures trente... Elle doit en avoir encore pour une bonne heure au moins, peut-être plus! Qu'est-ce qui va sortir de tout ça? Comment va-t-elle réagir, mon Dieu!? Avons-nous fait le bon choix de lui faire lire les lettres, toute seule? Elle n'est plus très jeune, même si elle en a l'apparence.

Ces questions demeurèrent sans réponse. Il était clair que ni l'un ni l'autre ne désirait aller plus loin dans la conversation. Marie-Ève se contenta de fermer les yeux en se berçant et de faire revivre le moment de la rencontre...

***

Comme prévu, Marie n'avait travaillé à Alma que la matinée. Sur le chemin du retour, elle s'était arrêtée à L'Escalier pour ramasser les sandwiches, salades et petits gâteaux préparés par Stéphane. Elle était arrivée à la maison à midi quarante-cinq, juste le temps de dresser la table et de se rafraîchir.

Puis, Aurélia était apparue. Elle avait pris place dans la voiture du notaire, suivie par la Ford. Jamais l'informaticienne ne pourrait oublier l'instant de leur réunion. Marie-Ève était persuadée qu'Aurélia avait ressenti la même chose qu'elle. Au contact de leurs mains qui se serraient sans une parole prononcée, une sorte de grand courant chaud l'avait traversée, à la manière d'un courant porteur. La jeune femme avait eu la nette impression de recevoir une multitude de signaux. Dans cette fréquence élevée, qui était passée aussi rapidement que l'éclair, elle avait décelé autant les sentiments supérieurs qui animaient l'âme d'Aurélia Fortin que l'esprit de Marc-Aurèle Provencher et le cœur de Joséphine Frigon, ses parents. De plus, Marie avait ressenti une impression intense de déjà-vu, comme si elle avait déjà vécu une situation similaire, bien avant.

« Je ne croyais pas qu'une telle chose pouvait se produire entre deux personnes, se dit-elle, soudain apaisée par le balancement régulier de la chaise. C'est comme si nous nous étions connues bien avant, ailleurs, et que notre mémoire soit incapable de s'en souvenir. C'est comme si nous nous retrouvions après quantité de saisons, après des centaines de rencontres, de naissances et de morts, de présences et d'absences et... après des lettres d'amour! Est-ce à cela que ressemble le cheminement d'une âme? Peut-être a-t-elle été ma sœur, ma cousine, ma grand-mère dans une autre existence? Je me demande si c'est possible? Il faut vivre un moment pareil pour arriver à concevoir une telle idée, sinon, c'est même pas imaginable!

« Quoi qu'il en soit, notre histoire personnelle serait bien terne sans magie, sans féerie, sans événement extraordinaire. J'ai l'impression de vivre sous le charme d'un enchantement depuis l'arrivée du secrétaire dans ma vie... Ah! puisse-t-il durer jusqu'à la naissance du bébé, se prit-elle à espérer en évoquant soudain le coup de téléphone de Gilles Ducharme. » Ce souvenir, qui était revenu au galop bien malgré elle, la fit frissonner, malgré la chaleur du soleil sur ses bras nus. « En tout cas, il a plus jamais osé me rappeler, celui-là! Il a intérêt à ne plus recommencer!

« Si Jean a retrouvé Aurélia si vite, ce n'est pas pour rien. Il y a sûrement une raison. »

En se tournant vers Pamphile pour lui parler et chasser l'image de Gilles qui persistait, Marie constata que le vieil homme s'était assoupi. Ce repos, songea-t-elle, lui ferait du bien, car la journée était loin d'être terminée. Elle fit un signe de la main à Jean qui regardait de son côté; ce dernier s'amusait à enlever les derniers restes de neige durcie et récalcitrante qui, bien à l'ombre de la maison, semblait vouloir se conserver comme dans un frigidaire.

Marie ferma de nouveau les yeux... Elle revit Aurélia, s'adressant à elle la première :

– Bonjour... Marie-Ève. Bonjour! C'est un réel plaisir de vous rencontrer. Personne ne m'avait dit que vous étiez si jolie, si charmante!

Et, en offrant à la ronde un sourire angélique – comme s'il s'agissait d'un bouquet de fleurs –, la Roseraine avait ajouté d'une voix douce et enjouée :

– Voici donc la protégée de monsieur l'antiquaire et la fiancée de ce cher notaire! Alors... c'est pour quand, ce petit bébé?

Marie-Ève s'égaya au souvenir de l'expression de Pamphile devant le regard inquisiteur du couple. Celui-ci, qui avait viré au rouge coquelicot, en avait perdu ses mots fleuris pour bafouiller :

– Euh!... vous voyez-ti, madame Fortin, je crois ben que je voulais dire plutôt que c'était « tout comme » qu'ils sont fiancés... C'est ben dur de nos jours de figurer les couples. Dans notre temps, on se fiançait, et puis après pas longtemps, on se mariait, point final. De nos jours, c'est ben malaisé...

– Oh! vous avez remarqué! s'était exclamée Marie-Ève, en prenant la parole, dans un ton de fierté non dissimulée. La jeune femme, par cette prompte intervention, avait aussi voulu sortir Pamphile d'un certain embarras. La naissance est prévue pour la fin août, madame, continua-t-elle. On ne désire pas connaître le sexe de l'enfant... Oh! excusez-moi. Je parle, je parle! Bonjour! madame Fortin. C'est un si beau jour pour nous rencontrer, n'est-ce pas? Entrez, je vous en prie.

« Nous pourrons passer à table, les hommes, c'est prêt! Trompette! Reste dehors! C'était le petit chien, le compagnon de... de votre cousine, avait-elle confié à Aurélia dans un soupir. Excusez-le, il est un peu excité. Je crois qu'il vous prend pour Joséphine à cause de la ressemblance... »

Après avoir assouvi leur faim en discutant de choses et d'autres, tous étaient passés au salon pour prendre le café. Marie n'avait pu que constater l'incapacité de son compagnon à entamer la conversation. Il fallait pourtant que quelqu'un attaque le sujet.

Or, contre toute attente, sachant pertinemment que les trois individus en sa présence étaient plus ou moins concernés par le décès de sa cousine, c'est Aurélia qui avait timidement murmuré :

– Et si l'un d'entre vous se décidait à parler?!

– Madame Fortin, avait attaqué Marie-Ève, comme si elle plongeait dans une eau profonde, euh!... puis-je vous appeler, Aurélia?

– Bien volontiers, Marie-Ève. Je vous écoute....

***

Pendant plus d'une heure, l'informaticienne avait raconté les faits, comme elle les avait vécus et ressentis. Elle relata sa rencontre avec l'antiquaire à l'automne 97. Puis la mort de la Fine, en octobre 98. Elle fit mention du testament olographe de Joséphine Frigon et de son contenu, adressé à son ami, Pamphile Côté. Le don du fameux secrétaire par l'antiquaire, en sa faveur, fut aussi amené dans la conversation. Puis, elle fournit beaucoup de détails sur la découverte de lettres secrètes qui témoignaient d'un amour illicite entre Joséphine, alors institutrice, et le docteur du village, un homme marié.

Ensuite, la jeune femme mentionna sa rencontre avec Jean Huot. Leur amitié qui s'était transformée, bien malgré eux, en amour, alors que le notaire était lié par le mariage à Claire Bouchard, gravement malade. La jeune femme expliqua aussi que, entre-temps, Pamphile avait acheté la maison de son amie, Joséphine. C'est pourquoi Marie-Ève en était locataire, encore aujourd'hui.

Après une courte pause, Jean avait pris le relais en remontant à l'hiver 2000. Il parla du coma de Claire, du moment fatidique où lui et Marie s'étaient rendu compte de l'impensable. Comme c'est lui qui avait acheté le bureau du docteur Provencher à l'antiquaire en 97, il s'était donc retrouvé en possession des autres lettres, celles de Joséphine.

– Vous pensez bien, Aurélia, avait souligné Jean, que nous n'avons jamais parlé de cette extraordinaire coïncidence à personne! Seul monsieur Pamphile était au courant. Mais nous pourrons toujours revenir plus tard sur des détails qui vous auraient échappé.

« Suite à tous ces événements, en décembre 2001,

le soir de l'anniversaire de notre cher antiquaire, Marie-Ève s'est souvenue d'un tiroir, dans le secrétaire, un dernier tiroir qu'elle n'avait pas encore ouvert. Voyez-vous, Aurélia, il contenait une autre lettre! Une longue lettre de Joséphine Frigon. Euh!... une lettre qui vous concerne particulièrement!

– Qui me concerne, moi? Vous êtes certain? s'était écriée Aurélia, fort surprise de la tournure que prenait cette affaire. Et que disait cette lettre, s'il vous plaît?

– Si vous le voulez bien, chère Aurélia, avant de vous remettre l'objet que Joséphine vous a laissé, nous aimerions que vous preniez connaissance de la correspondance entre elle et le docteur. Ensuite, vous serez plus en mesure de comprendre les derniers écrits de Joséphine Frigon.

– Quelle intrigue! Ah! je ne m'attendais pas à ça! Il est vrai que certains faits demeurent obscurs... En dépit de l'aspect invraisemblable de votre histoire, je vous crois! Car je dois vous avouer qu'il m'est arrivé, à moi aussi, plusieurs choses extraordinaires ces derniers temps, alors, une de plus! Si vous saviez! Oui, oui, je veux bien lire ces lettres puisque vous jugez que c'est nécessaire. Je vous fais confiance, notaire Huot.

Et Jean avait accompagné Aurélia à l'officine où la précieuse correspondance reposait dans l'ordre chronologique, bien rangée sur le secrétaire. Il avait refermé doucement la porte derrière elle.

Marie-Ève, Jean et l'antiquaire avaient été d'accord sur un point : ce ne serait pas juste « une chose de plus » pour la belle Roseraine.

La jeune femme sentit la main de son amoureux lui caresser les cheveux. Elle ouvrit les yeux et constata que Pamphile était réveillé. Marie regarda tendrement le notaire en lui posant une question muette :

– Non! Elle est encore dans l'officine, dit Jean.

Cela m'inquiète un peu... Oh! ça y est! J'entends du bruit... Elle arrive!

Et tous se levèrent pour accueillir Aurélia Fortin, la fille de Joséphine Frigon.

***

Il aurait fallu être aveugle pour ne pas constater qu'Aurélia avait versé beaucoup de larmes. Pourtant, malgré son visage ravagé par les pleurs et l'expérience éprouvante qu'elle était en train de vivre, elle semblait sereine. Marie-Ève, Jean et Pamphile, par souci de respecter leur invitée, se tenaient cois, debout sur la galerie, ne voulant pas la brusquer. Dans l'imposant silence de la campagne, chacun à sa manière fut en mesure de comprendre qu'une aura de force protégeait cette petite femme à l'apparence fragile. Ils comparèrent cette puissance à un courant bienfaiteur, dans lequel ils se sentirent entraînés.

Marie se mit à penser à la quiétude du beau lac Saint-Jean, si bienvenue après l'agitation causée par les éléments déchaînés. Elle se surprit à désirer la présence d'Aurélia à la naissance du bébé. Quant à Pamphile, il imagina une douce fraîcheur printanière après la froidure de l'hiver. Le vieil homme eut très envie de trouver, en la personne de la belle madame Fortin, une amie sincère. De son côté, Jean ressentait une étrange impression : être en présence de la fille de Joséphine lui donna envie non seulement de connaître le sexe de l'enfant à venir, mais aussi de l'attendre en toute confiance, quelles que soient les circonstances.

Les trois amis, emportés dans un tourbillon de sensations inattendues, n'eurent pas le temps de dire quoi que ce soit. Aurélia prit la parole. S'adressant à

Marie-Ève, d'une voix ténue et tremblante, elle demanda :

– Puis-je maintenant... voir le médaillon?

La jeune femme s'empressa de s'avancer pour aller chercher le précieux héritage. En passant devant la légataire, elle toucha volontairement sa main d'une caresse, en guise d'encouragement. C'est alors qu'Aurélia la retint près d'elle, et elles tombèrent dans les bras l'une de l'autre. Le moment était d'une intensité incroyable. Les deux femmes pleuraient en se serrant très fort.

Quant aux hommes, bouleversés par la scène émouvante qui leur ravissait des larmes, ils se sentaient plus solidaires que jamais. À ce moment précis, le notaire ressentit fortement la présence de Joséphine Frigon dans la demeure ancestrale. Il crut un instant qu'il s'agissait peut-être de l'esprit défunt ou de l'âme intemporelle de la Fine qui errait encore, cherchant le repos... C'est alors qu'il se souvint des aveux de sa compagne, aveux qui avaient autant ébranlé ses certitudes qu'apaisé ses craintes :

– Jean, j'ai vraiment la conviction que l'essence de l'être exceptionnel qu'était Joséphine Frigon est toujours présente dans la demeure. On pourrait comparer ça... à un parfum exclusif, un parfum d'âme, tu comprends? En tout cas, moi, je le sens quand j'ouvre les tiroirs de ses meubles, quand je m'assois sur sa chaise, quand je regarde par ses fenêtres, quand je touche les rideaux de dentelle, quand j'écoute sa musique... Cette essence sera toujours là. Et, quand elle a écrit qu'elle nous protégerait du ciel, nous devons la croire.

À cause de ce qu'il avait sous les yeux et de ce qu'il entendait, le notaire fut convaincu qu'en cet instant précis, l'essence éthérée de Joséphine venait parfumer le cœur et le corps de Marie-Ève Saint-Amour. Car la jeune femme, hébétée, dans un état second, ne faisait que répéter doucement et inlassablement : « Aurélia... Aurélia... », à la manière de Joséphine, en 1923.

Cette substance invisible, mais palpable, ce parfum de l'âme qui imprégnait Marie-Ève permettait à Aurélia Fortin de respirer sa mère, d'entrer en contact avec elle et, surtout, d'entendre son nom, tel que prononcé au premier automne de sa vie.

Avec difficulté, et après un temps qui parut interminable, elles se séparèrent. Alors, Marie-Ève, la vue embrouillée par les larmes, courut à l'officine pour y prendre le médaillon, placé dans le tiroir non numéroté. Quand elle revint, elle constata que Pamphile, avec une douceur infinie, accompagnait Aurélia vers le fauteuil de la Fine. Cette scène, sans qu'elle sache pourquoi, lui parut de bon augure. Elle s'approcha d'Aurélia et lui tendit le bijou en tremblant :

– Voici... l'objet que votre mère biologique, Joséphine Frigon, vous a laissé, chère Aurélia. Je suis si fière et si heureuse que Jean vous ait retrouvée.

Aurélia Fortin ouvrit le médaillon avec lenteur et délicatesse. Quand elle vit Marc-Aurèle Provencher, son père naturel, d'autres larmes coulèrent. Sous le choc des révélations incroyables et à la vue du portrait du docteur, pendant quelques instants, Aurélia demeura interdite, confondue, émue, mais aussi émerveillée et soulagée. Étonnamment, c'est vers la voyante que sa pensée se dirigea. Nicole avait eu raison sur toute la ligne! Non seulement le secret de son nom venait de lui être dévoilé, mais l'étrange comportement de Zoé, à ses anniversaires, trouvait enfin son explication. C'est pourquoi, avec gratitude, elle remercia Nicole dans son cœur.

En s'attardant avec minutie sur le visage du

docteur, Aurélia pénétra un autre mystère, auquel elle n'avait plus songé depuis des années.

En effet, sans jamais être discutée ouvertement, la question de la provenance du regard intense d'Aurélia Fortin était demeurée une énigme, autant pour Aurélia que pour le reste de la famille... aux yeux bleus! Aucun doute n'était possible désormais : le regard de celle qu'on surnommait familièrement « la Noirette » provenait du beau docteur Provencher!

En relevant doucement la tête, elle murmura :

– Vous savez, mes amis - parce que je vous considère sincèrement comme des amis -, ce jour restera à jamais gravé dans ma mémoire. Bien sûr, j'aurais probablement été plus remuée, voire choquée, par une telle révélation, si elle m'avait été faite à quinze, vingt ou trente ans. Voyez-vous, il faut être réaliste : j'aurai quatre-vingts ans bientôt, ce qui ne me laisse plus de temps pour des rancœurs inutiles ou pour de quelconques ressentiments. Personne n'a de temps à gaspiller à cela, d'ailleurs!

Après quelques minutes de silence, elle reprit d'une voix plus posée et plus forte :

– Demain, si vous le voulez bien, je vous confierai quelques faits extrêmement troublants qui me sont arrivés, l'année dernière. Certains vous choqueront peut-être... Quoi qu'il en soit, vous comprendrez mieux pourquoi je me sens si sereine, pourquoi ma mère m'a laissé bien plus qu'un médaillon en héritage. Mais... demain seulement, puisque je serai encore ici. Je crois que nous avons tous vécu assez d'émotions pour aujourd'hui!

« Maintenant, ajouta-t-elle d'un ton plaisant, presque rajeuni, j'aimerais reprendre les propos de notre cher ami Pamphile : *Il approche sept heures, notaire! Peut-être bien que monsieur l'antiquaire aimerait à se restaurer! Je vous avoue que c'est un peu mon cas...* »

Sur ces paroles légères, ils partirent tous d'un grand rire libérateur. Sans l'exprimer ouvertement, le couple et l'antiquaire surent à cet instant précis qu'Aurélia Fortin, la fille de Joséphine Frigon, ferait désormais partie de leur vie.

***

En dépit des fenêtres ouvertes, un calme apaisant régnait dans la maison de la Marie. Le rang des Apis s'avérait un havre de paix pour tous ceux qui y avaient élu refuge. À la manière d'une musique agréable, les quelques bruissements provenant du dehors évoquaient avec noblesse et simplicité la vie nocturne de la campagne jeannoise. L'écoulement flûté d'un petit cours d'eau à proximité se mariait au gémissement grave d'un hibou, *hououou*... Quelques geignements de chats semblaient faire écho aux rapaces qui chassaient dans le noir, sans un bruissement d'ailes. Malgré sa totale inaptitude pour les hauteurs, la gent féline tentait peut-être de signifier aux grands oiseaux de nuit sa présence et son savoir-faire, au sol.

Aurélia ne dormait pas. En fait, elle refusait que le sommeil vienne la prendre à un moment pareil.

Juste avant d'entrer au bistro L'Escalier, où Pamphile les avait tous invités, Aurélia s'était exclamée à la dernière minute :

– Oh! excusez-moi, j'ai oublié de vous demander une faveur. S'il vous plaît, j'aimerais demeurer, aux yeux de tous, la cousine germaine de Joséphine. Comme nous nous ressemblons beaucoup, il y en aura sûrement pour établir des rapports. Je ne tiens pas à ce que sa réputation et celle de sa famille, même s'ils sont tous décédés, soient entachées. Ce serait tellement inutile, après tout ce qu'elle a dû faire pour la sauvegarder!

– Assurément, madame Aurélia! avait rétorqué Pamphile, compatissant. Ces affaires-là, c'est personnel et secret. Ça regarde personne d'autre que... nous autres! Craignez pas, madame, sans vouloir me vanter, ce que je rapporte au village... euh!... c'est assez... respecté et pas trop remis en question, hein, fillon?

Pendue au bras du notaire, Marie-Ève avait approuvé de la tête, en soupirant d'aise. Comme des adolescents à leur premier amour, ils se murmuraient des mots doux dans le creux de l'oreille. Soulagés et visiblement heureux de la tournure des événements, les amoureux resplendissaient de joie de vivre. Le rire cristallin de la jeune femme, telle une divine mélodie, avait enrichi autant le silence de la rue déserte que le cœur solitaire d'Aurélia. De toute évidence, il subjuguait également le notaire. Quant à l'antiquaire, attiré lui aussi par cette franche expression d'allégresse, il s'était rapproché subtilement d'Aurélia. La Roseraine, troublée, émue, avait ressenti le bonheur, à portée de la main. Elle s'y sentait disposée, comme jamais auparavant.

Peu habituée aux sorties nocturnes, Aurélia avait trouvé le bistro plutôt animé pour un début de semaine. La plupart des derniers clients s'attardaient à leur table en discutant à voix basse et en sirotant un café ou un digestif. Certains, assis au bar, fumaient tranquillement en écoutant une musique d'ambiance. Le jeune patron, Stéphane, et son épouse, Valérie, avaient accueilli leur groupe avec beaucoup de gentillesse et de prévenance. Ils ne semblaient pas le moins du monde importunés par l'heure tardive.

Lorsque Aurélia, excitée et enthousiaste, avait pris connaissance du menu, elle s'était réjouie comme une enfant :

– Enfin! enfin! Je vais goûter à la nouvelle cuisine!

Comment aurais-je pu penser que cela m'arriverait ici, dans le village de Saint-Gédéon au bord du lac Saint-Jean, et si bien entourée, en plus! Vous allez devoir m'expliquer, car je ne suis pas familière avec...

– Ben, ça, c'est la meilleure, astheure! s'était exclamé l'antiquaire, en riant. Moi qui pensais que j'étais tout seul à pas être moderne... Ah! ah! T'entends-ti ça, fillon?

Puis, en faisant claquer ses bretelles, Pamphile avait pris un air guindé et il avait soigné son langage comme jamais auparavant pour dire pompeusement :

– Très chère madame Aurélia, laissez-moi l'honneur de vous initier aux plaisirs de la fine cuisine de notre chef, Stéphane. Puis, peut-être un jour pas lointain, qui sait si j'aurai pas le loisir de vous faire découvrir les mille et un secrets... de la boîte de Pandore!

Devant l'incompréhension évidente d'Aurélia, il précisa :

– De l'ordinateur, *veux-je dire*!

Jean et Marie-Ève paraissaient fort réjouis de voir l'antiquaire dans cette forme splendide : il rayonnait! Plutôt en verve – c'est vrai qu'il s'était abstenu de parler de toute la journée –, le vieil homme s'était lancé dans des explications savantes sur tous les plats du menu à la carte.

–Je les ai tous goûtés, chère madame, pis i sont tous plus bons les uns que les autres, prenez-en ma parole d'antiquaire! Pourtant, voici ce que je vous conseillerais, vu que c'est le soir tard : en premier, le *potage aux légumes et aux herbes*, délicieux! Et, par après, vous devriez goûter aux *beignets de blé d'Inde des champs* avec une petite *brochette de poulet d'ici*. Pour dessert... Vous aimez-ti les sucreries, Aurélia? Oui! Ça adonne bien, comme moi! Euh!... coudon, prenez une *crêpe de l'oncle Éphrem, sauce aux bleuets*, pas mal savoureuse... avec un « *espresso* » comme de raison!

Aurélia avait encore en bouche les saveurs de ces délicieux plats. Peut-être le café fort l'empêchait-il de dormir, mais quelle importance! Elle avait aussi en tête les échanges agréables qui s'étaient déroulés lors du repas. Et elle avait surtout au cœur un bonheur immense, une joie sans frontières comme elle en avait rarement connu.

En se retournant dans son lit, à travers la petite ouverture qui servait de fenêtre, Aurélia vit la lune qui pendait de guingois dans un ciel sombre, semblant s'accrocher à l'invisible pour ne pas tomber. Touchante, parce que bizarrement grignotée d'un tiers, elle brillait dans la nuit noire. En venant éclairer le visage d'Aurélia, la lune alluma, par la même occasion, d'étranges sensations dans son cœur, lui aussi grignoté dans une grande part, parce que solitaire depuis tant d'années :

« Demain matin, Pamphile déjeune avec nous, ici. Quand j'ai demandé à Jean que l'antiquaire soit présent lors de « nos entretiens » prévus dans la matinée, le notaire a bien apprécié mon humour! C'est là que Pamphile s'est penché vers moi, pendant que Jean et Marie-Ève discutaient avec les restaurateurs.

« Il m'a invitée à dîner avec lui, seul à seule, puis à visiter sa boutique. Il a aussi offert de me reconduire à la gare après, en faisant un petit détour pour voir le Lac, si le temps le permettait. Comme il est prévenant, gentil et d'agréable compagnie. Le reverrai-je? Les reverrai-je tous? »

Puis, en voyant l'heure tardive – sa montre indiquait deux heures –, Aurélia décida d'essayer de dormir. Après tant d'émotions, elle n'eut aucun mal à s'assoupir rapidement.

Un peu plus tard, elle se vit marcher loin, très loin, sur une terre nouvelle, recouverte de feuilles rouges et or, près d'un lac turquoise. Comme son compagnon de route, à qui elle tenait la main, elle portait de beaux souliers blancs, dans lesquels elle se sentait très à l'aise. Et, dans le rêve, en regardant ses chaussures, elle se dit, soulagée, que jamais plus elle n'aurait à avancer avec les souliers d'un autre...

***

Tout près d'elle, dans la chambre de la Fine, Marie et Jean ne dormaient pas encore. Depuis plus de deux heures, blottis sous les couvertures, les amoureux chuchotaient comme des enfants espiègles. Le couple passait et repassait en revue tous les événements et faits de la journée, jusqu'au moindre geste de chacun, jusqu'au plus infime échange. Jean avait fourni à une Marie-Ève curieuse et excitée tous les détails de la matinée, incluant l'arrivée d'Aurélia à l'étude; il lui avait aussi fait part de ses impressions personnelles.

Puisqu'ils venaient d'exaucer le souhait le plus cher de leur « guide », Joséphine, le couple se disait satisfait et heureux d'avoir retrouvé Aurélia Fortin.

Ils avaient tous deux remarqué la complicité qui s'était vite installée entre cette dernière et l'antiquaire.

– Moi, murmura Marie-Ève, je trouve qu'ils feraient un beau couple! Ils ont... combien? euh!... une quinzaine d'années d'écart! C'est pas beaucoup, à cet âge! Ce serait invraisemblable : l'antiquaire avec la fille de Joséphine! Tu sais quoi, Jean? Monsieur Pamphile m'avait dit un jour que la Fine était pas mal trop vieille pour lui. Ah! ah! Il faudrait que je l'agace un brin avec ça... (Ils rirent le plus doucement possible en se cachant sous les couvertures.) Une chose est sûre, ils ont l'air de bien s'entendre. Pamphile rayonnait, vraiment! Je ne voulais pas le montrer, mais j'ai entendu son invitation, pour demain. Ah! je me demande bien ce qu'Aurélia va nous raconter dans quelques heures. Ah! je voudrais déjà y être. Il me semble que j'étais pas si curieuse que ça, avant? J'espère surtout que nous allons tous la revoir!

– J'ai entendu, moi aussi. Ils doivent dîner et passer l'après-midi ensemble. Si nous voulons la revoir, il n'en tient qu'à nous de l'inviter régulièrement, non? Pour la curiosité, tu repasseras, ma chère amie! Une vraie fouine, avant et maintenant! lança Jean, d'un ton enjoué. Marie... dis... tu sais quoi? J'ai vraiment envie... de connaître le sexe de notre enfant. J'y ai pensé cet après-midi, juste quand Aurélia revenait de l'officine.

– Oh! c'est vrai? T'es certain? Ah! bien, si tu es toujours dans les mêmes dispositions dans quelques jours, je prendrai un rendez-vous avec mon docteur, cher notaire! Moi, ce que j'ai envie... pour tout de suite... c'est de toi. De toi, mon amour. Oh! ça va faire deux ans bientôt qu'on a fait l'amour pour la première fois. Tu te souviens? Dans mon petit appartement, rue de la Gare, après l'attaque de Pamphile. Ça me paraît tellement loin, et en même temps, juste hier!

– Si je me souviens? Quelle question! Surtout que tu avais fait semblant de t'endormir, juste après! Comme si je pouvais rien voir...

– Quoi? Tu... tu savais depuis tout ce temps-là?

– Évidemment que je m'en étais rendu compte. Marie! Qu'est-ce que tu crois? murmura-t-il en plaisantant. On peut te lire comme un livre ouvert, ma fleur sauvage. Sans que tu aies besoin de prononcer un seul mot, Pamphile avait réussi à deviner ton amour pour moi. Ah! que ta peau est douce!

Tout en continuant à soupirer des mots tendres,

Jean, qui connaissait bien sa partenaire, se mit à la caresser partout, autant avec ses doigts qu'avec sa bouche. Il s'agissait d'un effleurement subtil, très délicat. Juste pour réveiller et exciter ses sens. Il commença par les lèvres sensuelles, la langue chaude et voluptueuse, puis le creux des oreilles, le cou sensible, les seins gonflés et mûrs, le ventre rond...

En cette nuit de lune ébréchée, qui venait dispenser d'étranges reflets sur leurs corps contractés par l'excitation, sa compagne devint plus ardente que jamais. Elle répondit à ses avances d'une manière extraordinaire. Dans un tourbillon de passion et de jeux amoureux, et aussi de grande intimité, elle l'appelait par des mouvements provocants pour ensuite le retenir par des gestes à la fois pudiques et ensorcelants. Quand il caressa son sexe humide et brûlant de désir, la jeune femme ne tarda pas à déborder d'une extase infinie; elle eut beaucoup de mal à retenir ses gémissements. Pour la première fois depuis leur rencontre, les amants atteignirent le septième ciel juste par le mouvement ininterrompu et mystérieux de leurs caresses libres et audacieuses...

Après, en se regardant, étonnés et heureux, ils éclatèrent d'un beau rire épanoui, de ceux qui expriment l'émerveillement et le bien-être. Marie-Ève, rassasiée et détendue, ne put s'empêcher de confier à son amant :

– Oh! c'était vraiment bien, vraiment génial! Ça doit être à cause du bébé! Penses-tu que mon corps change? Et puis, non... Ça doit être juste parce que je t'aime, Jean Huot, et que j'arrive à m'abandonner complètement à toi, sans aucune réserve. J'espère qu'avec tout ça, on a pas réveillé notre belle invitée!

V

Aurélia tourna avec soin la page de son calendrier, bien en vue sur le mur jaune paille de la cuisine. Elle en prenait grand soin, non seulement parce qu'il s'agissait d'un cadeau de Noël de Béatrice, mais aussi parce qu'elle n'en avait jamais vu de si beau. Sous différents aspects et à toutes les saisons, chaque mois lui faisait découvrir et apprécier un coin de la « belle province ». La notoire et pittoresque rue Saint-Jean, dans le Vieux Québec, avec ses immeubles vieillots et colorés, ses toits en tôle, ses calèches originales, ses ruelles latérales pentues et ses arbres centenaires, venait annoncer de façon agréable et attrayante les beaux jours de mai.

En jetant un dernier coup d'œil à la page d'avril au panorama si familier – on pouvait y admirer le fjord du Saguenay dans toute sa splendeur –, Aurélia décida que ce décor s'avérait autant, sinon plus enchanteur que tous les autres. L'été dernier, un touriste lui avait même fait remarquer que ce fjord-ci se comparait aisément à ceux de la Norvège... En allant ranger dans un tiroir la reproduction qu'elle désirait encadrer plus tard, elle épia, par la fenêtre, du côté de son voisin :

— Bon, qu'est-ce que je fais? se questionna Aurélia, indécise. Ça doit faire un mois qu'il n'est pas venu. Et moi, je ne suis jamais allée lui rendre visite. Je ne vais pas rester plantée des heures au beau milieu de la cuisine à tergiverser. Après tout, je veux juste prendre de ses nouvelles et lui demander un petit service. Sa voiture est là, j'y vais! Et s'il ne peut me recevoir, je me reprendrai un autre jour!

En sortant de chez elle, Aurélia se réjouit de voir

l'herbe d'un beau vert tendre. La présence des moutons fougueux du Grand Tremblay annonçait, sans contredit, la saison chaude. Comme à chaque grande première préestivale, Noiraud, qui semblait avoir pris un coup de vieux pendant l'hiver, avait du mal à s'imposer tant l'enthousiasme de la race ovine était excessif.

Puis, sans qu'elle s'y attende, Aurélia s'imagina en compagnie de l'antiquaire, assise sous le pommier joli, blanc de fleurs, blanc de promesses. Ce cadre enchanteur l'amena à évoquer le manteau de splendeur que devait revêtir la région du Lac, à cette période.

« Les glaces doivent avoir fondu juste après mon départ. Elles commençaient déjà quand nous avons fait un tour... Ah! ce lac. Quelle belle étendue à perte de vue, comme une mer intérieure toute blanche, virginale au cœur des terres brunes et noires. Le contraste était saisissant. Comme il doit être beau, en été! »

En prenant le chemin de traverse qui menait au chalet du Grand Tremblay, ses pensées se précisèrent et la ramenèrent à ce mercredi d'avril. Après une nuit très courte et un excellent déjeuner, plus facilement qu'elle ne l'avait anticipé, Aurélia s'était confiée. Ses confidences avaient beaucoup ému ses interlocuteurs. Sans raconter sa vie, elle avait d'abord ressenti le besoin d'expliquer ses déprimes automnales répétées. Puis, elle avait parlé des efforts de son amie Béatrice pour l'aider à se sortir de son état maladif.

Aurélia avait fourni certains détails sur l'extravagante prédiction – sans mentionner de « lien affectif » avec quiconque – et aussi commenté la coupure du journal, l'appel du notaire, le voyage en train...

Par-dessus tout, elle avait longuement discouru sur l'histoire de l'ange. Pleinement consciente des répercussions que ses paroles pouvaient engendrer, Aurélia avait quand même tenu à être honnête jusqu'au bout. L'antiquaire avait été très remué par cet aveu en particulier.

Au souvenir de la réaction empreinte de commisération du vieil homme, Aurélia s'attendrit. Elle avait décelé, dans ses propos, une grande sagesse et beaucoup d'empathie pour ses semblables. Pour la première fois, l'antiquaire avait utilisé ses mots de tous les jours et ce simple geste spontané les avait beaucoup rapprochés l'un de l'autre :

– Vous voulez-ti dire, madame Aurélia, avait-il réussi à demander la gorge nouée par l'émotion, que vous seriez quasiment pas icitte avec tous nous autres, à l'heure qu'il est, si... si l'ange était pas passé par chez vous, à Sainte-Rose, ce matin-là? Oui! Vingueu! Je vous l'avais pas dit, la Marie pis Jean? Les anges nous protègent malgré qu'on les voye pas! C'est donc de valeur que le monde pense pus à ça! Si vous voulez mon avis, chus certain que, des fois, i aiment à s'accoutrer de ben des manières.

Devant l'air perplexe de ses interlocuteurs, l'antiquaire ne s'était pas privé pour ajouter quelques précisions de son cru :

– Ce que je veux dire, c'est que, en dehors de nos proches, vivants ou décédés, les anges prennent des formes parfois ben curieuses. Vous avez-ti besoin d'exemples, coudon? Oui! Euh!... j'ai déjà eu un très grand ami, Josépha qu'il s'appelait. Lui, il disait que sa vie prenait toujours une nouvelle tournure ou qu'i trouvait une solution à ses problèmes dans les paroles d'une chanson. Faut ben me comprendre : i cherchait pas à écouter une chanson en particulier, ça arrivait tout seul! I m'a toujours dit qu'il avait le sentiment que c'était comme si que un bon Samaritain le conseillait, en passant direct par l'âme. C'était là ses propres mots! Ça survenait toujours par hasard, un peu partout, n'importe quand, surtout au moment où i s'y attendait pas pantoute! Le plus drôle, c'est que mon compagnon, pas ferré en musique, a même jamais eu de pick-up chez eux...

« I parlent beaucoup, les anges, dans les songes. Ma Toinette, qui a toujours été mon bon ange gardien, vient souvent me guider, quand je dors. Pour un autre, i peut prendre la forme d'un oiseau ou se glisser habilement dans les pages d'un livre... Mieux que ça, vingueu! J'ai déjà vu un ange, pis chus pas tout seul à part de ça (il avait lorgné du côté du couple en leur faisant un clin d'œil complice), se cacher dans un secrétaire antique! Pas vrai? Tout ça pour dire que madame Aurélia, elle, elle a eu la chance de le reconnaître dans une... institutrice! Hum!... faut dire que c'était de la plus haute importance itou!

« Ah! que ça a dû être dur, pour vous, les automnes. Pauvre, pauvre de vous! Dire qu'on était tous là, pas loin! Comment ça se fait, donc, que la vie est arrangée de même, des fois? Ça a dû être tout un choc quand vous avez vu votre sosie dans *Les vagues du Lac*, pis dans la page des morts, en plus! Dire que c'est moi-même, en personne, qui a choisi cette photo-là pour la remettre au notaire, hein, Jean? Brrr!... ça donne la chair de poule, juste à y penser. C'est quasiment aussi troublant que l'histoire du secrétaire, hein, la Marie? Ben! oui, comme de fait, vingueu! Que c'est que je raconte? C'est lié, en quelque sorte...

« En fin de compte, heureusement que vous êtes allée voir la tireuse de cartes. Parce que... parce qu'on aurait pas le... grand plaisir et l'honneur de vous avoir avec nous autres, à matin, chère madame... »

En se rapprochant de chez Jules, Aurélia songea

qu'elle avait omis de parler de son voisin, l'étranger, ce fait ne lui ayant pas semblé opportun.

Un peu avant de partir avec l'antiquaire, c'est elle qui avait clos leur discussion par un constat tout simple :

– *Les souliers d'un autre...* Je comprends seulement maintenant ces paroles que je répète depuis l'adolescence. Est-ce possible que ce sentiment étrange, en réponse aux événements qui se déroulaient tout près et... à cause de moi, m'ait imprégnée depuis ma naissance? Il semble bien que oui! Cet autre, n'était-ce pas le petit garçon de maman Zoé, mort à la naissance, son troisième fils?

« Je crois pouvoir affirmer, aujourd'hui, que le plus bel héritage que Joséphine m'ait laissé, c'est un immense sentiment de libération. Peut-être bien aussi un message : même dans le noir le plus absolu, nous devons toujours avancer avec détermination et courage, en ayant pour guides la maîtrise et l'espérance. La peur et le découragement sont de bien mauvais maîtres, je le crains. Ils nous portent parfois à très mal juger, autant les gens que les situations, et à prendre de graves décisions trop hâtivement.

« Ne faut-il pas aussi croire en nos rêves et, surtout, en nos capacités pour les réaliser, peu importe l'âge? Une chose est sûre : je ne craindrai plus les automnes et encore moins mes anniversaires! Merci, mes amis, merci de tout cœur! »

Puis, le notaire l'avait prise en aparté quelques instants pour lui faire part des détails de l'héritage. Joséphine Frigon avait ajouté une clause à son testament, clause qu'il était le seul à connaître. L'argent de la vente de la maison ainsi que ses économies, liquidités, titres et autres devaient être gardés pendant cinq années en fidéicommis pour un membre de sa famille, même inconnu d'elle, qui viendrait à se faire connaître. Si l'héritage n'était pas réclamé après ce laps de temps, il devait être remis à des associations de bienfaisance. L'échéance prenait fin seulement à l'automne 2003.

Jean s'était empressé de la rassurer; son lien de parenté officiel avec Joséphine Frigon, celui de cousine germaine, était largement suffisant aux yeux de la loi.

Avec beaucoup de peine, Aurélia avait dit au revoir au jeune couple en exprimant son désir sincère de les revoir.

Arrivant chez Jules, débordante d'entrain et de joie de vivre, Aurélia abandonna à regret le bel après-midi d'avril passé avec l'antiquaire, pour se concentrer sur cette matinée de mai, pourtant propice au rêve...

***

La porte d'entrée grande ouverte lui permit d'entrevoir son voisin qui parlait au téléphone. Il lui sembla nerveux et contrarié. Juste au moment où elle se décidait à rebrousser chemin, constatant que le moment était mal choisi, elle vit Jules lever les yeux vers elle. L'homme lui fit alors un large sourire et puis un signe de la main en levant l'index pour lui signifier qu'il serait avec elle dans quelques secondes.

Aurélia en profita pour longer la galerie qui faisait le tour du chalet. La propriété, située sur une butte, permettait une vue du fjord à couper le souffle. Seulement quelques grands cyprès tortueux venaient, ici et là, ombrager l'humble habitation. En contrebas, dans une pente abrupte où se mariaient le cran et la terre sablonneuse, les bouleaux, les trembles et les résineux, sans cacher la vue au locataire des lieux, se disputaient de façon conciliante une portion de ce territoire incommode. Les tiges fortes et vigoureuses d'un très vieux parthénocisse grimpaient allègrement le long des poteaux de support du toit et prodiguaient, une fois l'été venu, une ambiance intime et ombragée à la véranda.

– Quelle belle surprise! Madame Fortin! Que me vaut l'honneur de cette visite matinale?

– Oh! bonjour, Jules. Je ne veux surtout pas vous déranger, je peux revenir...

– Quelle idée? Ah! c'est à cause du téléphone? Non, non, j'avais terminé. Pour tout vous avouer, j'essayais de « la » rejoindre. Nous... avions rendez-vous, il y a une dizaine de jours et elle ne s'est pas... présentée. J'ai été très déçu, vous comprenez, Mais ça va s'arranger, j'en suis sûr! Alors, et vous? Je vous ai vue partir l'autre matin, très tôt, avec l'institutrice. Rien de grave, j'espère?

– Non... de la mortalité, une parente... très éloignée. Vous ne vous êtes pas montré depuis un mois et je m'inquiétais, pour dire vrai. Que devenez-vous? Le travail, ça va? Votre contrat doit bientôt prendre fin, non? Vous me manquerez beaucoup, vous savez!

Ces paroles attentionnées, dont la sincérité ne faisait aucun doute, touchèrent le cœur de l'homme reclus et déséquilibré. Sur le coup, Jules eut envie de lui confier l'angoisse profonde qu'il ressentait. Il aurait également aimé lui divulguer son vrai nom. Mais, par pudeur ou crainte d'un jugement sévère et surtout parce qu'il ne voulait pas perdre l'estime qu'Aurélia lui portait, il se retint et préféra garder son secret, pour le moment.

De plus, Jules jugeait les circonstances peu favorables à un épanchement personnel. À ses yeux, il éprouvait des soucis bien plus graves pour l'instant : il avait perdu beaucoup d'argent dans les derniers jours et il craignait d'être incapable de payer son loyer d'avril. Il ne se souvenait que trop bien des exigences du Grand Tremblay :

– Pas de paperasse, pas de questionnement inutile. Vous partez quand vous voulez, en me prévenant une semaine d'avance. C'est tout. Mais, un jour en retard dans votre paiement pis vous allez voir de quel bois se chauffe le Grand Tremblay! Les moyens que je prends pour sacrer les indésirables dehors sont pas toujours des plus beaux à voir. Mais, je disais ça, comme ça, pour jaser... Chus sûr que ce sera pas votre cas, mon petit monsieur Duchesne...

C'est pourquoi Jules se contenta de répondre :

– On m'a demandé si je voulais demeurer trois mois de plus, jusqu'à la mi-août. Même si j'ai très envie de retourner à Montréal, j'ai accepté, car... je dois tout essayer pour renouer avec elle. Je voudrais qu'elle revienne en ville avec moi. Mais c'est plus difficile et plus long que prévu. Je comprends mal ses réactions. C'est vrai que nous avons été éloignés pendant plusieurs années... Ah! il vaudrait mieux éviter ce sujet pour le moment. En outre, j'ai besoin de cet argent. J'ai tellement de projets, voyez-vous!

– Eh bien! vous passerez donc l'été à Sainte-Rose. C'est une bonne nouvelle. Je vous souhaite bonne chance dans... vos projets. Et, si vous avez besoin de parler, souvenez-vous que je suis là, tout près!... Pour changer de sujet, Jules, j'aurais une faveur bien spéciale à vous demander...

À la grande surprise de l'ingénieur, Aurélia exposa avec une effervescence juvénile son urgent besoin de « se brancher ». Elle désirait se rendre à Chicoutimi pour acheter un ordinateur. Ensuite, un peu gênée, Aurélia demanda s'il avait un peu de temps libre pour lui donner des leçons particulières sur le fonctionnement de l'appareil, en général, et sur le maniement du réseau Internet et des courriels, en particulier.

– Il est clair que je vous dédommagerai. Je paierai vos frais de déplacements, l'essence et le temps que vous passerez à m'apprendre, insista Aurélia. Je veux faire une surprise à un ami éloigné en lui faisant parvenir un courriel, le plus rapidement possible. C'est vraiment très important pour moi. Je ne connais personne d'autre qui puisse me rendre ce service, monsieur Duchesne!

– Avec plaisir, madame Fortin! Avec grand plaisir! J'ai toujours dit qu'il n'y avait pas d'âge pour l'informatique ou pour se brancher, comme vous dites! Je suis libre, aujourd'hui. Ça vous dit d'y aller dans... une heure à peu près? J'aimerais de nouveau tenter un appel avant de partir. Cet après-midi ou au plus tard demain, vous serez en mesure d'envoyer votre premier courriel, madame Fortin, promis!

Puis, Jules devint légèrement surexcité. D'une voix douceâtre, il ajouta :

– Madame Aurélia, je me demandais... J'ai gardé mon compte bancaire à Montréal et tout se fait par virements. Si vous deviez me faire un chèque, ce serait assez long pour l'encaisser... Ma paye ne rentrera que lundi et j'avais justement envie d'une sortie en fin de semaine pour me détendre, m'éloigner de mes problèmes, oublier mes déceptions en quelque sorte.

Aurélia était loin d'être dupe. Jules ne se rendait pas compte que, par ces paroles, il divulguait une large partie de ses « projets », tant il était excité à l'idée d'avoir un peu d'argent à jouer. Vraisemblablement, son voisin n'avait pas conscience des signes apparents qui le trahissaient : le débit des paroles qui s'accélérait, le tremblement des mains et le clignotement oculaire rapide.

– Je m'arrêterai à un guichet et je vous paierai en liquide. Cela ne me cause aucun problème. À la fin de la journée, vous aurez juste à me dire combien je vous dois. Ça vous va? ne put que répondre Aurélia, qui préféra regarder ailleurs.

Car ce regard évasif lui permettait de cacher sa profonde désolation devant un tel gâchis.

***

Marie-Ève Saint-Amour ne savait trop comment anticiper le mois de mai. Autant le souvenir de l'attaque de Pamphile lui donnait encore des frissons, autant la réminiscence de ses premiers ébats amoureux avec le notaire la comblait d'aise. L'entrée d'Aurélia Fortin dans leur vie inscrivait certes un événement heureux dans le livre de leur quotidien. Sa grossesse se déroulait sans problèmes. Jean arborait une forme extraordinaire et insistait encore pour connaître le sexe du bébé. L'antiquaire, de son côté, lui avait mentionné, non sans une certaine gêne, qu'il appellerait sûrement la belle Roseraine dans les prochains jours. Cependant, la jeune femme ne pouvait s'empêcher de se sentir inquiète, sans raison apparente.

En se rendant à son travail, au volant de sa voiture, par ce beau matin de mai, Marie-Ève se rappela sévèrement à l'ordre :

– Ça suffit comme ça, mademoiselle Saint-Amour! Si encore t'avais de vraies raisons de t'inquiéter... Tu ne vas pas commencer à te faire du souci pour rien! C'est ridicule.

Il devenait évident que l'appel téléphonique de Gilles, ce rien qui pourtant la tourmentait beaucoup, s'avérait une fausse raison.

– Ouf! enfin jeudi! Aujourd'hui, je pourrai terminer ce dossier avec les Scieries Dubois et Frères. La rencontre est prévue pour cet après-midi. Je crois bien qu'ils aimeront leur nouveau site web.

Quand elle arriva au bureau, avec quelques minutes de retard, la secrétaire réceptionniste se trouvait déjà à son poste. Malgré le peu d'affinités de caractère entre les deux femmes, elles se vouaient beaucoup de respect et, d'une certaine manière, une admiration réciproque. Mademoiselle Pouliot, contrairement à son habituel signe de la tête en guise de bonjour, l'interpella plutôt froidement :

– Mademoiselle Saint-Amour! Attendez une minute! J'ai un message pour vous!

– Pour moi? Oh! j'espère que monsieur Dubois n'a pas...

– Non, non... Il ne s'agit pas de cela. Toutefois, si c'est un message concernant le travail, il faudra y voir sérieusement. Par contre, si c'est d'intérêt personnel, je préférerais que cette... personne déplaisante, je suis malheureusement obligée de vous le dire, vous appelle à la maison!

Le ton plutôt sec et très réprobateur de la secrétaire alerta Marie-Ève. Pressentant la suite, elle se mit à avoir des sueurs froides.

– Il s'agit d'un certain... monsieur Ducharme. Il semblait très déçu et surtout très contrarié de ne pas pouvoir vous rejoindre ce matin! Il a spécifié qu'il vous a attendue mardi de la semaine passée et que vous ne vous êtes pas présentée au rendez-vous, à midi! Il a même insisté pour connaître les raisons de votre absence de mercredi dernier! Enfin... mademoiselle, il faudrait savoir? Suis-je ici pour répondre aux sollicitations personnelles d'individus désagréables que je ne connais pas ou bien pour prendre des messages? Soit! Il a dit qu'il vous rappellerait.

– ... Vous êtes sûre... du nom? réussit à balbutier Marie-Ève, interloquée, décontenancée et sous le choc.

– Écoutez-moi bien, Marie-Ève. Je vous le répète pour la dernière fois! (Le ton de la secrétaire demeurait poli, mais catégorique.) Depuis quinze ans, mon travail consiste à prendre des messages et à les retransmettre tels quels! Ce n'est pas aujourd'hui que cela va changer! Vérifiez vous-même, puisque vous doutez. Regardez, c'est écrit ici : monsieur Gilles Ducharme!

Marie prit le papier que la secrétaire lui tendait du bout des doigts. Sans rien ajouter, pâle et chancelante, elle se dirigea vers son bureau. Sa collègue et amie, Paule Brisebois, était heureusement absente; elle ne travaillait pas les jeudis. Marie-Ève se retrouvait donc seule dans l'espace agréablement aménagé qui leur servait de lieu de travail commun.

Abasourdie, la jeune femme ne comprenait rien à la situation. Que lui voulait exactement Gilles Ducharme? Une fois assise, elle alluma machinalement son ordinateur. À son grand désespoir, elle était incapable de se concentrer pour terminer le dossier en cours.

Marie-Ève était envahie de sensations contradictoires; un sentiment de panique incontrôlable émergeait lentement de lointaines profondeurs pendant que l'adrénaline, tel un antidote salutaire pour faire face au danger, montait rapidement dans ses veines. Au même instant, si elle avait pu être vraiment calme et détendue, à l'écoute de son corps, elle aurait discerné autre chose. Un infime mouvement, comme une caresse intérieure. Trop bouleversée, la future maman manqua de peu le tout premier signe de son enfant.

« Qu'est-ce que c'est que cette histoire de rendez-vous? Il fabule ou quoi? Mardi dernier?... Oh! oui, j'y suis. C'est le jour de la venue d'Aurélia. J'avais quitté vers midi. Et, s'il savait que je n'étais pas au travail le mercredi, c'est... qu'il me surveillait ou qu'il a téléphoné au bureau!? Non... non... j'hallucine! Une chose est sûre, il est dans la région! Mais où et pourquoi? Bon! suffit, Marie-Ève! Tu dois te concentrer, il faut à tout prix terminer ce dossier. »

***

Pendant une heure, l'informaticienne réussit à rassembler ses pensées et à les focaliser sur Dubois et Frères. Elle allait y mettre la touche finale, quand elle entendit le téléphone sonner à la réception. Puis, le clignotant avertissant que l'appel était pour elle attira son attention. Elle décrocha :

– Ici Marie-Ève Saint-Amour... Bonjour!

– Enfin! C'est pas trop tôt, chère mademoiselle Saint-Amour... J'ose espérer que tu me reconnais, cette fois?

– Tu vas me dire ce qui se passe, Gilles Ducharme, qu'on en finisse! Qu'est-ce que c'est que cette histoire de rendez-vous manqué? De quel droit...

– Minute! Marie-Ève! Prends pas ce ton-là! J'ai jamais parlé de rendez-vous! La secrétaire, elle avait pas l'air réveillé, à matin. Elle a dû me confondre avec un autre, un client... J'ai juste demandé à te parler, rien de plus! J'ai besoin de te revoir, juste une fois! Tu peux pas me refuser ça, après toutes ces années. De quoi as-tu peur? Oh! peut-être bien de retomber en amour avec moi? Hein? C'est ça? Marie-Ève, réponds!

– Gilles Ducharme, pour qui te prends-tu, ma parole? Retomber en amour avec... un menteur, un voleur et, en plus, un lâcheur? Il faudrait que je sois pas mal malade! C'est vrai que, dans le temps, j'étais assez dépendante, merci! T'arrives trop tard, monsieur

Ducharme! Au fait, j'ai parlé de toi avec ma mère et elle m'a affirmé qu'elle ne t'avait jamais revu depuis notre séparation. Mais, qu'est-ce que je dis?! Depuis ta fuite! Alors, accouche, comment m'as-tu retrouvée, hein? Et, dis-moi donc où est-ce que tu es et ce que tu fais en région?

– C'est bon! Monte pas sur tes grands chevaux. O.K., Marie-Ève, je l'avoue. J'ai menti, l'autre jour, pour ta mère... Je travaille à Chicoutimi depuis six mois, j'y ai déniché un contrat intéressant. Une fois par ici, je me suis dit que ce serait bien de se rencontrer. C'est quand même pas un péché, non? Et je me suis souvenu du nom de la compagnie pour laquelle tu travaillais à Montréal. J'ai juste eu à vérifier leur succursale au Lac. Tu te rappelles peut-être pas, mais on était encore ensemble quand mademoiselle a accepté d'aller se perdre en région. J'avais juste envie de te revoir et de me faire pardonner, c'est tout...

– Écoute, Gilles, reprit Marie d'une voix qu'elle voulut plus conciliante malgré le fait qu'elle ne doutait pas un instant de l'intégrité de mademoiselle Pouliot dans les propos rapportés, c'est fini depuis longtemps entre nous... depuis cinq ans! FINI. Vis ta vie comme tu l'entends, c'est correct de même, et laisse-moi vivre la mienne. Laisse-moi tranquille, O.K.? Je ne veux plus te revoir ni avoir affaire à toi. J'espère que, cette fois, je suis assez claire? Je t'ai déjà dit que j'avais quelqu'un dans ma vie...

Son ancien amant lui coupa subitement la parole d'un ton menaçant :

– C'est toi qui vas m'écouter astheure, ma toute belle. T'as pas l'air à comprendre, pantoute! J'ai besoin de te revoir. Absolument pis vite. Tant qu'on se verra pas, j'arrêterai pas de te téléphoner, à ton travail ou chez toi, moi, ça me dérange pas une miette! Ce serait peut-être plate pour ton nouveau chum... ce cher notaire! Moi, je trouve qu'i a l'air mauviette, comme ça, mais je peux me tromper. Hum!... c'est vrai qu'i doit avoir les poches ben remplies, par exemple. Ça compense!

« Pauvre, pauvre Marie-Ève! t'as pas ben changé, on dirait. Naïve, innocente, ingénue... Mais le genre de pucelle qu'on a envie de... de garder bien au chaud! T'as pas l'air à te rendre compte de la mauvaise tournure que pourraient prendre les choses... »

Pendant l'intervalle de silence qui suivit, Marie-Ève sentit une énorme tension peser sur ses épaules. Pour l'avoir remarqué des dizaines de fois auparavant, lorsque Gilles Ducharme ne soignait plus son langage, comme maintenant, c'est qu'il était excessivement frustré et très enragé. Ce phénomène se produisait quand il avait perdu gros ou qu'il croyait devenir la pauvre victime d'un quelconque mauvais sort ou encore la cible innocente d'envieux et de jaloux. Malgré qu'il n'ait jamais levé la main sur elle, Marie avait eu peur de son comportement imprévisible dans ces moments-là.

Quand elle réussissait à confier ses états d'âme à sa mère, celle-ci la suppliait de quitter cet homme instable en répétant que ce genre d'égarement mental ne présageait rien de bon pour l'avenir. Francine, en femme expérimentée, ne mâchait pas ses mots, allant jusqu'à parler de harcèlement psychologique de la part de Gilles envers sa fille. Marie-Ève, follement amoureuse, complètement sous le charme et l'emprise de cet homme charismatique, croyait le jugement de sa mère exagéré et, surtout, biaisé. En effet, Francine avait ouvertement détesté Gilles Ducharme depuis le début.

L'intonation franchement inquiétante, voire déséquilibrée, de son interlocuteur lui fit donc craindre le pire :

« Après tout, maman avait peut-être vu juste! Comment se fait-il qu'il sache ce que fait mon conjoint dans la vie!? C'est sérieux... je ne dois pas prendre cela à la légère. Il joue encore et il a perdu gros, très gros! Veut-il me soutirer de l'argent ou bien... au notaire? Une sorte de chantage? Assez! Tu divagues, Marie-Ève. C'est juste dans les films, des affaires comme ça. Oh là, là! Je déraille complètement. »

La jeune femme était incapable de parler ni de raccrocher. De son côté, connaissant le caractère anxieux et fragile de Marie-Ève, Gilles laissa passer encore quelques secondes pour accentuer la pression. Puis, il reprit d'une voix suave :

– Juste une rencontre... dans un lieu public, c'est correct avec moi! Je ne te veux pas de mal, voyons donc! Est-ce que je t'ai déjà fait du mal, ma chérie? Tu vas voir, ça va juste nous permettre de tirer les choses au clair, une fois pour toutes. Je répondrai à tes questions : promis, juré! C'est vrai, t'as eu raison de me traiter de lâcheur, tantôt. J'ai compris seulement après ce que tu représentais pour moi ou, du moins, ce que toi seule m'apportais. En fait, j'ai pas compris tout seul, mais ça, c'est une longue histoire. Comme on dit, il n'est jamais trop tard pour comprendre, hein, ma toute belle?

– Et c'est... quoi que je t'apportais que... personne d'autre peut t'apporter? réussit à demander Marie-Ève d'une voix saccadée, épouvantée d'entendre des propos si décousus.

– La chance! La chance, Marie-Ève Saint-Amour! Quoi d'autre? Allez... un p'tit effort!

– Mardi prochain, au restaurant en face de mon lieu de travail! lança Marie-Ève, dans une sorte de cri étouffé. (Elle avait l'impression que quelqu'un d'autre parlait à sa place.) Je suis sûre que tu connais l'endroit. Ça s'appelle... Chez Gilou! Si t'es pas là à midi pile, je m'en irai. J'attendrai même pas une minute, je t'avertis. En passant, si tu t'avises de me rappeler, je ne viendrai pas. Ni mardi ni jamais!

Elle raccrocha si abruptement que le combiné tomba sur le parquet dans un bruit d'enfer qui la terrorisa. Tant l'anxiété et une extrême nervosité la tenaillaient, le bruit, à la manière d'une décharge électrique, se répercuta en explosant dans sa tête. Elle ne put s'empêcher de pousser un cri rauque et, aussitôt après, elle se sentit très mal. Tous les objets se mirent à tourner dans le même sens et une forte nausée au goût amer monta à sa bouche. C'est alors qu'elle s'évanouit et tomba par terre.

***

Tel un accroc à la musique d'ambiance, un bruit sec, en provenance du bureau de Marie-Ève, parvint aux oreilles de mademoiselle Pouliot, qui sursauta et s'inquiéta immédiatement. Sans plus attendre, elle se leva et accourut sur les lieux. La secrétaire fut secouée par la vision qui s'offrit à elle. Marie-Ève, encore étendue par terre, blême à faire peur, semblait difficilement émerger d'une torpeur maladive.

– Mademoiselle Saint-Amour, mais... qu'est-ce qui vous arrive? Que s'est-il passé, pour l'amour du ciel? Vous avez eu un vertige? Seigneur, vous vous êtes évanouie! Attendez! ne bougez pas, je vais chercher de l'aide.

– Non... non... Ne dérangez personne, articula Marie-Ève difficilement, en se levant avec peine. Ça commence à aller mieux, je vous assure. C'est sûrement les premières chaleurs, le changement de température... Oh! j'ai soif, j'ai très soif...

En aidant la jeune femme à s'asseoir, Michelle Pouliot se sentit tout à coup fautive.

– Ah! je m'excuse pour tout à l'heure... J'ai été stupide! Qu'est-ce qui m'a pris d'être si exigeante et si pointilleuse? Je n'ai jamais cherché à vous faire de la peine! Ne bougez plus de cette chaise, Marie-Ève, c'est un ordre! Je vais vite vous chercher de l'eau.

L'informaticienne, encore sous le choc, récupérait assez rapidement. Elle devait préparer une stratégie quelconque...

– Voilà, buvez. Heureusement, vous retrouvez vos couleurs! Dieu! que vous m'avez fait peur, ma petite. Peut-être n'aurais-je pas dû vous passer cet appel?

Michelle n'attendait pas de réponse à sa question qui se voulait, en réalité, une affirmation déguisée. Perspicace, mais discrète, la secrétaire désirait sous-entendre qu'il fallait peut-être chercher de ce côté la cause d'un tel malaise.

– Dans votre état, ajouta-t-elle, compatissante, je vous conseille d'aller voir votre médecin au plus vite. On ne doit pas prendre un évanouissement à la légère.

– C'est justement à ça que je pensais, mademoiselle Pouliot. Je me demandais si vous feriez quelque chose pour moi.

– Volontiers, ma petite, dites!

– Pouvez-vous essayer de contacter monsieur Dubois? Oui, oui... il le faut! insista Marie-Ève, flairant l'objection que la secrétaire s'apprêtait à formuler. Demandez-lui de venir vers onze heures trente au lieu de quatorze heures, comme prévu. Inventez l'excuse que vous voulez. Ainsi, je prendrai l'après-midi et j'irai voir mon docteur...

– Je n'aime pas trop l'idée que vous continuiez à travailler ce matin, mais, soit! Je veux bien le joindre, seulement si vous me promettez de prendre soin de vous, cette fin de semaine. Tout le monde vous aime beaucoup, ici.

Michelle Pouliot se racla la gorge, se sentant très intimidée; puis, sa voix se fit extrêmement douce et amicale pour demander :

– Désirez-vous d'abord que j'appelle votre compagnon, monsieur le notaire Huot?

– Vous voulez dire... Jean? Non, surtout pas! Mademoiselle Pouliot, cela doit rester entre nous. Ce sera notre secret. Le notaire, comme vous devez sûrement le savoir, a vécu des épreuves très difficiles dans le passé. Je ne veux surtout pas... Je préfère qu'il ne sache rien de ce qui vient d'arriver, jusqu'à ce que... j'en apprenne plus moi-même!

En disant ces mots, Marie-Ève avait volontairement dirigé son regard vers le téléphone. Quand elle fixa à nouveau la secrétaire dans les yeux, elle sut que le message était passé.

– Pourquoi l'inquiéter, si ce n'est que passager, n'est-ce pas, Michelle? Promettez-moi que vous ne direz rien.

Devant l'insistance et l'attitude suppliante de l'informaticienne, qui l'avait émue en l'appelant par son prénom pour la première fois en quatre ans, Michelle Pouliot n'eut d'autre choix que de s'incliner. En cet instant de complicité féminine, celle qu'on appelait trop familièrement la vieille fille n'eut pas envie d'empêcher le geste affectueux qui montait de son cœur. Avec beaucoup de tendresse, Michelle dégagea les mèches de cheveux mouillées qui collaient sur le front de Marie-Ève. Puis, elle lui toucha l'épaule :

– Vous êtes certaine que je peux vous laisser? S'il y a quoi que ce soit, appelez, je suis juste à côté. Je vais tout arranger, ne vous inquiétez pas.

***

Lorsque Pamphile regarda son réveil, celui-ci indiquait six heures trente. Comme le vieil homme tournait en rond dans son lit depuis un bon bout de temps déjà, il décida de se lever.

De la fenêtre de sa chambre – et aussi de celle du salon –, l'antiquaire jouissait d'une vue exceptionnelle sur le magnifique lac Saint-Jean. À l'époque, il y avait plus de vingt ans de cela, malgré son étroitesse et son état vétuste, le petit appartement situé au-dessus de sa boutique, inhabité depuis des années, avait séduit Pamphile. Suite au décès de son épouse, il s'était dit que le fait de contempler quotidiennement la beauté du grand lac l'aiderait sûrement à apaiser l'immense chagrin qui le submergeait.

– Le panorama, à lui seul, vaut largement le déplacement. Pis, je peux juste pas rester tout fin seul dans une grosse maison de même! Je virerais fou à lier, mon Joséphat! avait-il confié à son meilleur ami qui l'avait aidé à déménager.

Ainsi, peu après les funérailles d'Antoinette, il avait vendu la demeure ancestrale du rang Sinaï, pour emménager dans l'humble logis situé au-dessus de son magasin d'antiquités. Pamphile, alors bien nanti, n'avait eu cure du jugement de certains, très prompts à transformer une initiative dictée par une grande sensibilité en vulgaire radinerie. Il n'avait jamais regretté sa décision.

Le vieil homme s'extasia devant la belle brume matinale qui enveloppait la campagne, les boisés autour du marais, le lac à perte de vue et les villages séculaires qui ornaient son pourtour. Dans ce cas précis, le soleil suivait de très près, déchirant de sa puissante lumière jusqu'au dernier rideau de brouillard, pourtant bien accroché au fond des coulées. En bon Jeannois qu'il était, Pamphile vit se dessiner, dans ces signes précurseurs du temps, une magnifique journée de mai.

En préparant son café, il se dit qu'il faudrait bien arrêter les enfantillages :

– Le père, c'est le temps de faire un homme de toi, vingueu! Où c'est que t'as mis ton courage? Téléphoner à quelqu'un, c'est quand même pas la fin du monde. Je te concède que c'est pas n'importe qui, mais, tout de même! Correct... correct! À matin, c'est promis!

L'antiquaire n'était pas dupe : il se faisait la même promesse depuis une semaine, sans arriver à la tenir!

Chaque fois qu'il songeait à Aurélia Fortin, son cœur battait tant la chamade qu'il n'osait plus nier son attirance pour elle. Il n'arrivait qu'à lui trouver des qualités : elle était très belle, distinguée, érudite, sympathique, pleine d'entrain et vive dans ses réparties... Pamphile avait la certitude qu'il trouverait, en madame Fortin, une compagne idéale. N'aimaient-ils pas les mêmes choses : la nouvelle cuisine, surtout les desserts, la « Ternette », les longues marches, la nature, les jeux de société, les échanges, autant les légers que les sérieux?

Le vieil homme ne pensait ni à une union maritale ni à une relation intime d'ordre sexuel. Il voyait plutôt entre eux un genre de longue amitié amoureuse.

Pourtant, juste en imaginant le jugement que pourraient porter ses concitoyens sur lui, Pamphile Côté se sentait très mal à l'aise :

« Un vieux comme moi! C'est sûr que ça jaserait en pas pour rire! Peut-être bien qu'i trouveraient ça... déplacé, à mon âge? S'ils savaient, en plus, qu'il est question de la fille de la Fine! Vingueu! I s'en dirait des vertes pis des pas mûres. Par surcroît, pour pas arranger les choses, elle a l'air d'une jeunesse de soixante ans, la belle Aurélia! C'est ben compliqué. Je vas devoir demander l'avis du notaire... »

***

Après avoir pris son déjeuner, une fois habillé et la barbe fraîchement taillée, Pamphile choisit de descendre au magasin pour vérifier ses « iméles ». Presque tous les samedis matin, Marie-Ève lui faisait parvenir un courriel, soit pour l'inviter à dîner, soit pour lui donner rendez-vous à L'Escalier ou encore lui faire part des dernières nouvelles. Depuis que la jeune femme attendait un enfant, elle ne tarissait pas de mots et d'expressions variées dans ses messages hebdomadaires. Avec humour, Pamphile avait comparé cette poussée littéraire à une montée de lait, ce qui avait bien plu à la future maman.

Dans une prose soignée, elle décrivait ses émotions et ses sensations, dans le but, disait-elle, de partager son bonheur avec ses proches. La longue liste d'envoi de l'informaticienne avait renversé le vieil homme, lui qui n'avait qu'une adresse inscrite sur son carnet. La seule lecture du répertoire des destinataires avait soulevé un dilemme chez Pamphile :

– Vingueu! avait alors questionné l'antiquaire, comment des proches peuvent-ti arriver à se retrouver à des milliers de milles de nous autres, la Marie, de la vieille Europe jusqu'en Amérique du Sud?

Suite aux explications de l'informaticienne, qui se résumaient en : « La terre n'a plus de frontières, monsieur Pamphile. Nous sommes tous des citoyens du monde! », Pamphile n'avait pu que s'incliner :

– Je vois ben, la Marie, que les distances, c'est de l'histoire ancienne. C'était l'affaire des aïeux, faut croire! C'était juste ça : les distances à franchir, à parcourir, pour trouver des terres nouvelles à conquérir, des terres fertiles pour accueillir les grandes familles... Ça existe pus de nos jours! Ni les distances ni les grandes familles non plus! On est-ti mieux pour tout ça? Bonne question, hein? Coudon. Les pauvres vieux, s'ils voyent ça, i doivent se retourner dans leurs tombes, vingueu!

En lisant avec soin les écrits de sa protégée, l'antiquaire avait l'impression de mieux comprendre comment Antoinette avait pu se sentir quand elle avait porté Fernand. Parce que, comme la vie l'exigeait dans ces temps de colonisation, lorsque sa femme avait porté leur premier enfant, lui, le père, il se trouvait dans les forêts nordiques, loin dans le bois nourricier, avec son ami, Josépha, et tant d'autres comme eux. Ces constatations avaient soulevé bien des regrets chez l'antiquaire :

– Le bois, c'est sûr, on l'aimait pour ses bienfaits : il nourrissait la famille pendant des mois! Mais, on le haïssait tout autant, parce qu'i nous éloignait d'elle, si longtemps. I était même odieux pis démoralisant quand i fauchait des jeunes vies avec ses arbres innocents qui se décidaient, tout d'un coup, à tomber du mauvais bord sur un pauvre bougre... Ah! imagine, la Marie. Imagine un brin si on avait eu la Ternette! Que veux-tu? On peut pas retourner en arrière. Dire qu'on avait même pas le téléphone, vingueu! Nous autres pis nos intimes avions le temps de mourir dix fois avant que quiconque soye prévenu... Pis je parle là d'une distance de quelques milles seulement!

Marie-Ève joignait souvent un lien informatique dans lequel Pamphile découvrait une carte humoristique ou encore une photo, agrémentée d'une pensée du jour. Tout dernièrement, il s'agissait de maximes qu'elle-même composait.

– C'est le temps, avait-elle expliqué, que ça vienne de moi! Je tiens à ajouter que mon grand ami, monsieur Pamphile Côté, antiquaire du village de Saint-Gédéon dont la boutique est située au bord du réputé lac Saint-Jean, demeure pour moi une précieuse source d'inspiration!

Ému par autant de sympathie et flatté de tant d'honneurs, ravi et époustouflé de voir le nom des Côté voguer de par le globe, sur la « Ternette », l'antiquaire avait copié sur son imprimante ce message en particulier, et les autres qui avaient suivi, pour ensuite les épingler fièrement sur le mur...

***

En mettant son ordinateur en marche, le vieil homme put lire, en face de lui : « La sagesse n'a pas vraiment d'âge. Elle est recueillement et silence, attention et mûrissement. Elle est Présence au cœur du Temps. »

– Si je me fie à ce qu'elle avance, la Marie, je devrais ben être un sage antique, pis authentique, j'espère! avec mes quatre-vingt-treize hivers de présence dans le temps? Sinon, chus mieux d'aller me recoucher, vingueu! se prit-il à philosopher, de bonne humeur.

Avec des papillons au ventre, Pamphile se rappela ce mercredi d'avril, lorsqu'il avait montré son installation à Aurélia. L'œil vif, elle avait tout de suite remarqué les bouts de papier affichés un peu partout sur le mur. Après en avoir lu plusieurs, et médité sur certains, elle avait souligné la chance de Pamphile d'avoir une relation si privilégiée avec la charmante Marie-Ève... Puis, elle s'était longuement arrêtée sur le texte qu'il avait sous les yeux et dont le sens lui avait, jusque-là, échappé :

« Dans le silence de l'Univers ou la simple contemplation d'un rayon de lumière, le Livre est ouvert. À nous de le lire... »

D'une voix harmonieuse et très convaincante, la douce madame Fortin avait ainsi commenté la maxime :

– C'est tellement vrai, n'est-ce pas, Pamphile? Il s'agit ici d'une très belle allégorie!

Devant l'expression interrogative et le silence de l'antiquaire, Aurélia avait jugé nécessaire de peaufiner son commentaire :

– Marie veut parler, du moins, c'est ce que je crois, du livre de la destinée, celui où sont inscrits notre vie, celle des autres et de tous ceux que nous risquons de croiser sur notre route. Apprendre à lire avec le cœur, malgré cette grande incertitude existentielle qui obscurcit souvent l'intérieur de notre être, est plus difficile et ardu qu'on aurait tendance à le croire. Car ce processus implique un abandon à l'invisible, l'imaginaire, l'irrationnel et... l'inconnu!

« Voyez-vous, Pamphile, c'est un peu comme voir avec des yeux d'enfant. La raison, avec sa lumière infuse, semble toujours vouloir prendre le dessus de manière bien prétentieuse, et même cavalière, dans certains cas! Je crois, et je le dis sans prétention aucune, que la recette qui nous aide à découvrir le chemin à suivre est simple. Les ingrédients sont un cœur d'enfant, l'attention à l'instant qui passe, une petite pincée d'intuition et beaucoup d'humour! Ah! oui, mon ami, je suis bien placée pour le savoir! »

En quelques mots faciles – mis à part deux ou trois dont il n'était pas certain – elle avait réussi à lui donner une solide leçon de vie. Muet d'admiration, Pamphile avait alors réalisé à quel point Aurélia Fortin était une personne hors du commun. De toute évidence, ses recettes comportaient des ingrédients différents de ceux d'Antoinette...

– Coudon! millénaire oblige! statua l'antiquaire. Aurélia est aussi fine et originale que la nouvelle cuisine... que j'adore!

Quelle ne fut pas sa surprise de constater que le message provenait, cette fois, non pas de Marie-Ève, mais de... Aurélia, en personne!

– Oh! ben... c'est-ti Dieu possible? Elle a réussi à se brancher comme qu'elle voulait! Est pas mal débrouillarde, la p'tite Roseraine. Un message d'Aurélia! Ouf! j'en espérais pas tant. J'en espérais pas tant, vingueu! C'est en plein ça, un vrai rayon de lumière! Pis je m'en vas le lire dret-là... avec le cœur!

En tremblant comme un jeune collégien, Pamphile nota que le courriel avait été envoyé la veille. Il cliqua si faiblement sur le bouton gauche de la souris, qu'il dut se reprendre à trois fois. Puis, lentement, il prit son temps pour lire :

Très cher ami,

Avec l'aide de mon voisin, monsieur Duchesne (c'est lui qui est en train de taper; la prochaine fois, je le ferai toute seule) et après vous avoir vu naviguer, je me suis dit que je devais bien pouvoir y arriver, moi aussi! Je ne m'attarderai pas, pour tout de suite, aux détails. Je voulais juste... vous inviter à Sainte-Rose! Vous me disiez ne pas y être venu depuis au moins vingt ans. Ne faudrait-il pas remédier à cette « dramatique » situation au plus tôt, mon cher Pamphile?

Vous pourriez arriver lundi ou mardi et passer deux ou trois jours? À quinze minutes à pied de ma demeure, il y a deux gîtes très confortables (dont le prix est abordable), où vous pourriez dormir... Nous prendrions nos repas ici, à la maison. Nous pourrions faire une croisière sur le Saguenay (il n'y a pas trop de touristes à cette période), marcher, discuter, jouer aux cartes... Il y a, aussi, d'excellents restaurants à Chicoutimi!

Bref, si vous le voulez bien, j'aimerais que vous m'appeliez pour en parler de vive voix. Je crois vous avoir laissé mes coordonnées, mais je vous les redonne à la fin du message, au cas où... J'attends de vos nouvelles, sans faute. Oh! dites un beau bonjour à votre chère protégée et à son adorable fiancé!

Mes meilleures pensées vous accompagnent, cher antiquaire!

Votre amie, Aurélia de Sainte-Rose.

Incrédule, figé par l'émotion, une larme à l'œil, Pamphile n'en revenait tout simplement pas : la belle Aurélia l'invitait! Précautionneux outre mesure, il relut le texte au moins cinq ou six fois, pour être certain de ne pas rêver.

– Elle ressentirait donc un brin d'affection pour moi? Elle m'aurait pas si gentiment invité, sinon. Ce serait donc récirpoque, vingueu! Non... c'est pas ça, Pamphile Côté! On dit « réciPROque ». C'est vrai qu'avec elle, c'est pus des mots du dimanche qu'i va me falloir, c'est des mots de jours de fêtes! Pis, j'en connais pas ben gros. Les ceusses que je sais, je les prononce toujours de travers...

« Mon Pamphile, t'es capable, t'es capable! T'as juste à te pratiquer avec le notaire pis la Marie. I demanderont pas mieux. Pis, après tout, le meilleur langage à apprendre, qu'elle a dit, la Aurélia, c'est pas celui du cœur?

***

Juste au moment de poser le combiné du téléphone, Pamphile sursauta quand il entendit frapper à la porte de la boutique. Il leva les sourcils et pencha la tête en signe d'étonnement. L'antiquaire ne fit pas un geste, car il se trouvait dans un état d'absence mentale momentané. Il était encore sous le charme de la voix d'Aurélia Fortin, avec qui il venait de s'entretenir pendant presque une heure...

– Voyons, vingueu! Pourquoi c'est faire qu'i rentre pas, ce client-là? Oh! oui, on est le matin, pis chus pus ouvert le matin... Eh ben, le père! Elle t'a pas mal chaviré, la belle Roseraine!

En venant ouvrir, il reconnut le notaire.

« Tiens donc? Monsieur Jean! Que c'est qu'i vient faire icitte, à matin? C'est ben trop vrai, vingueu! Dans tout ça, la Marie, elle m'a pas envoyé de « iméle ». Euh!... de courriel, à matin! »

– Bonjour, monsieur Pamphile! Je suis monté à l'appartement. Comme vous n'y étiez pas, j'ai pensé vous trouver ici.

– Vous avez bien fait, notaire. En effet! j'étais venu voir mes messages sur la Ternette... Pis, justement, la Marie m'a rien envoyé, à matin!

– Oh! cela ne m'étonne pas du tout. Depuis jeudi, elle ne va pas très bien...

– Ben, voyons donc! Que c'est qui se passe, Jean? demanda le vieil homme, soudain fort inquiet.

– Elle n'est pas malade, non, je ne crois pas. Elle se repose et dort beaucoup parce qu'elle se dit... fatiguée.

La voix du notaire, transformée et assaillie par le doute, et sa façon de baisser la tête pour éviter d'être découvert convainquirent le vieil homme de l'urgence de la situation. C'est pourquoi, tout en désirant exhorter Jean au discernement, Pamphile s'exprima avec beaucoup de douceur :

– Monsieur Jean! Je vous vois venir, vous savez...

– Ah! Pamphile, il ne faut pas que ça recommence! appela au secours l'homme tourmenté. Non! Je serais incapable de faire face de nouveau...

– Voyons, voyons, calmez-vous, monsieur Jean! Qui c'est qui dit que ça va recommencer? Venez vous assir tranquille, pis racontez-moi tout. Attendez une seconde! Je vas barrer la porte, avant...

– Quand je suis arrivé du travail, jeudi, vers cinq heures, j'ai trouvé Marie-Ève endormie dans le lit. Peu après, elle m'a dit être revenue en début d'après-midi pour se coucher, car elle se sentait fatiguée. Elle avait un drôle d'air, Pamphile. On aurait dit qu'elle évitait de me regarder. Peut-être était-ce juste mon imagination? Enfin... Elle n'a pas voulu se lever pour souper, prétextant un manque d'appétit. Elle a passé toute la journée de vendredi au lit. Inquiet, je lui ai suggéré d'appeler Daniel Auger; elle a carrément refusé et je n'ai pas voulu insister. Et savez-vous ce qu'elle m'a annoncé, hier soir, monsieur Pamphile?

– Ben... non! ne put que répliquer l'antiquaire.

Suite à l'intonation accablée du notaire, Pamphile s'attendit au pire.

– Marie songe sérieusement à quitter son emploi! Au plus tard, la semaine prochaine! proclama Jean d'une voix dramatique. De plus, elle a dit... « préférer qu'on en reste là pour le bébé ». C'est elle, maintenant, qui ne veut plus savoir si c'est un garçon ou une fille! Je n'y comprends rien, monsieur Pamphile! Cela ne lui ressemble pas.

L'antiquaire, soulagé et intrigué à la fois, ne voyait rien dans ces décisions qui fût matière à un tel désarroi.

– Pis? Elle vous a quand même pas annoncé qu'elle allait se jeter à l'eau, notaire! Voyons, monsieur Jean! C'est même une bonne nouvelle!... Oh! oh! je comprends! Jean Huot, vous êtes en train de comparer. Mais, ça n'a rien à voir, mon pauvre ami! Claire, quand elle a décidé d'arrêter de travailler, c'était parce qu'elle voulait s'en revenir au Lac! Elle était tannée de Montréal, pis, dans son état, elle voulait se rapprocher des siens. C'est pas pareil pantoute! Qui parle de déménager? Qui parle de se rapprocher de sa famille? En plus, ça devrait même vous faire plaisir, monsieur Jean! Puisque c'est vous-même, au début, qui vouliez pas qu'elle travaille!

« Notaire, reprenez-vous, tusuite! Moi, je trouve qu'elle a ben raison de prendre soin d'elle, la Marie. Les grosses chaleurs arrivent, pis ça, c'est ben fatigant pour une femme enceinte. Ma Toinette en souffrait ben gros... Elle va pouvoir se concentrer sur le p'tit dans la fraîcheur de son jardin pis de sa maison de campagne, au lieu de voyager en char dans une ville polluée, chaude pis ben bruyante.

« Quant à savoir si ce sera un gars ou une fille, elle préfère que ça reste une surprise jusqu'à la fin, c'est tout. Pis, c'est correct, notaire! Ça a été comme ça pendant des générations, vingueu! pis personne en a perdu son latin! Chus certain qu'il y a là aucune matière à s'alarmer de la sorte, mon ami. Prenez-en ma parole d'antiquaire!

– Euh!... vous avez certainement raison, monsieur Pamphile! J'ai... j'ai paniqué, on dirait bien? Ouf! heureusement que vous êtes là! Quand on croit qu'on est définitivement débarrassé de ses vieux démons, ils surgissent de nulle part sans avertir! Puis-je, toutefois, vous demander une dernière faveur?

– N'importe quoi, notaire, vous le savez ben.

– J'aimerais que vous veniez souper avec nous, ce soir. Vous la connaissez si bien! Et elle a tellement confiance en vous. Je sais que vous êtes son meilleur confident. Peut-être serez-vous en mesure d'en savoir plus.

– Ben entendu! agréa Pamphile. Je vas faire ma p'tite enquête en catimini pis vous tenir au courant.

Mais, vous allez me promettre de pus vous inquiéter de la sorte! O.K.? Bon. C'est mieux de même.

L'antiquaire se retourna abruptement en se dirigeant vers son ordinateur, le temps de reprendre une certaine contenance. Il ne voulait sous aucun prétexte que Jean puisse s'apercevoir de l'inquiétude qui le gagnait à son tour. Pamphile n'était pas dupe, lui qui savait à quel point la petite tenait à son travail.

« Il y a définitivement matière à enquêter en profondeur » songea-t-il, pensif et soucieux. Pour l'instant, il fallait à tout prix changer les idées du notaire, qu'il savait plus noires qu'une nuit sans étoiles. En se retournant et en faisant claquer ses bretelles, il poursuivit, d'un ton léger :

– Et si on parlait d'autre chose, cher notaire... Mais, tenez-vous bien parce que vous allez avoir toute une surprise. Divinez un peu qui c'est que je vas aller visiter, lundi qui vient?

Et le vieil homme, trop heureux de partager sa joie, pria Jean d'approcher et de prendre connaissance du message d'Aurélia, encore affiché à l'écran. Puis, il raconta en détail l'appel téléphonique qu'il venait de faire. Il confirma aussi son départ prévu lundi matin et son retour, le mercredi. En terminant, il avoua au notaire la grande attirance qu'il ressentait pour la belle Roseraine et en même temps ses craintes. La première étant de ne pas être à la hauteur d'une pareille créature, et l'autre, qui concernait le jugement de ses concitoyens.

– Ah! nous nous en doutions bien, vous savez. C'est Marie qui va être heureuse! Je suis tellement content que les choses tournent de cette façon! Pour ce qui est d'être à la hauteur des attentes d'Aurélia, personnellement, je n'ai aucun doute à ce sujet! Vous les dépasserez largement, croyez-moi. Quant à votre langage, cher ami, il est comme vous et vos bretelles : fort sympathique, très original et extrêmement chaleureux. Ne vous tracassez surtout pas pour un détail aussi négligeable, cher antiquaire.

« Pour ce qui est du jugement des hommes, vous n'en n'êtes plus là! Vous êtes notre patriarche, Pamphile, et un modèle de loyauté, d'intégrité et de bonté à suivre. Vous n'allez pas vous laisser arrêter par de stupides et banals qu'en-dira-t-on? Mais il y a quelque chose qui... Êtes-vous sûr... de vouloir conduire la Ford jusqu'à Sainte-Rose? Les routes ont bien changé en vingt ans, monsieur Pamphile!

– Tut, tut, tut, monsieur Jean! Je veux bien croire que chus pus des plus fringants, mais je pense m'en sortir diguidou. Pis, comme je veux l'inviter à souper un de ces soirs à Chicoutimi... Elle a pas de char, vous le savez bien, notaire!

– Hum!... Marie va s'inquiéter, j'en suis certain. Oh! j'ai une idée! Je vais vous prêter mon cellulaire. Ainsi vous pourrez appeler la Marie et la tenir au courant de vos moindres faits et gestes... Enfin, quand vous serez sur la route, il va sans dire.

– Notaire! Je sais pas me servir d'une affaire pareille! Apparence itou que ça coûte ben cher, ces bebelles-là. Je voudrais pas... Enfin, on en reparlera à soir, avec la Marie. I faudra m'apprendre bien comme il faut à m'en servir, si je me décidais à le prendre avec moi, comme de raison.

« Peut-être *bien*, après tout... Pour faire moderne, vingueu! ça ferait moderne, *n'est-ce pas, cher ami*? »

Et ils partirent d'un grand rire bienfaiteur, chacun ayant trouvé, dans l'autre, le soutien et les réponses immédiates dont il avait besoin, pour continuer sa route.

VI

En cette matinée de mai, aucun nuage n'osait perturber le ciel québécois, bien résolu à diffuser son bleu roi à perte de vue, à perte de temps. De toute évidence, ni la rivière ni la terre, malgré leur soif de plusieurs jours, ne recevrait d'eau de ce firmament azuré, devenu sourd à leurs prières. Pourtant, le ciel, contrairement à ce qu'auraient pu prétendre les éléments, n'avait pas oublié le monde. Il avait exaucé une requête, celle d'Aurélia Fortin qui avait prié pour un temps joli lors de son rendez-vous galant.

La belle Roseraine croyait avoir fait le grand tour des sentiments dans sa vie. En ce matin printanier, attendant avec fébrilité l'arrivée de l'antiquaire, Aurélia devait bien se rendre à l'évidence. L'émotion particulière qui l'habitait ne trouvait, dans ses souvenirs, aucun équivalent. C'est pourquoi, à travers ses nombreux déplacements dans la cuisine accueillante et lumineuse aux fenêtres ouvertes, que ce soit en mettant la touche finale au repas ou en dressant les couverts, pour deux, Aurélia tentait de faire le point sur ses états d'âme :

« Peut-on être amoureux à mon âge? Voilà la question! Ah! comment le savoir? Je raye la flamme passionnelle et l'attraction sexuelle. Le coup de foudre? Non, quand même! À mon âge? On dirait bien, pourtant... Ce qui est sûr, c'est que je souhaite une sorte de... communion de partage. Vouloir être deux correspond sûrement chez moi à un besoin de présence, de sécurité et de bien-être, de recherche d'unité, aussi. Néanmoins, il y a encore ce désir de plaire, de faire plaisir, de découvrir ensemble, cette envie de complicité, d'intimité et d'harmonie.

« Il me semble que Marie-Ève a écrit quelque chose à ce propos. Oui... Cela me revient : « L'enfant intérieur aux yeux de lumière cherche son double, son ombre... l'Autre, dans les sentiers de son âme. » Pourquoi la recherche de l'Autre ne m'habiterait-elle pas toujours? Il n'y a pas de raisons...

« Ah! même s'il ne s'agit que d'une rencontre amicale, c'est réconfortant, très vivifiant et surtout enivrant! Et puis, pourquoi faudrait-il toujours trouver des explications à tous nos sentiments ou mettre des mots sur tous nos états d'âme? Vive le cœur qui ne vieillit jamais! C'est bien beau, tout ça, madame Fortin, mais lui, comment voit-il la chose? Tu vas être fixée très bientôt, ma chère. »

Aurélia était tellement absorbée par son monologue intérieur et par les derniers préparatifs qu'elle ne tenait aucun compte du temps. Par conséquent, quand elle s'aperçut de l'heure tardive, elle commença à s'inquiéter :

– Midi! Déjà! Oh là, là!... Il devait être ici à onze heures! Peut-être aurait-il dû prendre l'autobus? Serait-il parti plus tard que prévu? Et si j'appelais Marie-Ève? Non, inutile de l'inquiéter.

En sortant sur la galerie pour se rafraîchir et se calmer, Aurélia prit vraiment conscience de la température magnifique qui prévalait. Au moins, le retard de Pamphile ne pouvait être imputé aux assauts du mauvais temps! Elle allait s'asseoir sur sa berceuse quand elle aperçut, sur le chemin de la Descente des femmes, la Ford jaune citron, unique en son genre!

– Ah! ah! Oui! Je crois bien que c'est lui, il arrive! Sacré Pamphile! Pas grand-chose ne l'arrête! Quel homme!

Sans plus tarder, en grande forme, Aurélia trotta vers le chemin du vieux pommier. En tant qu'extension « privée » de la côte à Tremblay, la piste en face de sa maison empruntait son nom à l'arbre centenaire le temps d'une indication. Comme plusieurs manquaient souvent l'embranchement, Aurélia fit de larges signes à l'antiquaire qui arrivait à bonne allure. Ce dernier, en la voyant à la dernière minute, klaxonna et vira raide dans un fatras de poussière et de grincement de roues...

Tel un jeune prétendant, Pamphile Côté sortit de son véhicule, frais et dispos. En saluant Aurélia de façon révérencieuse, il s'approcha d'elle et l'embrassa gauchement sur chaque joue. La mode actuelle de se bécoter pour un oui et pour un non plaisait bien à l'antiquaire; elle lui avait semblé tout à fait de mise pour la circonstance. Surprise, émue aussi, Aurélia en rougit de plaisir et lui fit la bise à son tour. Puis, tout naturellement, l'antiquaire prit un téléphone cellulaire dans la poche de son chandail en disant :

– Chère Aurélia! Vous allez devoir m'excuser quelques secondes. Croyez bien que c'est pas pantoute dans mes habitudes d'agir comme ça. Mais je dois placer un appel de la plus haute importance! La petite a tenu absolument à ce que je l'avertisse, aussitôt mon arrivée chez vous. Je comprends pas trop pourquoi... mais, vu son état, je ne veux pas l'inquiéter, vous comprenez?

– Faites, faites... Pamphile, je comprends très bien!

Pendant que l'antiquaire, qui portait de belles bretelles vertes sur une chemise blanche, se trouvait là, juste devant elle, à côté de la Ford antique, un cellulaire ultramoderne à la main, Aurélia, transportée de joie, songea à Nicole.

« Je ne sais vraiment pas si elle arriverait à le croire

elle-même! Ah! c'est prodigieux! Il est vraiment pas mal, pas mal du tout! Encore mieux que dans mon souvenir. Qui sait où cela va nous mener? »

Pamphile vint la sortir de ses réflexions en lui demandant poliment si elle voulait saluer sa protégée. Sans hésiter, Aurélia prit le minuscule téléphone du bout des doigts, en faisant une mimique d'appréciation à l'antiquaire.

– Oui? oh! bonjour, Marie-Ève! Oui, oui... Je vous entends très bien! (Tout en écoutant religieusement, Aurélia manifestait à Pamphile, par des gestes gracieux de la tête, des haussements de sourcils et des sourires coquins, son ravissement pour la qualité de la communication, irréprochable pour un si petit appareil!) C'est promis. Comptez sur moi! Faites mes salutations à votre fiancé... Ah! ah! À bientôt, c'est ça! Au revoir!

– Quelle promesse qu'elle a réussi à vous soutirer, la p'tite Marie?

– Secret de femmes... Vous devrez vous y faire, mon cher ami! Ah! je vous avoue que c'est la première fois que je parle au téléphone... dehors! La miniaturisation, c'est quand même quelque chose! Puisque voilà votre protégée rassurée, passerons-nous à table, cher ami? N'avez-vous pas faim, Pamphile? Oui! À la bonne heure, car tout est prêt! Entrons, si vous le voulez bien. On s'occupera de vos bagages plus tard. Bienvenue chez moi, Pamphile Côté, antiquaire!

***

L'heure était au digestif. Aurélia et Pamphile se berçaient à l'ombre, sur la galerie, en savourant une crème de menthe verte, discutant de choses et d'autres, tout en observant les oiseaux aux mangeoires.

L'antiquaire avait largement complimenté Aurélia sur le repas et puis, à la grande surprise de celle-ci, il l'avait, d'une manière naturelle, aidée à desservir la table, faire la vaisselle et ranger. Suite aux félicitations d'Aurélia en ce sens, Pamphile, qui considérait ne pas être digne de telles louanges, avait ressenti le besoin de se confesser. La première fois qu'il avait vu le notaire aider Marie à l'entretien ménager, il en avait été fort surpris et assez mélangé. Toutefois, il avait vite compris qu'il semblait que ce soit la moindre des choses, de nos jours, que de mettre la main à la pâte, notaire ou pas.

– C'est pourquoi, dès que l'occasion se présente, j'ai pris l'habitude de calquer les erres d'aller de Jean, si vous me permettez l'expression, avait confié Pamphile avec une sincérité touchante. Parce que ce genre de façon, qui manque pas d'originalité, à mon avis, fait aussi partie du moderne que j'ai à rattraper, après bien des années d'exil. Astheure, j'aime à faire ma part, Aurélia, si minime soit-elle! C'est sûr qu'avant, c'était plus malaisé, une fois rendu loin, dans la grande forêt boréale. Au retour du bois, j'avais pas le tour pantoute dans la maisonnée, avait-il avoué, en faisant référence au temps de sa première compagne.

Au dessert, Pamphile avait bien voulu expliquer son retard à Aurélia, mais avec la promesse de n'en rien dire à sa protégée. Malgré la problématique de l'autoroute, il avait réussi à atteindre Chicoutimi, avec quelques sueurs, mais pas de quoi y perdre sa bonne humeur. Une fois au pont Dubuc, ses ennuis avaient commencé. Après deux tentatives, il n'était pas arrivé à prendre la bretelle qui indiquait la « route 172, direction Tadoussac », située l'autre côté de la rivière. L'antiquaire s'était retrouvé, bien malgré lui, en plein cœur d'un centre-ville métamorphosé et... méconnaissable! Il avait donc fait demi-tour.

– Le bon Dieu était avec moi, Aurélia! avait-il conté avec sa verve habituelle. Il a placé une toute jeune fille qui faisait du pouce, juste sur mon chemin! Quand j'ai arrêté, elle nous a regardés d'un drôle d'air, la Ford pis moi! Poliment, je lui ai demandé où c'est qu'elle allait. Quand, d'une voix faible, elle m'a annoncé : « Tadoussac », je lui ai dit que c'était le ciel qui me l'envoyait. Je lui ai expliqué mon problème, en la suppliant quasiment d'embarquer. Malgré qu'elle était très moderne, avec ses cheveux bleus pis un anneau pincé dans le nez pis un autre au sourcil, elle a pas hésité à grimper dans une vieille camionnette jaune citron, avec un p'tit père antique!

« Enfin! grâce à elle, j'ai pu traverser ce mausus de pont-là! On a bien ri quand je lui ai dit que j'aurais jamais pensé avoir des problèmes à passer des bretelles un jour... Elle a débarqué juste en haut, sur la 172. J'espère qu'une âme charitable va la monter à Tadoussac! Parce qu'on sait pas ce qu'on peut perdre à s'attarder juste aux apparences...

– Cher Pamphile, vous êtes imbattable et vraiment unique dans votre genre, s'était exclamée Aurélia, ravie, en riant de bon cœur. On dit que rien ne se perd, tout se transforme! Il semble bien que nous n'aurons pas de problèmes pour retourner à Chicoutimi, si l'envie nous en prend, non?

Pendant qu'Aurélia préparait le café, Pamphile, d'un coup, s'était frappé la tête de la main en se disputant à grands cris, ce qui avait totalement pris au dépourvu la belle Roseraine. Puis, il était sorti en trombe de la maison pour se diriger vers la Ford et en revenir aussitôt avec un cadeau pour son hôtesse. À la vue de la table en demi-lune en érable, qu'Aurélia avait amplement admirée dans le magasin d'antiquités, la Roseraine s'était confondue en remerciements :

– Il ne fallait pas, Pamphile! Mais... c'est beaucoup trop! Je... je n'ai rien pour vous! Comment vous remercier?

– Ben! Elle est bien bonne, celle-là! C'est vous, mon hôtesse! C'est rien, c'est rien pantoute. Et puis, ça me fait tellement plaisir, si vous saviez! Mais vous pouvez peut-être me remercier en me disant... tu? Cela me mettrait grandement à l'aise, vous savez!

***

La tiédeur de l'air agissait comme un baume sur les peaux blanches et sensibles du fier Jeannois et de la timide Roseraine, si longtemps cloîtrés sous les épais vêtements d'hiver. Pendant que le paysage bucolique et fleuri remplissait la vue et l'odorat de beauté et de senteurs parfumées, l'ombre bienfaisante reposait leurs corps surpris et affectés par les premières chaleurs.

Ni Aurélia ni Pamphile n'avaient envie de parler de leur vie passée tant l'instant présent, complet en soi, s'habillait d'importance. Ils étaient très à l'aise ensemble, étrangement complices et, surtout, prêts pour cette rencontre. Prêts à la manière des comédiens qui apprennent par cœur leur texte et leur gestuelle pendant des mois, et qui, à la grande première, sûrs d'eux-mêmes, sont en mesure de donner une remarquable performance...

Tous deux prenaient plaisir à observer la gent ailée aux mangeoires. Soudain, Aurélia s'exclama :

– Pamphile! Regardez... enfin, regarde! Juste là, sur le piquet de clôture. Un merlebleu!

– Hein? C'est quoi, ça? Vingueu! Tout un oiseau!

J'en ai jamais vu au Lac, parole d'antiquaire! Il est ben beau! C'est comme un rouge-gorge, mais avec du bleu dessus! Ça se peut une affaire de même?

– Si, si, Pamphile. Votre... ton rouge-gorge est, en fait, un Merle d'Amérique et lui, un Merlebleu de l'Est. Plusieurs individus remontent vers nos terres nordiques pour y nicher. C'est un phénomène récent, deux ou trois ans, tout au plus. Ah! que c'est dommage! Si j'avais un ou deux nichoirs, je suis certaine qu'il resterait!

– As-tu des vieux morceaux de bois qui traînent dans ta remise, Aurélia? Pis quelques outils, ici et là?

– Euh!... je crois bien que oui. Mais pas grand-chose : marteau, tournevis, pince, rabot, une égoïne, des clous...

– Ben! c'est tout ce qu'il faut! À soir, je m'en vais t'en faire une, une cabane à merles. Pis, il va nicher, ton bel oiseau! Qui c'est qui refuserait de s'attarder près d'une si charmante personne?... Tiens! Y a une voiture qui ralentit devant.

– Oh! c'est mon voisin, monsieur Duchesne. Je voulais justement lui dire un mot.

Aurélia profita de la diversion pour se ressaisir. Le compliment de son compagnon l'avait touchée au plus haut point et elle craignait de ne savoir comment réagir. Agile, elle se leva d'un bond, en faisant signe à Jules de s'arrêter. Puis, elle se tourna vers l'antiquaire pour le prier de l'accompagner.

– Venez... Viens, Pamphile, que je te présente!

Lorsque Jules sortit de sa voiture, Aurélia remarqua sa démarche désinvolte et son air détendu. Une fois les présentations faites et après quelques paroles d'usage, il s'adressa à sa voisine :

– Je voulais justement vous avertir que, demain, je ne pourrai pas vous donner de leçons, madame Fortin.

Mais, peut-être n'étiez-vous pas libre, de toute façon? interrogea-t-il adroitement, en fin connaisseur de la gent féminine. (En rougissant, Aurélia fit un signe de tête affirmatif.) J'ai moi-même un rendez-vous très important, à Alma.

– Vous connaissez-ti du monde au Lac, monsieur Duchesne? questionna l'antiquaire avec curiosité, non sans un certain intérêt.

– Euh!... pas vraiment. Comme j'y vais seulement pour le travail...

– Que c'est que vous faites dans la vie, cher monsieur?

– Je suis ingénieur système.

Devant l'incompréhension du vieil homme, Jules simplifia :

– Dans l'informatique, si vous préférez.

– Oh! je connais justement une personne pas mal ferrée dans ce domaine. Peut-être l'avez-vous déjà rencontrée, de par votre travail? Le monde est tellement p'tit, surtout au Lac! Il s'agit de Ma...

– Excusez-moi de vous interrompre, monsieur Côté, je suis désolé, mais je dois vraiment vous quitter. Ce n'est pas que je m'ennuie en votre compagnie, mais, en sortant en fin de semaine, j'ai pris beaucoup de retard... dans mes affaires! Je vous souhaite un bon séjour à Sainte-Rose, monsieur l'antiquaire!

Et, se tournant vers sa voisine, Jules Duchesne murmura, un sourire charmeur au coin des lèvres :

– Nous nous reverrons bientôt, madame Fortin... Au revoir à vous deux et profitez bien de la belle journée!

– Bien le bonjour, là! lui répondit l'antiquaire, avec courtoisie.

Puis, s'adressant à Aurélia, il ajouta :

– Tout un gaillard pis bel homme, à part de ça!

Heureusement qu'il est pas mal plus jeune, ton voisin! Euh!... je voulais juste t'agacer un brin, Aurélia! En tout cas, il doit pas rester seul ben longtemps, ce monsieur Jules, pis avoir ben de la misère dans la vie.

– Justement, Pamphile, tu te trompes, hélas!

Alors, en quelques mots, Aurélia lui décrivit la situation de son voisin. Tout y passa : sa dépendance au jeu, ses problèmes financiers, son état psychologique déplorable, ses déboires sentimentaux...

– Tu sais, il y a quelque chose qui me dit qu'elle ne veut plus rien savoir de lui! C'est un peu normal puisqu'elle vit avec un autre. Dire qu'il s'acharne à la reconquérir seulement parce qu'il croit qu'elle lui porte chance! C'est malheureux! Il semble insister, malgré sa résistance. Ah! je me demande comment tout cela va se terminer! Ça ne me plaît guère. Il est tellement imprévisible!

« Bon! et si nous nous occupions de nous, maintenant? Si on allait porter tes bagages chez madame Simard? Son gîte se trouve juste à quinze minutes à pied et puis on pourrait continuer jusqu'au port, s'informer des heures de départ pour la croisière sur le fjord, demain. Ça te va?... Oh! s'exclama Aurélia, en voyant l'air soucieux de l'antiquaire, qu'est-ce qu'il y a, Pamphile? Tu sembles préoccupé... Es-tu fatigué? Voudrais-tu te reposer un peu?

– Non, non... je suis pas fatigué pantoute! Je sais pas pourquoi, mais quand tu parlais de ton voisin, juste là, je me suis mis à penser très fort à la p'tite. Elle m'inquiète ben gros, elle itou...

***

Au tour de Pamphile de raconter. En premier lieu, afin de rendre la situation plus claire à son interlocutrice, il précisa certains détails importants sur la vie de sa protégée, comme la mort fulgurante de son père qu'elle chérissait et ses amours tragiques passées avec un homme qu'elle aimait passionnément et qui l'avait abandonnée, un jour, sans plus jamais donner de nouvelles! Il raconta aussi le début de sa liaison pour le moins tumultueuse avec le notaire, alors marié. Il avoua partager les craintes de Francine, la mère de Marie-Ève, qui lui avait confié la possibilité d'une dépendance affective chez sa fille unique.

Puis, il décrivit la journée du samedi : la confession de Jean le matin et l'atmosphère, au souper du soir. La jeune femme, selon Pamphile, avait un secret qu'elle ne voulait pas dévoiler, un secret qui pouvait inquiéter le notaire.

– Explique-toi, Pamphile? Quel genre de secret pourrait-elle vouloir garder? Tout d'un coup, comme ça?

– Je sais bien que ça a l'air drôle, Aurélia, mais j'en mettrais ma main au feu. Ce que j'ai pas raconté à Jean, c'est que Marie-Ève m'a annoncé fièrement, la semaine passée, qu'elle était sûre d'avoir de l'avancement à son poste. Elle voulait faire la surprise à son amoureux seulement quand la promotion deviendrait officielle. Cette enfant-là adore son travail! C'est pas fini... Cette semaine, comme Jean était finalement d'accord, elle devait aller passer le test. Tu sais celui qui dit si c'est un garçon ou une fille. Ben là! soudainement, sans crier gare, non seulement elle décide d'arrêter de travailler à la fin de la semaine prochaine, mais elle veut plus connaître le sexe de son bébé! Ça m'a donné tout un choc, Aurélia, pis j'ai eu ben de la misère à le cacher, crois-moi!

« Pendant quelques minutes, continua l'antiquaire un peu plus calme, on s'est retrouvés seuls après souper. Quand je lui ai demandé c'est quoi qu'i allait pas, elle s'est vite détourné la tête pis elle a dit : « Qu'est-ce que vous allez chercher là, monsieur Côté! Voyons donc, tout va bien! »

« Quand elle m'appelle monsieur Côté, Aurélia, ça veut dire qu'elle cache quelque chose d'important! Je le sais! Elle a fait ça pour le secrétaire, quand elle avait découvert les lettres de la Fine, pis qu'elle voulait pas le dire! Que c'est qui pourrait la troubler autant, vingueu! pis qui mettrait en péril la tranquillité d'esprit du notaire? »

En terminant, Pamphile exprima ouvertement ses inquiétudes. Dans le cas où sa protégée avait des tracas, il craignait que la jeune femme, de peur de blesser le notaire, de l'inquiéter ou de risquer de le perdre, ne prenne tout sur elle. Il espérait que rien de grave ne survienne, car, croyait-il, ni l'un ni l'autre n'avait la force actuelle de passer à travers une autre épreuve.

– Pamphile, je pense à quelque chose. Admettons qu'elle soit déjà allée passer ce test, sans rien dire à personne, parce qu'elle voulait vraiment savoir. Qui sait si on ne lui a pas révélé qu'il y avait un problème important avec le bébé? Comme tu le suggères toi-même, elle aurait alors peur d'en parler au notaire, à cause de Sophie qui est décédée à la naissance! Et, malgré le fait qu'elle adore son travail, elle se trouverait peut-être dans l'obligation d'arrêter à cause de cela? Qu'en dis-tu?

– Penses-tu que ça se peut, Aurélia? Enfin, je veux dire qu'ils soyent capables de voir une maladie grave sur un tout p'tit fœtus pendant qu'il est dans le ventre de sa mère? C'est quasiment impensable, vingueu!

– Oh oui! oh oui! Pamphile! Il existe maintenant pour les jeunes mamans des examens super-sophistiqués.

Euh!... à la fine pointe du moderne, tu vois? Oui? Mais, ce n'était qu'une supposition, mon ami. Il faudra peut-être encore insister pour qu'elle se confie... En attendant, je vais leur envoyer plein d'ondes positives.

– Bon! je crois bien qu'on a assez pensé aux autres, Aurélia, déclara Pamphile, pragmatique. D'autant plus qu'on peut rien faire pour tusuite. Mais, ton idée est pas mauvaise pantoute... Coudon. Il fait beau pis... t'es tellement belle! Viens, chère madame Fortin, dit-il en se levant promptement de sa chaise et en présentant sa main forte et chaude à sa compagne, on va suivre ton programme, à la lettre!

« Comme tu l'as écrit dans ton courriel, j'ai un grand retard à rattraper sur le coin, mais j'ajouterais... sur bien d'autres affaires itou! Il faudra peut-être bien, de ta part, un brin de patience avec moi. Mais, décourage-toi pas, surtout, j'apprends vite! En tout cas, on va essayer de profiter de ces deux jours-là au maximum, parole d'antiquaire! »

***

La porte se referma et, dans une troublante concomitance, le soleil se cacha derrière un nuage pendant que le sourire sur le visage de Marie-Ève s'effaçait. Après les doux baisers de son compagnon, ses mots tendres et sa présence réconfortante, la jeune femme se sentit désespérément seule, dès le départ de Jean. Il venait de la quitter pour se rendre à l'étude.

Marie se trouvait dans un état d'extrême tension nerveuse. Depuis quatre jours, elle retournait dans sa tête le scénario de la rencontre avec Gilles Ducharme qui devait avoir lieu dans quelques heures. Plusieurs fois, elle avait pris la ferme décision de ne pas s'y rendre. Puis, elle changeait subitement d'avis, se disant qu'il téléphonerait sans cesse pour la harceler. Et qui sait s'il n'appellerait pas directement le notaire pour lui soutirer de l'argent, par la même occasion?

Une fois le premier choc encaissé, suite aux décisions de Marie de quitter son emploi et de refuser le test, Jean avait vite repris confiance. Marie-Ève se doutait que l'antiquaire y était pour quelque chose. Et puis, la veille, un événement spécial s'était produit et il avait, comme par magie, effacé les dernières inquiétudes que le notaire pouvait ressentir.

Ils se trouvaient au lit, serrés l'un contre l'autre, dans un moment de grande tendresse amoureuse. C'était Jean, le premier, qui avait pris conscience du mouvement subtil de l'enfant. Fier et heureux, il s'était écrié :

– Marie! Marie! Ah!... je l'ai senti, il a bougé! J'en suis sûr! Pas toi?

– ... Non, je ne crois pas. Avec tes bras autour de mon ventre, je peux à peine respirer.

Puis, quelques secondes plus tard, bien installée sur le dos, elle avait pu ressentir à son tour l'appel de la vie. L'enfant s'adressait enfin à eux! Cette magnifique étape de la maternité avait réussi à lui faire oublier, à elle aussi, ses tourments.

Cependant, avec le retour de la solitude, les angoisses affluèrent, plus fortes que jamais, jusqu'à lui donner la nausée. Prise soudain par un besoin incoercible de vomir, la jeune femme se dirigea vers la salle de bains, en courant.

Chaque fois que Marie analysait la situation, elle essayait tant bien que mal de faire preuve de logique, de réalisme et de confiance, mais sans succès. Une sorte de panique incontrôlable venait l'enserrer, la faisant se sentir prisonnière et impuissante. Alors, elle demeurait prostrée face à sa réaction démesurée devant un incident, qui, somme toute, semblait bénin.

Pour son plus grand malheur, Marie-Ève Saint-Amour, dans son raisonnement, ne tenait aucun compte de son état en général. La jeune femme oubliait qu'avant même la venue impromptue de Gilles Ducharme dans le décor, elle était déjà plus nerveuse et beaucoup plus angoissée qu'en temps normal. En effet, sans toutefois se l'avouer franchement, la future maman occultait un sentiment de culpabilité par rapport à sa grossesse, laquelle n'avait pas été prévue par le couple.

Impossible, pour Marie-Ève, de douter de l'amour inconditionnel de Jean Huot. Impensable également de remettre en cause l'assentiment sincère et formel de son compagnon, par rapport au bébé. Pourtant, quelque part dans un tiroir secret de son âme, hélas trop à l'ombre d'un jugement éclairé, et malgré le bonheur immense qu'elle ressentait à l'idée de porter l'enfant d'un tel amour, Marie-Ève s'en voulait. Non seulement de ce banal oubli de pilule, mais surtout d'avoir remis trop tôt celui qu'elle aimait tant dans une situation analogue à celle qui l'avait atrocement fait souffrir, quelques années auparavant. Les reproches sévères et récurrents de Louise Huot, à cet égard, ne faisaient qu'accentuer l'impression de faute chez la jeune femme, plus dépendante affectivement qu'elle ne le croyait.

Son intention, quoique sincère et sérieuse, de vouloir régler elle-même la situation contrariante qui prévalait, s'avérait, hélas, inconsciemment dominée par un puissant sentiment de culpabilité. C'est pourquoi, même en se sentant perdre pied dans un cercle vicieux et infernal où elle ne trouvait aucune issue, la jeune femme persistait à se croire en mesure de régler seule cette scabreuse affaire. Car, par amour-propre, mais aussi dans une sorte d'entêtement puéril, il était hors de question de créer quelque souci additionnel que ce soit à Jean Huot, l'amour de sa vie.

Pourtant, si Marie s'était simplement confiée à Pamphile, à sa mère ou même à Michelle Pouliot, elle ne se serait pas enfoncée dans la peur ni retranchée dans un cocon aussi malsain. La situation aurait vite repris des proportions normales. Bref, en ce matin de mai, Marie-Ève ne se serait pas retrouvée dans un tel état d'assujettissement émotif.

« Il est trop tard pour reculer! » se dit-elle, résolue, en se refaisant une beauté devant la glace. Elle ne vit pas son visage pâle et chaviré d'avoir été malade; elle avait été penchée pendant d'interminables minutes à vomir au-dessus du lavabo. « Probablement qu'il aura plus de facilité à accepter quand je lui parlerai de vive voix. Espérons-le, car il semble vraiment... bizarre! Et puis, quand il verra que j'attends un enfant! Houp!... le tour sera joué!

« Ensuite, je rencontre Pierre-Paul cet après-midi pour le mettre au courant. Il va être déçu, mais c'est ainsi. Souhaitons qu'il garde ma promotion bien au chaud dans un tiroir, le temps que je revienne. Quoi qu'il en soit, je ne peux pas risquer que ce fou appelle régulièrement au bureau! »

Trop absorbée par ses pensées lugubres, Marie ne se rendit même pas compte de la situation anormale qui prévalait. Elle aurait dû s'inquiéter d'avoir de telles nausées à cinq mois de grossesse.

***

En traversant l'avenue du Pont, Marie-Ève sut d'instinct, comme la proie à proximité du prédateur, que Gilles était déjà au restaurant à l'épier et à l'attendre. En passant devant la vitrine du café, qui lui renvoya son image, elle fut satisfaite. Elle avait obtenu l'effet recherché en choisissant un vêtement qui épousait son corps, témoignant ainsi de sa grossesse. En effet, sa robe légère et moulante dévoilait la courbe de son ventre rond et mettait en valeur sa poitrine généreuse.

Quand elle entra dans le restaurant, avec l'envie folle de faire demi-tour, elle repéra facilement Gilles Ducharme, au milieu des nombreux clients attablés pour le dîner.

Les dernières années avaient non seulement accentué sa virilité et son charisme, elles avaient aussi affirmé sa beauté. L'élégance décontractée qu'il affichait ouvertement frôlait l'arrogance et la démesure, faisant paraître quiconque bien terne à côté de lui. Il semblait dans une forme splendide, presque... racée. Une grande détermination se lisait dans les yeux perçants, rebelles et langoureux à la fois. Sans retenue, presque à dessein, Gilles Ducharme dispensait autour de lui, dans une sorte de négligence calculée et de charme ensorceleur, une sensualité envoûtante.

Comme par le passé, Marie nota immédiatement le regard audacieux et consentant de quelques clientes qui s'attardait effrontément sur Gilles. Non sans un certain malaise et bien malgré elle, la jeune femme se rappela le temps de leur union lorsque l'envie manifeste des « aspirantes » – Gilles désignait ainsi les filles qui le convoitaient – flattait tant son ego féminin. Elle se demanda comment elle avait pu être si vaniteuse et si aveugle! Aujourd'hui, elle vit ces femmes comme autant de proies faciles. Marie grelotta malgré la chaleur humide et elle fut vite écœurée par l'air vicié du bistro bondé.

À quelques pas de Gilles, d'étranges perceptions, rapides comme l'éclair, vinrent déranger – hélas! trop tard – l'influence malfaisante à laquelle Marie-Ève cédait. Soudain, des profondeurs, la voix de Jean monta à son cœur : « Ma biche, ma biche... » Jusqu'à ce jour de mai, considérant la vulnérabilité que l'animal craintif évoquait dans son esprit, Marie-Ève n'était jamais parvenue à se voir telle. Mais, cette fois, elle dut se rendre à l'évidence : imprudente et irréfléchie, la biche se retrouvait en face d'un impitoyable et redoutable carnassier.

***

Plein d'un tact calculé, se sachant observé, Gilles s'était levé pour l'accueillir. Un sourire radieux vint éclairer son visage en le faisant resplendir d'une énergie peu commune. Très vite, d'une satisfaction indubitable, il passa à la stupéfaction la plus complète. Visiblement, en baissant la tête pour détailler le corps de Marie-Ève, Gilles Ducharme venait de prendre connaissance de sa maternité. Quand il releva la tête, son regard intolérant et possessif fit douter la jeune femme de son propre jugement par rapport à son choix vestimentaire :

– Bien... bien. Tu as tenu parole, c'est très bien... Bonjour, Marie-Ève.

Le ton paternaliste et très condescendant de Gilles déconcerta Marie-Ève qui prenait place en face de lui. Préférant attendre la suite, histoire de le voir venir, elle décida de ne pas le saluer. La jeune femme eut alors le sentiment d'avoir fait une grave erreur en acquiesçant à sa demande.

– Mais... pourquoi m'as-tu menti? Hein? C'est pas bien, ça, de mentir à son futur chum... surtout pour une chose aussi importante! En plus, j'ose espérer que c'est parce que t'es trop troublée que tu ne m'as pas dit bonjour?...

« Heureusement! tu sais bien te faire pardonner, va, poursuivit-il, d'une voix suave et diabolique. T'es tellement... aguichante, comme ça. Est belle, ta robe, mademoiselle Saint-Amour. Je suis vraiment touché que tu aies choisi un vêtement si... si sexy, juste pour moi! T'as toujours été un peu maigrichonne pis un peu trop pudique à mon goût! Mais là! Ouf! pour dire vrai, t'as jamais, jamais été aussi désirable, Marie-Ève! Ça fait que je « veux » bien te pardonner tes petits oublis! »

La jeune femme fut tout à fait démoralisée par les effets pervers que sa stratégie avait produits dans l'esprit dérangé de Gilles Ducharme! Ses propos insensés, son ton glacial et son regard anormal l'effrayèrent au plus haut point :

« On dirait qu'il parle au ralenti, ou alors... c'est moi qui fabule? Ses mains tremblent et ses yeux sont révulsés! Cet homme est malade! Rien d'autre ne peut expliquer un tel état... de déséquilibre! Dans quoi me suis-je embarquée, mon Dieu? » songea-t-elle, désemparée.

Marie n'avait encore rien dit que Céline, la serveuse, arriva :

– Bonjour! Salut, Marie-Ève! Je peux-ti prendre votre commande?

– Je... je ne mangerai pas, Céline, bredouilla Marie-Ève, avec peine. Peux-tu m'apporter un grand verre d'eau, s'il te plaît?

– T'es pas sérieuse, ma toute belle, il faut que tu manges, dans ton état! Apportez-nous...

– Je ne veux pas manger! hurla Marie-Ève, exaspérée, au bord de la crise de nerfs, en fixant Gilles froidement.

Aussitôt, les voyeurs furent à l'affût. Sans aucune retenue, les têtes se tournèrent vers eux, en épiant de façon impertinente, dans l'attente du combat. Chez

Gilou devint, le temps d'un halètement, l'arène d'un affrontement possible. Les sens à l'affût, Marie-Ève flaira promptement l'ambiance corrompue qui régnait autour d'elle. Elle n'avait pas l'intention de se donner en spectacle, ici, où le personnel de l'établissement ainsi qu'une large partie de la clientèle la connaissaient bien, tout autant que son amoureux, le notaire! Il lui fallut se ressaisir rapidement. C'est pourquoi, presque aussitôt, elle ajouta d'une voix apaisée :

– Je n'ai pas le temps, Céline. Ce sera juste un verre d'eau, pour moi.

– Et pour vous, monsieur?

– Rien!... rien pour tusuite! Fiche-nous la paix, astheure, O.K.? T'es sourde ou quoi? Oh! pis amène-moi donc un double whisky. Pas de glace, pis ça presse! Parce que chus pas mal écœuré. Ça va peut-être m'enlever le mauvais goût que j'ai dans la bouche.

En prononçant ces quelques mots, Gilles avait baissé la tête. Marie-Ève, qui avait remarqué l'aspect négligé du vocabulaire, voulut prendre la situation en main avant qu'elle ne dégénère :

– Bon! Gilles, je n'ai pas beaucoup de temps... J'ai voulu t'en parler... et même à ton premier appel, mais tu ne m'en as pas laissé l'occasion! J'attends un enfant de l'homme que j'aime et que je vais... bientôt épouser! Voilà!

– Voilà! voilà! voilà! monsieur Ducharme! répéta Gilles d'une voix insignifiante, en se moquant délibérément et de façon disgracieuse de Marie-Ève. Dis aussi que c'est de ma faute, tant qu'à y être! Tu manques pas de culot! Mais... quant à épouser ton gringalet de notaire, ça, ça m'étonnerait beaucoup, ma pauvre chérie!

– C'est pas vrai! Je ne vais pas rester assise ici et t'écouter débiter tes inepties et tes insultes! s'écria

Marie-Ève, en furie. Je ne suis pas et je ne serai jamais plus « ta chérie »! Tiens-le-toi pour dit, monsieur Ducharme! C'est assez! Ça suffit! Je m'en vais. On a absolument rien, rien à se dire. T'es complètement givré, ma parole! Va te faire soigner, Gilles Ducharme, t'es... T'es vraiment malade!

Sur ces paroles, décidée d'en finir avec cette situation grotesque et malsaine, Marie avait ébauché le mouvement de se lever. Sans que rien dans ses manières ne laisse présager son geste, Gilles lui agrippa le poignet et la força à se rasseoir. Il serra si fort que, d'instinct, elle poussa un petit cri. Mais personne n'entendit sa plainte. C'est seulement à ce moment-là qu'elle devint lucide par rapport à l'aspect équivoque de la situation. Elle vit dans le restaurant bruyant et plein à craquer, dans ce lieu public où l'on connaissait sa vie privée, un terrible piège. Elle était tombée dedans avant même de prendre conscience de son existence.

Comme dans un cauchemar, un épais brouillard vint recouvrir la jeune femme affaiblie et harcelée. Elle se mit à trembler d'effroi en entendant des paroles qui n'avaient aucun sens. Elle cherchait un phare dans cette grisaille sans fin : la voix de Jean, sa douceur, sa tendresse, sa protection. Pourtant, dans une sorte d'écho discordant, ce sont les dernières paroles de Gilles qui parvinrent à ses oreilles :

– Je te laisse... trois semaines, peut-être quatre, pour l'avertir que tu le quittes. Tu vas revenir avec moi à Montréal, ma toute belle, c'est décidé. De ça, tu peux être sûre, vois-tu. Un mariage?... T'en auras peut-être un, après tout, qui sait? Le p'tit bâtard, i va avoir besoin d'un père, hein? Il faut que tu comprennes que je peux pas aller contre *la voix,* après ce qu'elle a fait pour moi!

« Pis, je peux juste plus me permettre de perdre d'argent! Oh! c'est vrai, je peux peut-être te mettre au courant... Après tout, t'as le droit de savoir! Chaque fois que je te parle ou ben que je te vois, ma chérie... Ah! tu ne vas pas le croire : je gagne! Je gagne gros, à part ça! Ça fait que t'as pas à t'inquiéter, côté finances, tu vas être aussi bien servie qu'avec ton p'tit notaire... Huot, c'est pas ça? Pis, pour le reste, tu vois ce que je veux dire (il caressait l'intérieur de la main de la jeune femme, qu'il tenait toujours emprisonnée), t'auras pas à te plaindre, juré. Mais ça, tu le sais déjà, non?

« Ça fait que je termine mon contrat en août, à Chicoutimi, pis bye-bye la visite! Un conseil, ma toute belle : si tu t'avises d'aller contre ma volonté, ça se pourrait fort bien que le p'tit monsieur Huot en paye ben gros les frais. Pour moi, i pèse pas ben lourd dans la balance. Ça, je te le jure, Marie-Ève Saint-Amour, et, cette fois, tu peux me croire! »

Comme après le dernier coup de téléphone de Gilles, tout se mit à tourner autour de Marie-Ève qui n'entendit plus rien et devint coupée du monde. D'une pâleur cadavérique, elle tenta pourtant de se ressaisir et essaya de se lever, mais elle fut prise de fortes nausées qui l'obligèrent à demeurer sur place. Puis, très rapidement, un peu chancelante, elle perdit conscience. Cette fois, l'évanouissement fut de très courte durée et sans grave conséquence.

Bien involontairement, mais par un heureux concours de circonstances, la serveuse, qui s'était retrouvée près de Marie en venant porter le verre d'eau, l'avait, par sa proximité, empêchée de s'effondrer par terre. À part Gilles, sidéré, incapable de faire un geste, et Céline, qui s'enquérait avec mansuétude de l'état de sa cliente, une autre personne avait remarqué la défaillance de Marie-Ève Saint-Amour.

***

En effet, Michelle Pouliot se trouvait assise à une table non loin du couple. D'abord surprise de voir Marie-Ève en compagnie d'un étranger, et après l'avoir entendue, comme la plupart des clients, tempêter quelques minutes auparavant, Michelle n'avait plus perdu un détail de la scène. L'homme avec qui l'informaticienne se tenait lui tournait le dos. Quant à Marie-Ève, très en beauté en ce midi printanier, elle lui faisait face. La secrétaire, absente du bureau en matinée, avait bien tenté, à travers les quelques clients qui les séparaient, de lui signaler sa présence, mais sans résultat. La jeune femme, inconsciente de son entourage, paraissait être à cent lieues de Chez Gilou.

Suite au geste disgracieux de l'homme, qui avait semblé retenir Marie-Ève par le poignet quand elle avait fait mine de partir, mademoiselle Pouliot avait immédiatement eu le réflexe de se lever. Toutefois, elle n'avait pas bougé, sa réserve légendaire lui faisant craindre de s'immiscer dans une histoire qui, somme toute, ne la concernait pas. Cependant, la lividité subite de Marie-Ève et son léger débalancement vers la serveuse, qui l'avait maintenue de justesse, eurent finalement raison de sa retenue.

Alors, sans une seconde d'hésitation, Michelle Pouliot accourut vers la jeune femme. Dans une sorte d'intuition féminine, et probablement à cause du malaise de Marie-Ève, la secrétaire associa immédiatement l'homme qui accompagnait mademoiselle Saint-Amour à cet individu hautain, arrogant et impoli qui avait téléphoné : monsieur Ducharme!

Arrivée près de sa collègue, Michelle, sans le vouloir, entendit les dernières paroles de l'entretien.

En plus de confirmer son intuition, elles lui parurent fort suspectes :

– T'as pas fini d'entendre parler de moi... ma toute belle! Ton Gilles a pas dit son dernier mot!

Michelle prit le temps de dévisager l'homme qui se levait précipitamment de la table. Leurs regards se croisèrent, leurs corps se frôlèrent, le temps d'un rapprochement forcé. Michelle Pouliot, en le reconnaissant, demeura figée sur place, tout à fait décontenancée et très perplexe.

Se pouvait-il que cet individu au regard dément et méprisant, ce Gilles Ducharme, soit celui qui s'était présenté devant elle quelques mois auparavant? La secrétaire, très physionomiste, fut vite obligée de n'en pas douter.

Aimable, rempli de tact et extrêmement séduisant, ce même individu s'était en effet amené au bureau, l'automne dernier, en fin de journée, juste au moment de la fermeture, lorsqu'elle se trouvait seule. Sans décliner son identité, il avait affirmé être un très proche parent de mademoiselle Saint-Amour. Il avait volontiers fourni moult détails sur la vie de Marie-Ève à Montréal, sur sa mère, Francine, sur la mort subite du père de Marie qui, avait-il précisé, se trouvait être un oncle par alliance. Il avait ajouté s'être absenté du pays pour le travail; pour cette raison, il avait donc perdu Marie-Ève de vue. Voulant lui faire une surprise, il désirait connaître ses coordonnées personnelles et celles de son conjoint, qu'il avait l'intention de contacter en catimini pour préparer d'heureuses retrouvailles.

Les faits relatés correspondant en tous points aux quelques confidences faites par sa collègue, au fur et à mesure des années, la secrétaire n'avait eu aucun motif de douter d'un quelconque subterfuge. Le fait est que, Michelle, en succombant au charme fou de ce personnage exceptionnel, avait perdu son acuité et son jugement. N'avait-il pas sous-entendu « qu'ils se reverraient sûrement bientôt »? Ne l'avait-il pas amplement complimentée sur sa tenue, sa coiffure, sa voix chaude et invitante? N'était-ce pas la première fois qu'on s'intéressait à elle, de cette façon?

Ainsi, contrairement à ses plus fidèles principes, « la vieille fille », subjuguée, comme hypnotisée, avait fourni toutes les informations que le bel inconnu avait réclamées, et même plus, allant jusqu'à jurer de n'en souffler mot!

Dans les semaines qui avaient suivi, la secrétaire en mal d'amour et d'attentions avait attendu et espéré le revoir ou, du moins, avoir de ses nouvelles par sa collègue. Puis, comme Marie-Ève ne soufflait mot à son sujet, et désirant respecter sa promesse de ne rien dévoiler, Michelle avait fini tout simplement par oublier l'affaire.

Comme un voleur, Gilles Ducharme sortit du restaurant et s'évanouit dans la nature. Quant à Michelle Pouliot, sans toutefois connaître la provenance de sa certitude, elle sut à cet instant précis qu'elle avait été parfaitement bernée. Au souvenir du contact éphémère de ce manipulateur sans scrupule et en raison de l'effet néfaste qu'il avait sur la délicate et gentille Marie-Ève, mademoiselle Pouliot, pour la première fois de sa vie, sentit monter en elle le goût répugnant de la rancœur.

Elle n'avait aucune intention de forcer les explications ou les confidences de la jeune femme, qui semblait déjà passablement retournée. Néanmoins, elle crut bon de lui dire, en la tutoyant pour la première fois :

– Le jour où tu auras besoin de te confier, Marie-Ève, je serai disponible pour t'écouter. Tu peux compter sur mon entière discrétion. Mais, ce que je veux aujourd'hui, c'est surtout t'offrir... mon amitié.

Michelle Pouliot, en serrant fort la main de sa collègue, se fit la promesse de demeurer sur ses gardes. D'instinct, elle entoura Marie-Ève Saint-Amour de ses bras, non seulement pour la réconforter, mais aussi pour la protéger d'un danger imminent.

VII

Le solstice d'été venait juste de rendre son hommage saisonnier à la lumière. Depuis trois jours, les longues heures d'ensoleillement donnaient raison à tous ceux qui avaient prévu une saison chaude, sans grandes pluies. La Belle-Rivière, fougueuse et pimpante dans sa jolie robe d'été, se faufilait adroitement à travers les fermes laitières et les champs cultivés. À mi-chemin entre Hébertville et Saint-André, un ancien barrage en enrochement, toujours en fonction, créait une réserve d'eau artificielle à des fins d'énergie électrique. Pour une courte période, la rivière sauvage, obligée de s'arrêter, sans devenir soumise pour autant, acceptait d'être docile, s'agitant mollement entre les versants des terres agricoles et des rochers calcaires.

Propriété privée oblige : une clôture de barbelés, pas très haute, ensevelie sous les ronces séculaires, interdisait le passage des véhicules. Depuis plusieurs années, une brèche de la taille d'une personne béait, comme une fracture ouverte, sans jamais être soignée. Dès lors, il devint évident que cette trouée, même bancale, souhaitait, de manière officieuse, la bienvenue aux riverains et aux amants de la nature. Chacun, moyennant un respect inconditionnel des lieux, pouvait donc profiter de ce décor enchanteur qui n'appartenait ni à la plaine, ni aux boisés, ni aux terres cultivées.

C'est à cet endroit que se trouvait Jean Huot, en cette chaude journée de la Saint-Jean. Assis à même le *cran*, comme on appelait, ici, ces formations saillantes de rochers calcaires, il contemplait la Belle-Rivière et se nourrissait de la beauté du monde.

Le notaire avait décidé de fermer l'étude quatre jours, afin de profiter de Marie-Ève, de la visite d'Aurélia ainsi que des festivités entourant le 24 juin. En revenant du village, où il s'était rendu faire les dernières courses en vue de la fête que Marie et lui organisaient en soirée, l'envie de faire une pause et de se retrouver seul dans la nature l'avait pris d'assaut. Après avoir stationné sa voiture à l'entrée du chemin de terre privé, Jean avait parcouru le court trajet à pied, jusqu'au rocher invitant qui surplombait le barrage.

Le ciel sans nuage et le temps doux s'avéraient de bon augure pour les festivités prévues en plein air. Valérie et Stéphane viendraient seulement pour le feu de camp, vers vingt-deux heures, une fois le restaurant fermé. Ils désiraient emmener leur petit garçon, âgé d'à peine six semaines. Valérie avait accepté l'invitation en plaisantant :

– Comme on parle ici de la première sortie mondaine de Benjamin Tremblay, hors de question que nous la manquions!

Le couple de jeunes restaurateurs resplendissait de joie de vivre, affichant ouvertement son bonheur ainsi qu'une belle réussite professionnelle. Ils se disaient comblés par le petit, un bébé adorable qui dormait paisiblement dans les marches de l'escalier, en plein cœur du restaurant, ce qui ne cessait d'impressionner l'antiquaire au plus haut point. Ils étaient fiers de leur entreprise, laquelle, selon eux, pouvait difficilement se porter mieux!

Des amis et connaissances du couple Huot-Saint-Amour devaient s'ajouter à Aurélia et Pamphile, pour le souper. Une agréable soirée en perspective! Il s'agissait de Pierre Archambault et de son épouse, anciens voisins du temps de Claire, avec qui Jean avait toujours gardé contact, du docteur Daniel Auger, quinquagénaire veuf et séduisant à qui Marie-Ève tentait désespérément de trouver une compagne, de Paule Brisebois et de son mari ainsi que de Michelle Pouliot. En songeant à cette invitée particulière, Jean ne put s'empêcher de s'étonner de nouveau.

Le respect et l'admiration que Marie avait toujours portés à mademoiselle Pouliot ne lui étaient pas inconnus. Toutefois, à la stupéfaction du notaire, après quatre années jusque-là limitées aux simples relations de travail, un lien d'amitié s'était développé, presque en un clin d'œil, entre les deux femmes, pourtant si différentes.

Dans la jeune cinquantaine, et en dépit d'une apparence physique enviable, Michelle Pouliot semblait vouloir se vieillir à tout prix et s'enlaidir coûte que coûte dans un sempiternel tailleur gris. Les cheveux longs et soyeux, mais toujours attachés et lissés de façon austère, les yeux profonds d'un beau vert jade, mais cachés par d'horribles lunettes dorées et clinquantes, Michelle Pouliot, cette femme d'une discrétion exaspérante, semblait, de l'avis de Jean, n'avoir aucune affinité avec sa compagne. Pourtant, contre toute attente, depuis avril, leur complicité et leur attachement mutuel tendaient à prouver le contraire!

Aux interrogations répétées de Jean, Marie-Ève avait d'abord répondu que sa maternité avait grandement rapproché les deux femmes. Ce à quoi, Jean avait rétorqué :

– T'es pas sérieuse, Marie! Elle a toujours été célibataire!

Alors, à l'improviste, comme si elle sortait des surprises d'un paquet cadeau, Marie avait énuméré des points soi-disant communs. Découverts tout récemment, ces centres d'intérêts les unissaient beaucoup : la gastronomie, art que Marie désirait développer rapidement, la spiritualité, auquel domaine Marie jurait de s'intéresser très bientôt, jusqu'au conditionnement physique, activité indispensable que Marie promettait de pratiquer... après l'accouchement!

Resté sur sa faim à cause des réponses ambiguës de sa conjointe, mais désirant néanmoins faire preuve de bonne volonté, Jean avait fini par admettre mademoiselle Pouliot dans leur cercle d'amis. Se sentant un peu honteux du jugement lapidaire porté sur la secrétaire et soucieux de laisser la chance au coureur, Jean se rappelait sa dernière remarque à ce propos :

– Tu sais, ma biche, je te concède qu'elle est brillante, efficace et honnête. Mais... si elle s'arrangeait un peu? Enfin, les vêtements, la coiffure, l'allure générale, quoi! Elle pourrait être vraiment pas mal! On dirait qu'elle le fait exprès pour passer inaperçue ou avoir l'air gourde!

Après ce commentaire sévère, mais proche de la vérité, auquel sa compagne avait souscrit sans réserve, était née dans l'esprit de Marie l'idée saugrenue de présenter mademoiselle Pouliot à Daniel Auger! La fête de la Saint-Jean, avec son feu traditionnel nocturne, lui avait paru l'occasion idéale!

– Hum!... le feu, c'est l'énergie de la passion, c'est la flamme du désir, l'ardeur, la chaleur, la fougue amoureuse, mon cher notaire! C'est une conjoncture très favorable, voire inespérée! Pourquoi ne pas mettre toutes les chances de notre côté?

Le notaire, perdu dans ces méandres féminins, avait capitulé en se contentant de blaguer :

– Notre côté? Mais de quoi parles-tu? Il est plutôt question de leur côté, Marie! Et surtout de son côté à elle. Si elle n'y met pas du sien!... Ah! et puis, j'abandonne. Je vous laisse seule juge, madame l'entremetteuse!

***

Jean sortit une cigarette et prit le temps de relaxer en admirant le paysage devant lui. Il se sentait de bonne humeur, paisible et confiant. Lorsque Marie avait quitté son travail, les premiers jours avaient été difficiles, d'autant plus qu'elle n'avait pas été en mesure de terminer la semaine, tel que prévu. Jean se souvenait de ce mardi où elle était revenue pâle, agitée et très fatiguée. Cette fois, il n'avait pas eu besoin d'insister, Marie elle-même ayant réclamé la visite du médecin!

Après avoir ausculté et soigneusement examiné la jeune femme, Daniel Auger n'avait heureusement trouvé rien d'anormal. Toutefois, à son avis, il fallait prendre très au sérieux les fortes nausées dont Marie-Ève se plaignait. Elles pouvaient être causées par la présence d'un hernie hiatale, mais aussi être simplement dues à une trop grande nervosité. L'hospitalisation pouvait être évitée aux conditions suivantes : un repos d'une semaine au lit, une alimentation saine, sans épices et sans café, en plus d'un soutien psychologique et affectif de quelques jours.

Les deux hommes avaient profité de cet incident pour échanger longuement. Au courant du passé du notaire, Daniel avait senti le besoin de conseiller Jean Huot, en ami. D'après le docteur, à force de craindre le pire, Marie-Ève aggravait sûrement son état. Daniel était persuadé que les malaises, l'agitation et la fatigue de la jeune femme provenaient plus de préoccupations temporaires que d'un problème physiologique important. Il se disait heureux de sa décision de ne plus travailler. Par conséquent, il avait recommandé à Jean une grande patience en l'enjoignant de démontrer une confiance à toute épreuve, ce qui aurait pour effet direct de rassurer sa conjointe.

Les propos sensés de Daniel, tout en apaisant les craintes du notaire, avaient provoqué chez lui un examen de conscience. D'une façon gauche mais spontanée, Jean avait réussi à faire d'intimes confidences à son ami. Parce que, de la tragédie de Claire et Sophie, Jean Huot avait tiré une leçon : jamais plus il ne s'enfermerait dans une prison de solitude.

Jean admit volontiers avoir été la cause principale de l'inquiétude de Marie, surtout au début de sa grossesse. En revanche, depuis l'entrée d'Aurélia Fortin dans leur vie, le notaire – et Marie-Ève elle-même s'était empressée de le lui faire remarquer – se sentait beaucoup plus serein et très confiant. Malgré un embarras évident et la crainte de passer pour un excentrique, Jean avait avoué voir en la fille de Joséphine un ange. Il ne pouvait s'empêcher de se sentir protégé à son contact! Ainsi, depuis les deux derniers mois, non seulement ne montrait-il et ne ressentait-il aucun signe de faiblesse ou d'angoisse, mais il faisait preuve d'une bonne humeur et d'une assurance solide. Dès lors, Jean avait confié être perplexe et pris au dépourvu devant le brusque changement de sa compagne.

Par la force des choses, la condition précaire de Marie avait contraint le notaire à fouiller plus en profondeur...

***

La seule conclusion à laquelle il était parvenu le rendait, encore aujourd'hui, amer et triste. Jean était persuadé que l'attitude de Louise Huot avait certainement contribué à accentuer et à entretenir la nervosité et l'inquiétude chez sa conjointe. C'est pourquoi, mettant son orgueil de côté, il avait tenté un autre rapprochement avec sa mère. Heureusement pour lui, il n'avait pas mis sa compagne au courant de sa démarche. Car, lorsque Louise apprit que Marie-Ève ne se sentait pas très bien et qu'elle avait besoin de compagnie et d'encouragements, au lieu de compatir à l'inquiétude de son fils, elle sembla s'en délecter!

– Tu vois! Tu vois! Qu'est-ce que je t'avais dit, hein? Évidemment, mon jugement n'a pas d'importance dans cette famille! Personne ne tient compte de mes avis et on ne s'est jamais déplacé pour me tenir compagnie, à moi! avait-elle reproché. Je savais bien que tu n'étais pas prêt! En tout cas, moi, tant que je ne suis pas prête, je ne bouge pas, j'attends!

Et Jean, envahi par l'amertume, s'était vidé le cœur :

– Ah! maman! À ce rythme-là, tu attendras toujours sur le quai de la gare. Oh oui, en restant sur place, dans ton connu, tu évites à coup sûr des peines, des tourments et tous les désagréments du voyage... Tu risques moins de te tromper et de faire des erreurs! Une façon comme une autre, à mon avis, d'escamoter les blâmes et les attaques.

« Quoi qu'il en soit, tu te prives sûrement de grandes rencontres, de merveilleux moments et d'extraordinaires découvertes! Si on attend toujours d'être fin prêt avant d'entreprendre quoi que ce soit, on risque fort de laisser passer des occasions inespérées d'apprendre, de grandir et surtout de créer des liens! C'est triste. Parce que je suis convaincu, vois-tu, que tu adorerais Marie-Ève!

« Ça ne me dit rien, maman, de demeurer éternellement spectateur! Moi, j'embarque, vois-tu. C'est pas la destination du voyage qui est importante en soi, c'est le trajet pour y arriver qui est exaltant! Les accidents de parcours, les pannes, les dérapages, les mauvaises directions, oui... ça arrive! Mais, ça fait partie du voyage! Et quand on ne peut réparer soi-même ou qu'on ne retrouve plus son chemin, il y a plein de gens autour pour nous aider à le faire. Je t'assure, maman, ça a été le cas pour moi!

« C'est sûr que ça implique l'incapacité ou l'impossibilité de tout contrôler! C'est vrai qu'à ce moment-là, on est presque obligé d'ouvrir son cœur d'enfant pour faire place à la magie, à l'impossible, à l'incroyable... C'est certainement la partie qui demande le plus d'humilité. Je comprends que cela puisse être difficile pour des personnes rationnelles, puritaines et craintives.

« Pourtant, il me semble qu'il n'y a pas d'autres choix : il faut apprendre à lâcher prise et à accepter l'autre, accepter d'être vulnérable, de se tromper, de recevoir et de... repartir encore, sans certitude! Peut-être est-ce un pas vers la sagesse?

« Toutes les expériences sont apprentissage, maman. Tu devrais le savoir, toi qui sais tant de choses! Je souhaite sincèrement que tu ouvres ton cœur avant la naissance de ton petit-enfant! »

Puis, sans dire au revoir, tant il avait eu la gorge serrée par l'émotion, Jean avait raccroché.

La décision de faire venir Francine quelques jours avait été prise conjointement par le couple. Fort heureusement, grâce à sa présence réconfortante et à celle de l'antiquaire, qui venait quotidiennement encourager et distraire Marie-Ève, sans oublier les appels réguliers d'Aurélia et de Michelle, qui faisaient le plus grand bien à la future maman, il avait été possible pour Jean de demeurer serein et confiant, malgré les circonstances.

Ainsi, au bout de quelques jours à peine, une dizaine tout au plus, la jeune femme s'était relevée en pleine forme, « toutes nausées cessantes », selon son expression du moment. Marie souriait à nouveau, semblait plus calme et surtout rassurée.

Pendant que juin affichait ses prés fleuris, ses arbres verts, son lac aux plages sablonneuses et sa Belle-Rivière aux courants impétueux, Jean songea que Marie-Ève devenait de plus en plus épanouie. La maternité lui prodiguait une grâce et une féminité accrue. Elle n'était plus seulement « belle d'elle » comme au temps de leur passion ardente dans les combles du grenier poussiéreux de la Fine; Marie-Ève Saint-Amour, ne cessait de proclamer le notaire, était désormais « belle de l'autre ». D'ailleurs, les regards empreints de bienveillance, de ravissement, de délectation que portait le monde sur sa compagne témoignaient d'un plaisir évident à l'observer et à la côtoyer.

Marie, son amour, sa biche, sous les bons soins de Daniel et si bien entourée de tous ses proches, allait entamer son huitième mois de grossesse.

Sur-le-champ, au cœur de la beauté du monde, Jean Huot décida de faire de mademoiselle Saint-Amour son épouse, dès la naissance de l'enfant.

***

À moitié aveuglé par la lumière éblouissante qui s'amusait, en plein jour, à dessiner des étoiles sur l'eau, presque endormi par le grondement sourd des turbulences qui se plaisaient à composer une musique eurythmique, Jean se laissait lentement dériver. Son regard, d'abord happé par le passage de l'eau dans les turbines, se dirigea ensuite sur le bord de la rivière.

Absolument indifférents au vacarme, des oiseaux noirs s'ébrouaient gaiement dans l'eau fraîche. En effet, de petites flaques, çà et là, servaient de baignoires naturelles à la gent ailée, en mal de rafraîchissement. Jean reconnut quelques étourneaux au plumage irisé, plusieurs quiscales aux reflets violets, des vachers à la tête brune ainsi que deux ou trois carouges. Puis, en arrière-plan, descendant la pente du champ vers la rivière en grattant le sol de son bec court, un oiseau fort différent : haut sur des pattes jaunes, une petite tête foncée, le cou mince et élancé, une longue queue, le volatile se mit à émettre un sifflement éthéré, de toute beauté. Sans raison précise, Jean associa le limicole gracieux, dont il oubliait le nom, à la belle Aurélia.

Coquette, dans une forme surprenante, la Roseraine était arrivée hier, en autobus cette fois. Elle semblait enchantée de revenir enfin au Lac, en simple visiteuse. Ce matin, en attendant l'antiquaire qui venait déjeuner avec eux, Aurélia s'était exclamée avec une joie évidente :

– Ah! je suis aux anges, mes amis. Aux anges! Vous ne pouvez pas savoir!

Et Jean, ravi, sous le charme de cette petite femme délicieuse, avait interprété ces paroles comme une confirmation à son pressentiment :

– Si Josépha voyait un bon Samaritain dans les paroles des chansons, avait-il demandé à la dérobée à Marie, qu'y aurait-il de mal à voir un ange dans une belle Roseraine?

– Aucun, mon amour! avait-elle répondu spontanément, dans un bel éclat de rire.

« Maintenant, se dit Jean, impossible d'évoquer Aurélia sans penser à ce cher antiquaire! » Soudain rajeuni de plusieurs années, Pamphile ne s'était pas privé pour aller saluer Aurélia Fortin à Sainte-Rose, trois ou quatre fois en autant de semaines! Il était clair que les deux tourtereaux se vouaient une très grande estime. Parce que témoin privilégié de ce couple hors du commun, Jean se sentit réconcilié avec la vieillesse :

« Si je dégage autant d'harmonie et de vivacité à cet âge, je veux bien vieillir avec la Marie! » se prit-il à philosopher, en paix avec lui et le monde.

Un peu avant la Saint-Jean, non sans une certaine gêne, Pamphile s'était informé à savoir si « madame Fortin pouvait rester chez la Marie, pour une couple de jours ». De là, était née l'idée chez Marie-Ève et Jean de profiter de l'occasion de la fête nationale pour intégrer Aurélia Fortin à leur cercle d'amis.

En femme passionnée, la Roseraine s'intéressait à tout. Son penchant marqué pour la nature la rendait attachante. Dans un pot-pourri surprenant, les livres sur la faune et la flore, les jumelles et les feuillets d'observation côtoyaient gaiement les parfums, les bijoux et les médicaments dans une petite trousse de voyage. Pour elle, un petit rien devenait prétexte à toute une histoire.

Jean entendait encore Aurélia raconter avec moult détails l'histoire sympathique du merlebleu.

En mai, aidée de son séduisant voisin, lequel, avait-elle précisé d'un air narquois, semblait susciter un brin de jalousie chez l'antiquaire, elle avait installé le nichoir construit par Pamphile sur un piquet de la clôture de perches, près du pommier où l'oiseau pouvait se réfugier, en cas de danger. Le merlebleu, désirant profiter de ce logis inespéré, avait réussi, par une série de parades nuptiales époustouflantes, à convaincre l'hirondelle de sa supériorité. De guerre lasse, cette dernière s'était éloignée. Peu après, la compagne du merlebleu, discrète et craintive, couvait affectueusement ses œufs.

– Ah! bien des ornithologues se déplacent chez moi juste pour observer le célèbre couple et le photographier! avait lancé Aurélia, avec fierté. Je rencontre des gens comme jamais auparavant et, ma foi! il semble que je devienne de plus en plus populaire! Et tout ça, grâce à monsieur l'antiquaire! Je vous le dis, mes chers amis, la cabane à merles de Pamphile Côté, quoique moderne, a, à travers ses mains expertes, tout de suite pris autant de valeur qu'une... célèbre antiquité! Qui l'eût cru?

Puis, en s'approchant de Marie-Ève et en lui prenant la main, d'une voix mélodieuse, comme celle du limicole qu'il entendait toujours, Aurélia avait ajouté :

– Chaque fois que j'observe la merlette, je pense à toi, *ma toute belle...*

À cet instant, il s'était passé un fait curieux. En voyant l'air médusé de Marie-Ève et ses yeux agrandis par un saisissement inexplicable, Jean aurait pu jurer qu'elle venait de voir un fantôme. Dans un geste insolite, elle avait secoué sa tête et son corps comme pour se défaire d'une poussière invisible et très nocive. Pendant que Marie serrait les lèvres, il avait semblé au notaire que ses yeux de biche essayaient de dire quelque chose. Ensuite, sans que personne s'y attende, elle s'était mise à pleurer doucement.

En se demandant ce que ses paroles avaient pu contenir de si dérangeant, Aurélia avait regardé le notaire d'un air inquisiteur. Puis, constatant que l'étonnement de Jean égalait le sien, Aurélia avait relié les larmes de Marie à une trop grande émotivité.

Dès lors, la Roseraine, sans hésiter, avait serré la jeune femme fragile dans ses bras, en l'encourageant :

– Tout va bien aller, ma petite. Ne crains rien. Je suis là, maintenant!

***

Le temps semblait vouloir s'accrocher au beau fixe comme le lever de soleil à l'aurore. Marie-Ève se portait à merveille et avait plusieurs raisons de se réjouir.

Par ce beau jour de juillet, vêtue d'une jolie robe de maternité, un large chapeau de paille sur la tête pour se protéger du soleil, ronde et bien portante, l'informaticienne ressemblait désormais à une future maman. Telle une châtelaine, elle se déplaçait lentement, allant et venant dans le jardin fleuri. Ici, elle nettoyait un agencement de fleurs en pot, là, elle changeait la disposition de certaines plantes, plus loin, elle arrosait quelques arbustes nouvellement plantés.

À cause de la chaleur, Trompette, bien installé à l'ombre de la véranda, tout en prenant ses aises, surveillait de loin sa jeune maîtresse, devenue plus instable que le temps.

La solitude que Marie-Ève venait de retrouver ne lui pesait plus; elle était même bienvenue après des semaines de présence soutenue à ses côtés.

À la demande du couple, et, constatant que sa présence ne dérangeait en aucune façon, Aurélia avait accepté de rester quelques jours de plus. La Roseraine n'était repartie qu'à la fin de juin. Les deux femmes avaient eu le temps d'apprendre à mieux se connaître ou, plus précisément, à se reconnaître, de l'avis de Marie-Ève. De plus, dans les derniers jours, se trouvant en vacances pour six semaines, Michelle Pouliot s'était souvent jointe à elles. Que de bons moments de complicité féminine elles avaient passés ensemble!

– Ah! cette chère mademoiselle Pouliot! s'exclama tout haut Marie, avec ravissement.

Michelle était justement la raison majeure de sa bonne humeur et aussi la source de sa fierté! Depuis la soirée réussie de la Saint-Jean, mademoiselle Pouliot sortait officiellement avec le séduisant docteur Auger!

Un peu avant la fête, en mettant de côté sa gêne, Marie-Ève avait conseillé à son amie divers changements qui pourraient vraisemblablement l'avantager. Quoique faisant preuve de tact et de délicatesse, la jeune femme, il faut le dire, avait mis les bouchées doubles. Tout en tournant avec sagacité les pages préalablement choisies de *Elle Québec* et de *Femmes d'Ici*, Marie vantait les mérites et les multiples qualités du docteur Auger, ce « pauvre veuf en mal d'amour, en mal de compagne, en mal de voyages... »

Les conseils judicieux de Marie-Ève, assortis de l'assurance d'une rencontre avec un homme séduisant, en dépit du fait qu'il fût... « si mal en point, pour un docteur », n'étaient pas tombés dans l'oreille d'une sourde. Au contraire! Ils avaient plus que porté leurs fruits!

En effet, le soir du 24, Jean lui-même n'avait pas reconnu Michelle! En compagnie du couple Archambeault, à qui il faisait visiter les lieux, le notaire n'avait pas eu la chance de voir arriver mademoiselle Pouliot. Quand il avait retrouvé Daniel en compagnie d'une ravissante femme, il avait cru, sur le coup, à une récente conquête de son ami. Marie-Ève, s'étant vite rendu compte de l'imbroglio, s'était avancée vers eux en s'exclamant :

– Ah! ma chère, ma chère! Tu es en grande beauté, ce soir! N'est-ce pas, Daniel? Tu n'es pas de cet avis, Jean?

Au souvenir de l'air pantois du notaire, Marie ne put contenir son hilarité :

– C'était trop drôle! Jean qui se demandait comment cela se faisait que je connaissais cette personne : « À ce que je vois, les présentations sont faites! Jean! Mon chéri! Tu vois? Daniel et... mademoiselle Pouliot n'ont même pas eu besoin de notre assistance pour se présenter l'un à l'autre. »

Le nez dans ses fleurs, Marie-Ève continuait de songer à la fête, plus que réussie, et à la prouesse de la secrétaire :

« Complètement déboussolé, Jean ne savait plus où se mettre. Il n'arrêtait pas de se confondre en excuses. Ah! ça valait de l'or! Mais je dois avouer que, si je n'avais pas été au courant des intentions de Michelle, j'aurais fait pareil! Tout en la reconnaissant, j'ai moimême reçu un choc en la voyant! Il faut dire qu'avec ses verres de contact, son chignon bouclé, sa robe ajustée qui dégageait de jolies épaules et son décolleté... affriolant, elle était tout simplement méconnaissable et surtout très séduisante! Chère Michelle! Elle a conquis le docteur en quelques heures à peine! Elle a réussi un fameux exploit! Elle, si réservée! Dire qu'elle ne m'a jamais rien demandé au sujet de... »

La sonnerie du téléphone sortit Marie-Ève de ses rêveries. Sur le coup, elle eut un pincement au cœur. Malgré qu'elle fût persuadée que Gilles avait renoncé à la poursuivre, conviction fondée sur les dernières semaines de silence, une légère crainte persistait, sans la déranger outre mesure. Grâce à l'attention et à l'amour de Jean, de Pamphile, d'Aurélia, de Michelle, de sa mère et de tous les autres, la sensation de contrainte s'estompait, ne devenant plus qu'une infime pression.

Quand elle entendit la voix de Michelle, elle se sentit vite soulagée et lui avoua penser justement à elle.

L'excitation de son amie, comparable à celle d'une adolescente à ses premières amours, ravit le cœur de Marie-Ève. Daniel invitait Michelle à faire une croisière sur le fjord du Saguenay, au début de la semaine prochaine. Elle appelait pour s'enquérir s'ils voulaient se joindre à eux et, ensemble, ils iraient saluer Aurélia, à Sainte-Rose :

– Peut-être pas à la manière de Pamphile, mais quand même! disait Michelle gaiement. Quand elle nous a invités, Daniel et moi, je crois qu'elle était certaine que nous formions un couple depuis longtemps! C'est quand même étrange... Ah! tu avais raison. C'est une femme exceptionnelle! Tout comme toi, Marie-Ève Saint-Amour! Si je n'avais pas suivi tes précieux conseils, je n'en serais pas là, aujourd'hui! Je ne te remercierai jamais assez!

Marie apprécia le compliment, mais dut répondre par la négative à l'invitation. Elle exposa le désir du notaire de mettre ses dossiers à jour, en juillet, puisqu'il avait décidé de fermer l'étude tout le mois d'août. Ayant pris beaucoup de rendez-vous dans les trois prochaines semaines, il lui serait impossible de s'absenter.

– Ah! c'est pas grave! On aura sûrement l'occasion de se reprendre!

Les deux femmes discutèrent encore un peu, puis se laissèrent. Pimpante, le cœur léger, Marie-Ève retourna à ses plantes. En regardant sa montre, elle songea qu'elle avait encore bien le temps de préparer le repas.

***

Presque immédiatement, le téléphone sonna de nouveau : « Tiens! Elle a encore oublié de me dire quelque chose! Elle ne changera jamais! »

– Oui? répondit-elle, plaisamment.

Le silence qui suivit fut aussi dévastateur qu'un éclair foudroyant un arbre solitaire. Et, comme l'arbre frappé par la foudre, Marie-Ève se sentit déchiquetée, puis brûlée. Elle sut instantanément que Gilles Ducharme était à l'autre bout du fil.

– Allô? Il y a quelqu'un? répéta-t-elle faiblement, mais d'une voix qu'elle voulut posée et normale.

Marie-Ève sentit le combiné comme une grosse main noire et visqueuse qui allait extirper insensiblement l'insouciance et la paix de son cœur.

– Évidemment, ma toute belle. C'est ton Gilles à l'appareil! J'imagine que tu attendais mon appel, hein? Tu me fâcherais si tu disais le contraire. Comme ça, t'as arrêté de travailler? T'aurais pu me prévenir, j'aurais pas fait tout ce voyage, hier, pour venir te saluer... Oh! excuse-moi! C'est vrai, t'as pas encore mes coordonnées. On va donc pardonner, encore une fois!

« J'appelais pour te dire que je ne t'ai pas oubliée. J'ai eu beaucoup à faire dernièrement, tu comprends? Par contre, ça t'a donné tout le temps pour avertir le p'tit notaire...

– Voyons, Gilles! Tu ne peux pas être sérieux! C'est de la folie! C'est ridicule! La comédie a assez duré...

– Arrête! Stop! Si tu t'avises de raccrocher, Marie-Ève Saint-Amour, t'es pas mieux que morte, je t'avertis!

Il avait hurlé si fort que Marie-Ève, terrorisée, avait retiré le récepteur de son oreille, sans toutefois oser mettre fin à l'appel.

– C'est moi qui décide de ce qui est sérieux ou pas. Tu piges? Tant mieux si tu prends ça pour une comédie, ma toute belle, mais je t'avertis que ça pourrait virer à la tragédie ben raide.

« Bon! Assez niaisé. On est... quelle date? Euh!... le 7 juillet. Je finis de travailler vers la mi-août, à peu près. Je te rappellerai un peu avant pis on se donnera rendez-vous quelque part. T'as intérêt à être prête pis disponible. Tu mettras ta belle robe de l'autre jour, hein? Ça fait ben trop longtemps que chus en manque de toi, pis un gars s'écœure de savoir sa blonde dans le lit d'un autre. Bon! ben, salut, mademoiselle Saint-Amour... du rang des APIS. À très bientôt! »

Et il raccrocha abruptement, sans que la jeune femme eût la chance de s'exprimer de nouveau.

Complètement anéantie, Marie-Ève s'assit à même le sol. De rage et de désespoir, elle se mit à retourner la terre noire entre ses mains en la broyant, en l'écrasant, en la repoussant au loin. Terrifiée, elle voyait le visage de Gilles se fusionner avec les particules sombres, créant, dans son esprit, l'image d'un dément dans les affres de la folie.

Dans un éclat de rire névrosé, Gilles Ducharme avait lancé des paroles qui avaient résonné comme un blasphème à ses oreilles : le rang des Apis.

Non seulement Gilles savait où venir la traquer, mais, au point où il était rendu, qui sait s'il n'avait pas l'intention de s'attaquer à l'amour de sa vie, Jean Huot?

***

Aurélia raccrocha le téléphone. En toute hâte, elle prit son sac, ses clefs et se dirigea vers la porte. Elle devait se rendre au village, sans délai.

Juste devant la maison, sur la piste du vieux pommier, elle rencontra Jules qui allait dans la même direction. Ils décidèrent de faire le chemin ensemble. Un bref échange de salutations avait suffi à Aurélia pour constater l'état de tension nerveuse chez son voisin. Ses gestes saccadés et sa voix caverneuse, son regard affolé et sa tenue négligée trahissaient son mal-être.

– Jules... Je crois que vous me considérez comme une amie. Est-ce que je me trompe? Non! À la bonne heure. Vous semblez bien mal en point! Que se passe-t-il? Est-ce que je peux faire quelque chose pour vous aider?

– Je ne crois pas, madame Aurélia... Peut-être bien, après tout. Je ne sais pas!

– Je vous en prie, confiez-vous! Vous en avez besoin, je le vois bien! Je ne vous mangerai pas, vous savez.

– C'est à cause d'elle surtout que ma vie n'a plus aucun sens! Comme si ce n'était pas assez, je fais face à de graves problèmes financiers.

« Ah! pour tout vous dire, elle semble hésitante à venir à Montréal avec moi. Pourtant, je vous le jure, Aurélia, elle était éperdument amoureuse et si dépendante de moi, dans le passé! Elle ne pouvait rien faire sans moi! Ce n'est pas elle, mais bien moi qui l'avais quittée! Ah! elle restera toujours stupidement craintive. Elle manque de caractère à mon goût. En plus, elle ne me prend pas au sérieux et cela me frustre au plus haut point, Aurélia! La dernière fois, elle m'a dit « d'arrêter ma comédie »! J'ai été obligé de lui faire peur, vous comprenez...

– Peur? Que voulez-vous dire? questionna Aurélia, perplexe et sur ses gardes.

– Bien... j'ai dû mettre les points sur les i. Comme c'est une question de survie pour moi, je lui ai dit que si elle ne voulait pas que cette affaire tourne en tragédie... Oh! ne craignez rien, Aurélia, ajouta-t-il en voyant l'air médusé de sa voisine et confidente, c'était juste pour la secouer un peu! Je n'ai aucune intention de lui faire du mal! Mais, je suis bien obligé de lui indiquer la voie à suivre puisqu'elle ne voit rien! Elle est aveuglée par son... son gringalet d'amoureux! Elle est tellement puérile et rêveuse, la pauvre!

« Enfin! Le seul élément qui plaide en sa faveur, c'est que le désir d'elle m'est revenu, plus fort qu'avant. Depuis le temps, elle a gagné de bien belles formes! Elle est splendide et extrêmement attirante. Tout ça pour dire que ma décision est prise. Elle revient avec moi à Montréal, le mois prochain!

– Votre décision? Il me semble que cela doit être une décision commune, Jules. Et puis, pourquoi vous entêter à essayer de regagner son cœur, si vous lui trouvez autant de défauts?

– Regagner son cœur? Il ne s'agit pas de cela, Aurélia. Je n'en veux pas de son cœur romantique et de son côté fleur bleue. J'ai juste besoin de l'avoir près de moi pour... Euh!... je vieillis comme tout le monde et j'ai envie de compagnie. Alors, elle ou une autre!

– Là, je ne suis pas d'accord avec vous! Au risque de vous déplaire, Jules Duchesne, je crois que vous faites fausse route, complètement!

Pendant de longues minutes, d'une voix qui se voulait douce et persuasive, malgré qu'elle se sentît hors d'elle et surtout dans la crainte qu'il puisse commettre un geste irréparable, Aurélia tenta d'expliquer à Jules ce qu'elle avait pu déduire des confidences qu'il lui avait faites au cours des mois précédents. Elle se fit un devoir de mettre en lumière le fait suivant : voir en une femme un unique objet de plaisirs s'avérait très malsain et relevait plus d'une notion de domination que de partage.

– Je ne suis pas dupe, vous savez, monsieur Duchesne. Je vais être sincère avec vous et vous dire ce que je pense : vous croyez qu'elle vous porte bonheur, qu'elle vous fait gagner au jeu, ni plus ni moins! N'est-ce pas de cela dont il est franchement question, ici? Votre esprit vous égare, mon ami, et pourrait vous conduire à faire des gestes que vous pourriez amèrement regretter plus tard, j'en ai peur. Écoutez-moi...

En terminant, toujours avec une réelle compassion, parce qu'elle considérait l'homme devant elle mentalement atteint, Aurélia lui conseilla de consulter un spécialiste au plus tôt, car il semblait très déprimé et sur le point de craquer.

– Ah! vous êtes perspicace. Je suis, en effet, déprimé, malheureux et torturé, concéda-t-il soudain, dans un élan de sincérité et de désespoir. Si vous tenez à le savoir, je me sens perdu, Aurélia. Je ne suis que l'ombre de moi-même. Il y a de grands trous vides dans ma tête. Parfois, je ne me souviens même plus de ce que l'autre, en dedans de moi, fait ou dit... Et puis... ma dépendance au jeu prend des proportions qui me dépassent, avoua Jules d'une voix brisée.

« Je suis d'accord avec vous, vous savez. Moi aussi, je pense qu'un long, un très long séjour dans un institut pourrait m'aider, autant pour me sortir de ma dépendance que pour me remettre... sur les rails de la raison!

« Malheureusement, je ne peux plus prendre cette voie, madame Fortin. Je n'ai plus d'argent pour me payer ce genre de traitement! Pire, j'ai des dettes dont vous ne pouvez même pas imaginer l'ampleur!

« J'ai souvent envie... de me jeter en bas des falaises du fjord, vous savez. L'image me fascine : je me vois voler dans les airs, libre, enfin dégagé de tous les tourments terrestres. Mais, quand j'imagine la fin, le sang qui éclaterait de ma tête, de mon corps en m'écrasant sur les rochers... Pouah!... je suis écœuré! Alors, je cherche une autre issue et... elle débouche inévitablement sur elle!

« Comprenez-vous mieux alors pourquoi elle devient ma seule possibilité de guérison? Quand elle sera avec moi, j'irai mieux, à tous les points de vue! Puis, l'amour viendra avec le reste! Je vous jure que je ne fais pas erreur, madame Fortin! Croyez-moi. Faites-moi confiance! »

Son cri pathétique avait résonné de façon lugubre dans le cœur sensible d'Aurélia. Cet homme était au bord du précipice. S'il tombait, entraînerait-il quelqu'un d'autre dans sa chute? Se rappelant un passage particulier des confidences de Jules, elle fit une dernière tentative pour le mettre en garde de la folie qui le guettait :

– Qui vous a affirmé cela, Jules? La voix?

– Oh! alors... vous la connaissez aussi? se contenta-t-il d'ânonner d'un air hébété.

La réponse délirante qu'elle venait d'entendre confirma à Aurélia la gravité du cas de son voisin. Ce qu'elle pouvait faire de mieux, pour le moment, était de réitérer son conseil d'aller chercher de l'aide au plus vite, ce qu'elle fit, en insistant.

Presque arrivée au village, elle décida de lui changer les idées en badinant :

– J'ai aperçu le couple qui est venu vous visiter la semaine passée. Je jurerais qu'il s'agit de votre sœur, non? J'ai pu la voir d'assez près quand elle se promenait sur le chemin du vieux pommier. Elle vous ressemble beaucoup!

– Ah!... oui, vous avez l'œil, madame Aurélia. C'est ma sœur aînée, Françoise. Elle habite Saint-Lambert, en banlieue de Montréal. J'aurais aimé vous la présenter, mais elle n'est pas restée assez longtemps! Comme ils n'étaient jamais venus au Saguenay et sachant que j'habitais aux abords du fjord, ils ont voulu profiter du fait de ma présence ici, avant mon départ définitif en août. Elle est bien gentille, affectueuse, mais très maternante, vous savez. Un peu comme vous! Je crois qu'elle voulait surtout s'assurer de ma bonne conduite et de ma bonne condition!

« Dites... Madame Aurélia, je me demandais...

– Oh! vous allez devoir m'excuser, Jules. J'ai pris beaucoup de retard et j'attends des invités pour le souper. Je dois encore faire mes courses et tout préparer! Nous nous reverrons sûrement bientôt. Prenez bien soin de vous... Au revoir!

Aurélia Fortin n'était pas née de la dernière pluie. Elle avait compris que son voisin – pour la première fois – désirait lui emprunter de l'argent. Il n'était pas question pour elle de tomber dans ce piège et surtout de l'enfoncer encore plus.

Toutefois, elle se fit la promesse qu'elle l'aiderait, bien malgré lui!

***

Michelle, Aurélia et Daniel avaient transporté leurs chaises jusque sur la pelouse. Ils ne voulaient pas manquer le coucher de soleil, décrit par la Roseraine comme spectaculaire. D'après Aurélia, les couleurs de l'arc-en-ciel se répercutaient jusque sur les rochers escarpés du fjord, créant un effet saisissant.

Autour d'un feu de bois qui avait pour but, avant d'être beau, d'être efficace en enfumant les hordes de maringouins voraces, les trois amis discutaient paisiblement en sirotant une tisane. Le couple ne manquait pas d'éloges pour décrire la région magnifique du fjord du Saguenay. À leur prochaine visite, ils comptaient bien découvrir les charmes du notoire village de L'Anse-Saint-Jean, et ce, avant la fin de l'été. Leur croisière avait eu lieu sous le signe du soleil et, au grand soulagement de Michelle, sujette au mal de mer, sur une rivière des plus calmes.

Rayonnants, le teint hâlé, les yeux pétillants et le cœur en amour, Michelle et Daniel étaient arrivés chez Aurélia vers seize heures, les mains remplies de cadeaux : bouteille de vin, chocolat aux bleuets, bouquet de fleurs... Peu habituée à de telles marques de sympathie, la Roseraine s'était empourprée, à la manière d'une toute jeune fille.

Aurélia s'était permis d'inviter Béatrice et Yvon pour l'apéritif, ce qui avait enchanté le couple jeannois, désireux de faire de nouvelles connaissances. La bonne humeur, la belle entente et l'humour avaient été au rendez-vous. Puis, après le départ de l'institutrice et de son mari, ils avaient pris place autour de la table dans une ambiance de rires, de vacances et de plaisir partagé.

Les dernières heures du jour s'étiraient langoureusement en cette mi-juillet chaude et délicieuse, propice aux ébats amoureux. Assis l'un près de l'autre, Michelle et Daniel se tenaient la main. Très à l'aise, le couple exprimait sa joie de partager la compagnie d'une hôtesse si accueillante. Cependant, ils avouèrent commencer à ressentir la fatigue de la journée passée en plein air. Désirant aussi se retrouver dans une intimité toute légitime, ils parlaient de devoir partir pour retourner à leur auberge, à Saint-Fulgence.

Tout à coup, le bruit pétaradant d'une vieille voiture, telle une écorchure dans le calme des conversations feutrées, retentit haut et fort dans l'air de la campagne. D'instinct, le petit groupe, choqué, tourna la tête dans la même direction, soit vers le chemin du vieux pommier. Lorsque Michelle vit ralentir le conducteur, elle avança la tête pour mieux voir à qui Aurélia faisait de si grands signes. Alors, comme si elle venait de voir un revenant, les yeux de Michelle Pouliot s'agrandirent de stupéfaction.

– Mais... mais... c'est lui! Ici! Comment ça se fait? Je n'arrive pas à le croire! Gilles Ducharme, ici! s'écria-t-elle, complètement renversée.

– Qu'avez-vous dit? demanda poliment Aurélia. Elle n'avait pas bien entendu ce que racontait Michelle à cause du crépitement soudain des flammes, devenues plus fortes avec le vent du sud qui prenait ses aises. Vous le connaissez?

– C'est lui! J'en suis sûre! Cet homme... haïssable et insolent! Un menteur et un manipulateur!

– Vous confondez mon voisin avec quelqu'un d'autre, Michelle! J'en ai bien peur! protesta Aurélia, surprise. Il s'agit de monsieur Jules Duchesne. C'est un homme malheureux et dévasté, très souffrant, j'en ai peur, mais d'une gentillesse et d'une politesse sans pareille!

– Oh oui? Jules Duchesne, vous dites! Ah! je... je m'excuse. En effet, je l'ai pris pour quelqu'un d'autre! Ça alors! La ressemblance était frappante, croyez-moi, Aurélia! Mais, c'est vrai qu'il commence à faire noir et je dois m'habituer à mes nouveaux verres de contact...

***

Malgré elle, la vue de cet homme la ramena à l'automne dernier, puis au jour du restaurant, à Alma, et, par ricochet, à Marie-Ève. C'est pourquoi Michelle ressentit soudain le besoin de connaître l'avis d'Aurélia sur une question qui lui tenait à cœur. Elle s'enquit d'abord auprès de Daniel à savoir s'ils pouvaient s'attarder un peu plus. Un signe de tête affirmatif du docteur et son sourire charmeur en dirent long, tant à Michelle qu'à Aurélia, sur la suite de la soirée...

– Madame Aurélia! Si je puis me permettre... J'aimerais savoir ce que vous pensez des dernières lubies de Marie-Ève? Ah! pour tout vous avouer, même si Daniel ne cesse de me rassurer, je suis très inquiète à son sujet!

– D'après ce que Pamphile m'a raconté, je ne pense pas qu'il y ait quoi que ce soit d'alarmant dans sa conduite, répondit Aurélia posément. Marie-Ève a spécifié qu'elle était sans cesse harcelée par des vendeurs de publicité ou de produits de consommation au téléphone et qu'elle n'arrivait pas à se reposer adéquatement. Vous savez, Michelle, il y a beaucoup de gens qui n'ont plus de téléphone conventionnel à la maison! Ils ne gardent que leur cellulaire, comme Béatrice ou mon voisin, par exemple.

– Je veux bien, rétorqua Michelle. Quoiqu'il me soit arrivé plusieurs fois d'être avec elle toute une journée sans que le téléphone sonne!... Passons. Que pensez-vous alors du fait qu'elle soit désormais incapable de rester seule! Tout d'un coup, comme ça? Pour une personne qui adore son intimité et son chez-soi, elle est rarement à la maison, sauf si quelqu'un s'annonce pour la visiter. Et cette personne a intérêt à se prendre plusieurs jours à l'avance! Elle passe des heures à lire à L'Escalier, dans le bruit et le va-et-vient constant, ou encore de grandes journées chez l'antiquaire, où il fait une chaleur insupportable! Son jardin, auquel elle est pourtant si attachée, dépérit à vue d'œil! Ce n'est pas normal!

– Je sais... je sais... Pamphile m'en a longuement parlé! Il faut comprendre qu'elle a été beaucoup entourée pendant le mois de juin. Peut-être se sent-elle seule? Elle avait l'habitude de travailler à l'extérieur, Michelle, et de voir du monde. Et puis, l'antiquaire demeure son plus grand ami, ne l'oublions pas! On peut même dire qu'il est un grand-père, pour elle!

– J'en conviens. Néanmoins je demeure persuadée qu'elle... Ah! et puis, n'en parlons plus.

– Qu'alliez-vous dire, Michelle? Vous êtes persuadée de quoi, au juste?

– Je suis certaine que Marie-Ève Saint-Amour garde un secret qui la tourmente. Voilà! lança la secrétaire, d'un trait, sans toutefois en dévoiler plus sur les événements dont elle avait été témoin.

Dans le silence qui suivit, on n'entendit que le crépitement des flammes hautes et fortes. La nuit ainsi que la fraîcheur attendue étaient arrivées en douceur. Les visages prenaient des formes fantomatiques sous les reflets mouvants du feu vigoureux. Consternée de surprendre une réelle inquiétude dans le regard de Michelle, Aurélia comprit qu'elle devait prendre au sérieux ses propos, qui, hélas, correspondaient en tous points à ceux de l'antiquaire.

« Inutile de tergiverser, songea-t-elle. D'autant plus que ses constatations rejoignent les miennes. J'ai été auprès de Marie-Ève plusieurs jours d'affilée, sans que le téléphone assaille qui que ce soit! » Les questions qu'Aurélia se posait étaient les suivantes : devait-elle faire part à Michelle de ses considérations quant au possible secret de Marie-Ève et pouvait-elle exprimer ses craintes et celles de l'antiquaire, sans aggraver l'appréhension déjà évidente de l'amie intime de Marie-Ève?

Après seulement quelques minutes d'hésitation, elle lança la même hypothèse qu'elle avait présentée à Pamphile, en mai. Une fois qu'elle eut terminé son exposé, c'est Daniel qui prit la parole :

– Madame Fortin! Ce serait une hypothèse très valable, effectivement, si... si Marie-Ève avait passé ce fameux test. À ma connaissance, elle ne l'a pas fait! Même en admettant qu'elle soit allée dans un autre hôpital, cela ne change rien à notre affaire. Les résultats sont envoyés directement au médecin de famille, jamais à la patiente! Rien, dans son dossier, n'indique une telle démarche de sa part. Je suis désolé, Aurélia, mais je crois que Michelle et l'antiquaire ont raison! Il faut absolument que Marie-Ève se confie avant qu'il n'arrive malheur.

– Malheur? Que voulez-vous dire, docteur? questionna Aurélia, qui voyait ses propres inquiétudes se confirmer.

– Loin de moi l'idée de paraître alarmiste, mesdames, mais, vous le savez, son état est précaire. Je suis tenu au secret professionnel, évidemment. Cependant, je peux vous dire que les risques de ne pas amener sa grossesse à terme deviennent... de plus en plus sérieux!

« Je sais pertinemment que Jean a tout essayé pour faire parler sa conjointe, mais sans résultat. Il est fermement persuadé que l'attitude négative de sa mère, Louise Huot, face à leur union et à la grossesse de Marie-Ève, demeure la seule cause du problème. Il m'a même confié dernièrement : « Tu vois, Daniel, le fait que Marie ne veut plus de ligne téléphonique à la maison confirme mes craintes. Elle redoute un appel de ma mère! Et, connaissant cette dernière, je comprends Marie! Je ne peux que lui donner raison, hélas! » Voilà ses paroles!

« Cela se tient... Oui... Toutefois, il n'a pas su expliquer le besoin incoercible de Marie-Ève de se retrouver ailleurs, en dehors de chez elle. Car, c'est de cela dont il s'agit, ici : un besoin incoercible! Ce nouveau comportement est, à mon avis, symptomatique d'un état d'esprit très spécifique. Tout en étant différent dans sa forme, il ressemble étrangement aux nausées dont elle a été victime en mai et juin.

« Je ne suis pas psychologue, bien sûr, mais ces réactions, quoique différentes d'aspect, proviennent d'une même toile de fond qui m'apparaît, hélas, plus sombre que ne le voit Jean... Moi aussi, j'aurais tendance à croire qu'il se passe autre chose.

– Mais... Dieu du ciel! lança Aurélia, troublée par les propos sensés de Daniel et aussi par son objectivité, quel est donc ce secret qui peut, à ce point, la perturber?

VIII

Depuis quelques jours, le mois d'août avait fait son entrée en grande pompe dans la saison estivale. Las de se faire banalement absorber par l'automne et outré d'attirer si peu l'attention du public, le huitième mois de l'année avait décidé de déverser un flot de chaleur tel que chacun, en courant l'ombre, l'eau et les plages dorées, n'osait plus le laisser pour compte!

Assommé par la canicule, l'antiquaire se berçait devant sa fenêtre de salon. Il venait tout juste d'avoir Aurélia au téléphone. En règle générale, ils se téléphonaient en soirée. Mais Pamphile s'ennuyait tellement qu'il avait décidé de faire une exception et de l'appeler en après-midi.

Lorsque les deux tourtereaux se trouvaient loin, l'un de l'autre, le temps avait de fâcheuses propensions à l'étirement, comme si les minutes, en choisissant de ralentir, devenaient des heures. Pour l'antiquaire de Saint-Gédéon, fort conscient du peu d'hivers devant lui, ralentissement devenait ni plus ni moins synonyme de perpétuité. Pendant que, sans l'avouer à personne, Pamphile aurait été prêt à tout donner pour remplacer son cher lac par un fjord inconnu, Aurélia, de son côté, aurait facilement abandonné Sainte-Rose et tous ses Roserains pour posséder une voiture, savoir conduire et venir au Lac, quand bon lui aurait semblé.

Fort heureusement pour eux, dans la conjoncture actuelle, point besoin de donner ou d'abandonner quoi que ce soit, puisqu'il y avait les courriels et le téléphone! Ainsi, en cours de matinée, les deux compagnons, chacun de son côté, se dirigeaient avec fébrilité vers leur ordinateur pour lire les messages, auxquels ils répondaient illico. Ils pouvaient aller jusqu'à correspondre deux, trois, voire quatre fois, sur le même sujet, commençant toujours par : « Oh! j'avais oublié de te dire... »

La formule, plutôt commode, plaisait bien à Aurélia. Ainsi, lorsqu'ils se retrouvaient, elle s'amusait beaucoup à ce propos :

– Notre âge a quand même ses avantages... Tu ne trouves pas, Pamphile?

Le soir venu, l'un téléphonait à l'autre, ou vice versa, pour prendre les dernières nouvelles de la journée. Pardessus tout, entendre la voix familière et chérie demeurait le but ultime de l'appel, avant de se mettre au lit. Car celle-ci agissait comme un baume qui apaisait leur solitude, comme une douce musique qui meublait l'absence de l'autre, comme une eau de jouvence, jusqu'au matin clair, jusqu'au prochain rendez-vous.

Ces derniers temps, la conversation était centrée sur Marie-Ève. L'antiquaire venait de faire part de son soulagement à Aurélia. En effet, la jeune femme, qui n'avait plus qu'une vingtaine de jours de grossesse à compléter, paraissait être revenue à de meilleures dispositions. Le notaire se retrouvait en vacances tout le mois d'août et, la future maman, quoique encore assez nerveuse, semblait de nouveau rassurée.

– Tu sais, Aurélia, avait confié Pamphile, je reconnaissais pus ma p'tite fille. Pendant ces trois dernières semaines, elle était plus elle-même! Au moindre bruit, elle sursautait. Dès que la porte s'ouvrait au magasin, dans l'après-midi, elle tressaillait. Pis, le plus terrible, Aurélia, quand son cellulaire sonnait, elle paniquait! Oui, oui, je te le jure! Il fallait tout mon p'tit change pour la tranquilliser. Intrigué par son comportement, j'ai même été voir Valérie pour y demander comment qu'elle s'était sentie pendant sa grossesse. Apparence qu'elle, elle a pas vu de différence avec avant! Elle a même travaillé jusqu'à une semaine avant d'accoucher du p'tit Benjamin.

« J'ai eu beau essayer autant comme autant de savoir ce qui tourmentait la Marie, rien à faire. Rien à faire, Aurélia! Chus sûr qu'elle cache quelque chose, vingueu!

« Coudon, le pire semble écarté, astheure. J'ai dîné avec eux autres, tantôt, à L'Escalier, en pensant ben à toi comme de raison... À notre premier souper du mois d'avril, tu te rappelles-ti? Euh!...

« Pour revenir à ce que je disais... Avec son Jean à côté d'elle, la p'tite rayonnait, enfin! J'ai bon espoir, astheure, que tout aille pour le mieux vu que le notaire sera constamment à ses côtés, jusqu'à l'accouchement. Par tous les saints du ciel, avait ajouté l'antiquaire, incapable de refouler un soudain élan d'appréhension, faudrait pas qu'i arrive un malheur! »

Après avoir religieusement écouté les propos rassurants d'Aurélia qui, connaissant son problème cardiaque, avait insisté en l'exhortant à ne pas dramatiser la situation, Pamphile avait acquiescé d'une voix émue :

– Je sais... Je vas faire mon gros possible, Aurélia, c'est promis. Mais, vois-tu, je voudrais jamais regretter d'avoir offert le fameux secrétaire de Joséphine à la p'tite! C'est à partir de lui que tout a commencé. Sa liaison avec le notaire, leurs belles amours, sa grossesse pis... nous deux, itou! De t'avoir rencontrée, ma Noirette – suite aux confidences d'Aurélia, Pamphile l'appelait ainsi, seulement dans les grands moments d'émotion et d'intimité –, c'est la plus belle chose qui m'est arrivée en vingt ans!

– Mon ami, tu te trompes, c'est bien avant le secrétaire que tout a commencé, bien avant! avait sagement conclu Aurélia. N'est-ce pas Marie-Ève qui est entrée dans ta boutique la première? Et antérieurement, il a bien fallu qu'elle accepte ce contrat en région! Il ne faut pas négliger ton magasin d'antiquités et l'intérêt du notaire pour les vieux meubles. Il y a aussi la mort de sa femme, Claire. N'oublie pas ton lien d'amitié avec la Fine et l'héritage qu'elle t'a laissé! Aussi, que fais-tu des lettres d'amour entre Joséphine et Marc-Aurèle? Et ainsi de suite, Pamphile! Si tu es pour avoir des regrets, accroche-toi bien, car tu n'as pas fini de remonter les maillons de la chaîne! Marie et toi, vous deviez vous rencontrer pour écrire votre histoire, c'est tout!

Avant de raccrocher, désirant terminer sur une note gaie, et, par la même occasion, lancer des fleurs à sa compagne, il avait soupiré :

– T'as raison, belle madame Fortin, les regrets superflus, c'est ben pesant pis inutile dans une besace. Ce serait le monde à l'envers, astheure : un antiquaire qui regretterait... une des plus belles affaires de sa vie!

***

Comparativement à l'été précédent, le soleil brillait presque tous les jours! Par conséquent, il n'avait jamais fait si chaud dans le petit appartement de l'antiquaire. En sueur, Pamphile cherchait la meilleure position pour installer le ventilateur :

– Vingueu de vingueu! Quand est-ce que cette canicule-là va nous lâcher? Le salon est en train de virer en vrai four à micro-ondes!

Loin de posséder un tel appareil dans sa cuisine, Pamphile était néanmoins fier de sa comparaison, laquelle, selon lui, sonnait moderne. Il avait justement réussi à la placer dans la conversation, à l'heure du dîner. Il se rappela la prompte réaction de Marie-Ève à qualifier la figure de style de farfelue.

Dans l'esprit de recréer l'atmosphère de détente des premiers mois de leur rencontre et en s'adressant au notaire, en particulier, l'antiquaire avait rétorqué, mi-figue, mi-raisin :

– La Marie aime bien à mélanger les affaires. Vous qui vivez avec, notaire, vous devez ben en savoir quelque chose! Il est pas question de figure icitte, encore moins de style, mais de four, vingueu! Farfelue! Farfelue! C'est ben des mots de dictionnaire, ça! Elle a beau dire qu'un four de même, ça dégage pas de chaleur, moi, mon idée changera pas vu que les fourneaux, c'est pas tellement sa spécialité! Pis, on le sait, la Marie est ben meilleure dans les nergies que dans les ondes.

« Pour moi, notaire, un four, ça reste un four! Pis, ça sonne moderne de dire ça, n'empêche! En plus, ça a l'avantage de faire pas mal jaser. »

Après quelques secondes pendant lesquelles Jean avait pouffé de rire malgré lui en voyant sa compagne tenter désespérément de garder son sérieux, l'antiquaire avait fait semblant d'abdiquer en interpellant Marie :

– Je veux ben abandonner le style micro-ondes, mam'selle Saint-Amour, mais par quoi que je vas le remplacer, s'il vous plaît? Chus un antiquaire, moi! Pas un... linguistique!... Tiens, tiens! J'ai une idée! Pourquoi pas comparer mon salon à un poêle à combustion lente! Vu l'âge que j'ai, tu devrais ben trouver la figure plus appropirée, non?

Fier de sa tirade, l'antiquaire riait encore dans sa barbe. Le but avait été atteint : Marie-Ève avait retrouvé sa verve et son rire cristallin. Celui-ci avait résonné fort dans les marches de L'Escalier, réveillant même le petit Benjamin.

Malgré son ventre énorme, Marie s'était levée avec

grâce pour chercher le bébé, en rétorquant, d'un air enjoué :

– Appropriée, monsieur Pamphile, on dit appropriée et puis, c'est linguiste, pas linguistique! Ah! vous aimez ça me taquiner un brin, on dirait... Vous me faites marcher et moi, je cours, en plus! Vous ne changerez jamais! Qu'ils viennent du dictionnaire, qu'ils soient endimanchés ou habillés de tous les jours, j'aime les mots, c'est vrai! Et j'adore votre style on ne peut plus coloré, vous le savez bien aussi, va! Et voilà que je m'explique, en plus! Moi non plus, je ne change pas, il faut croire! Pauvre notaire qui est pris entre nous deux!...

Pendant que ses taches de rousseur brillaient comme des étoiles et ses yeux comme des soleils, elle avait doucement bercé l'enfant dans ses bras pour le rendormir.

Franchement souriant, de bonne humeur, Jean avait alors serré la main de Pamphile dans un geste puissant d'amitié et de complicité...

En raison de la chaleur accablante, deux ventilateurs fonctionnaient en permanence, un dans le salon, l'autre dans la chambre. À l'aise, en camisole, heureux d'avoir entendu la voix de sa Noirette et soulagé de savoir la Marie entre les mains du notaire, Pamphile pouvait se laisser aller. Il commença à somnoler, tout en profitant du courant d'air frais sur son visage et sur le haut de son corps.

Dans les vapeurs d'un demi-sommeil, la maisonnette d'Aurélia, lumineuse, fraîche et si accueillante ainsi que la charmante Roseraine qui l'habitait firent leur apparition.

Ils s'étaient donné rendez-vous, « vendredi qui vient »...

Pamphile remercia encore une fois le ciel d'avoir

mis sur son chemin nulle autre que la fille de Joséphine Frigon et du docteur Provencher!

En s'endormant, l'antiquaire se vit au volant de la Ford, en route vers Sainte-Rose... Il n'aurait plus jamais besoin de la fille aux cheveux bleus. Pamphile Côté connaissait le chemin par cœur!

***

En ce matin d'août, la chaleur excessive incommodait Gilles Ducharme au plus haut point. De plus en plus agité et impatient, il se promenait, à peine vêtu d'un slip, dans le chalet restreint où il tournait en rond, tel un fauve dans une cage. L'échéance approchait et, depuis trois semaines, il n'arrivait plus à entrer en contact avec Marie-Ève.

Vers la mi-juillet, il avait tenté d'obtenir le nouveau numéro de téléphone de Marie-Ève, mais en vain.

« Numéro confidentiel, monsieur. Désolé! » lui répondait-on mécaniquement à chacune de ses multiples tentatives. Excédé par cette réponse, Gilles avait décidé, sur un coup de tête, de prendre la voiture et d'aller voir de ses propres yeux ce qui se passait au rang des Apis.

Pendant une semaine, presque chaque jour, il arrivait assez tôt dans la matinée et il stationnait sa voiture un peu en retrait de la maison de campagne où il attendait pendant quelques heures. Mis à part un chien stupide qui aboyait à tout bout de champ, Gilles n'avait recensé aucun mouvement dans et autour de la maison, ni vu ses occupants. Déçu, frustré, perplexe, il était rentré bredouille.

La semaine suivante, il avait inversé son horaire. Travaillant le matin, il arrivait vers quatorze heures jusqu'à dix-sept heures, environ. Les résultats de sa démarche, s'avérant identiques aux précédents, avaient forcé Gilles à se questionner sérieusement. Qu'il ne vît pas le notaire, passe encore, car ce dernier devait certainement travailler. Mais, qu'en était-il de la jeune femme, puisqu'elle avait quitté son emploi?

De prime abord, Gilles en avait déduit que le couple était parti en vacances. Après réflexion, il avait jugé bon de rejeter cette hypothèse à cause de la situation dans laquelle Marie-Ève se trouvait. Une femme enceinte de plusieurs mois ne s'éloigne pas de chez elle. En dernier ressort, rageur, offensé, hors de lui, il avait été obligé de conclure qu'elle le fuyait!

Il s'était de nouveau rendu sur place, tout dernièrement. Cette fois, il avait aperçu les deux autos stationnées dans la cour! Hier, il était retourné pour constater le même phénomène. Sur le coup, il avait ressenti un immense soulagement de savoir Marie-Ève dans les environs. En revanche, il avait été extrêmement contrarié de trouver la voiture du notaire à la maison, deux jours d'affilée.

Voulant avoir l'heure juste sur la situation qui prévalait, Gilles avait décidé, sur le chemin du retour, de se rendre au bureau de Jean, histoire de se renseigner. Il y aurait bien une autre vieille fille avide de compliments et de propositions alléchantes... Gilles s'était retrouvé devant une porte close, l'étude étant fermée pour tout le mois d'août! Entre autres, l'avis fournissait à la clientèle le numéro de téléphone du bureau, que Gilles connaissait par cœur : « À utiliser seulement en cas d'urgence. » La note spécifiait également de laisser le message sur le répondeur, avec l'assurance d'un retour d'appel.

D'instinct, et en raison d'une imagination incontrôlée, Gilles avait déduit que Marie-Ève s'était finalement confiée à son notaire. Ce dernier, dans le but de la garder pour lui seul, avait sûrement décidé de rester près d'elle pour la surveiller.

***

En cette étouffante journée estivale, Gilles Ducharme sentait une colère effroyable monter en lui. Pour la première fois, un fort sentiment de jalousie émergeait des profondeurs. Pour accentuer sa rage et son impuissance, Gilles avait la sensation horrible d'être humilié et abandonné de tous. Comble de malheur, depuis plusieurs jours, la voix n'était pas venue le secourir, ni l'encourager. Par conséquent, il se trouvait dans un état mental pitoyable.

Exacerbé par la chaleur suffocante, en proie à une crise de nerfs, Gilles alla s'asseoir à l'ombre, sur la galerie. Au même moment, une brise légère, qui s'élevait de la rivière fougueuse, se mit à monter le long des falaises escarpées. Puis, elle longea les sous-bois humides. Ensuite, fraîche et bienfaisante, elle vint frôler les arbres dans son sillon pour finalement rafraîchir les hommes qui se trouvaient sur son passage! Gilles prit une grande respiration et il se sentit un peu mieux. C'est alors qu'à travers le bruissement des feuilles, il perçut la voix. En devenant plus attentif, il la sentit le pénétrer et s'élever en lui. Peu après, il fut en mesure de l'entendre de façon claire.

Elle commença par mettre en doute sa déduction de la veille :

– Penses-y deux fois, mon Gilles! lui murmura-t-elle, patiente et intrigante. Si tu veux mon avis, je crois que Marie-Ève n'a rien dit! Elle a peur et elle se sent prise au piège entre vous deux. Le notaire ne sait rien, sinon il serait resté près d'elle, bien avant! Après avoir fait changer son numéro, prévoyant que tu viendrais peut-être la relancer chez elle, elle s'est arrangée pour s'absenter de la maison pendant un temps. C'est tout! Car, souviens-toi bien, monsieur Ducharme, tu lui as dit que tu connaissais son adresse...

– Oh! oh! intéressant, c'est un fait! répondit Gilles à la voix. Mais ça n'empêche pas le notaire d'être toujours là, astheure! Ça m'intéresse pas pantoute d'avoir affaire à lui. J'ai peur de lui casser la gueule. Pis, ça pourrait mal virer. J'ai pas intérêt à ce que la police m'appréhende. On doit bien me rechercher activement avec toutes mes dettes impayées pis mes fraudes par-ci, par-là. En plus, j'ai pas mal trafiqué les chiffres de mes dépenses, ces dernières semaines, pis si les patrons s'en aperçoivent avant que je parte, chus fait! J'ai pas le choix, il faut que je décampe avant la fin du mois, au plus tard!

– Pas de panique, mon Gilles!... J'ai une idée! reprit la voix, persuasive et entêtée. Pourquoi ne le ferais-tu pas sortir de la maison? Pas bien longtemps, juste le temps de parler à la demoiselle du rendez-vous final, et, par la même occasion, lui faire sentir que tu n'as pas l'intention d'abandonner ton projet. La petite est en confiance maintenant puisqu'elle n'a pas entendu parler de toi depuis trois semaines. Elle te croit peut-être même parti! Elle devrait donc attendre le retour du notaire, bien tranquille, chez elle! Mais, fais attention quand tu laisseras ton message sur le répondeur. Il faut sous-entendre que ce ne sera pas long, juste une brève rencontre. Il s'agit d'appâter le poisson, c'est tout! Pour quelqu'un d'intelligent comme toi, c'est pas sorcier!

Soudain, Gilles Ducharme, rafraîchi par la brise et ensorcelé par la voix, se sentit un autre homme, de nouveau en contrôle de la situation. Sans plus attendre, redoutablement sûr de lui, il se leva et alla chercher son cellulaire. Il composa le numéro de téléphone du notaire Huot. Comme prévu, il laissa défiler le message du répondeur, puis, d'une voix posée et très crédible, il se présenta :

– Bonjour, cher maître Huot! Je suis passé à votre étude, ce matin, pour la trouver malheureusement fermée. En quelques mots, voici la raison de mon appel. Mon nom est Duchesne, J. Duchesne. Je suis un homme d'affaires de Montréal, de passage dans votre magnifique région. Dans les mois à venir, mes associés et moi comptons investir plusieurs millions de dollars dans l'achat de maisons ou d'immeubles à rénover, que nous revendrons par la suite. Nous aurons besoin d'un notaire compétent et... comme on nous a dit le plus grand bien de vous...

« Considérant la situation urgente, je souhaiterais vous rencontrer, une heure ou deux, pas plus! Seulement dans le but de poser les premiers jalons d'une... entente plus que probable! Lors de ma prochaine visite, en septembre, nous pourrions nous revoir plus longuement! Sans vouloir exercer quelque pression que ce soit, je dois cependant vous dire que je n'ai que la matinée du mercredi, 9 août, de libre à mon agenda! Dix heures, cela vous conviendrait-il? Voici mes coordonnées...

***

Alourdie, de plus en plus inconfortable, Marie-Ève se retourna difficilement dans le lit. Elle dormait plutôt mal, ne sachant plus quelle position adopter. Malgré les massages journaliers à l'huile douce de lavande, la peau de son ventre, de ses seins et de ses reins s'étirait à lui faire mal. Sans parler des douleurs lombaires intolérables associées à son état! Quand elle se contemplait devant la glace, abasourdie de se voir si grosse et si différente d'avant, elle se demandait sérieusement si son corps allait redevenir normal.

En voyant le visage endormi de son amoureux, Marie-Ève fut prise d'un soulagement immense. Cette soudaine réaction l'obligea toutefois à faire le point :

« Pour arriver à mes fins, je devrai vivre avec ce sentiment de crainte en moi, du moins... jusqu'à l'accouchement. « Mener le bébé à terme », m'a conseillé sagement l'antiquaire, encore l'autre jour. C'est pas le temps de lâcher! »

Malgré tout, savoir Jean près d'elle, nuit et jour, lui avait insufflé un nouvel élan d'optimisme, d'autant plus que son conjoint débordait de sérénité et d'entrain. La bonne humeur dont Jean faisait preuve fournissait des munitions supplémentaires à Marie-Ève, plus que jamais décidée à garder le silence sur Gilles Ducharme. L'appréhension de voir souffrir le notaire étant pratiquement écartée, elle était quasi certaine d'avoir gagné son pari.

« Tant qu'il est là, rien de grave ne peut arriver! » se dit-elle, presque convaincue.

La veille, Daniel leur avait confirmé la date approximative de l'accouchement, soit entre le 25 et le 30 août. Ne restait plus qu'à suivre ses conseils à la lettre : être prudente et patiente. Efforts proscrits, mais repos, plein air, saine alimentation, bain, massages et exercices respiratoires à volonté!

Marie-Ève releva légèrement la tête par-dessus l'épaule de Jean pour lorgner du côté du réveil; il indiquait huit heures trente. La date, qui s'affichait automatiquement, lui rappela que l'échéance approchait à grands pas : deux, trois semaines peut-être, avant la délivrance et avant de connaître le sexe de ce bébé tant attendu!

Tout à coup, elle se souvint que Jean avait parlé du 9, pour une raison précise :

« Oh oui! C'est vrai! Il doit rencontrer un important client, ce matin. Juste une couple d'heures. Oh!... et puis zut! Après tout, je ne vais pas aller chez Pamphile. Il fait tellement chaud dans sa boutique. Encore plus dans l'appartement, en haut! On est si bien, à la campagne, c'est plus frais et plus sec! Ce ne sera pas long. Je vais en profiter pour prendre un bain et préparer un bon repas... et il sera vite là! »

D'un baiser dans le cou, elle réveilla doucement le notaire. Jean lui sourit et l'embrassa à son tour. Puis, comme tous les matins, il posa sa tête sur le ventre rond de Marie-Ève pour s'assurer du « bon déroulement de l'affaire! » En lui rappelant l'heure et son rendez-vous, Marie-Ève annonça à Jean qu'elle resterait à la maison.

– Tu es sûre, ma biche? Cela ne me dérange pas de te laisser chez Pamphile ou à L'Escalier et te reprendre après, tu le sais...

– Je le sais, mon amour. Mais tu as bien dit que tu en avais pour une heure, deux, au maximum? Alors! Il fait trop chaud, chez Pamphile, et puis, chez Valérie, les odeurs du restaurant m'incommodent beaucoup. Ça va aller! Tu le sais bien, ça va mieux maintenant.

– Dis... Pourquoi tu ne viens pas avec moi jusqu'à l'étude? insista Jean qui n'avait pas envie de la laisser seule, songeant que tout allait bien depuis sa présence constante à ses côtés.

– Oh non, merci pour moi! Ça va sentir le renfermé. Y a pas eu d'aération depuis plus d'une semaine dans ton bureau, et, avec la chaleur!... Ne crains rien, mon amour. Je te dis que ça va aller. Sincèrement!

– C'est vrai, tu as raison pour le bureau! J'espère que mon client n'en sera pas incommodé! Bon! Je ferai mon possible pour revenir vite, vite. Et je t'appelle dès que j'arrive au bureau, c'est promis. Je n'oublierai pas, ma biche!

« Hum!... que tu sens bon. Viens donc plus près que je t'effeuille, ma fleur sauvage. On va devoir s'arrêter à un peu, car le temps presse, mais tu ne perds rien pour attendre... beaucoup, passionnément, à la folie! »

***

Marie-Ève était en train d'enfiler son peignoir quand elle entendit Trompette japper. Surprise, elle regarda l'heure à sa montre : dix heures. Sur le coup, elle crut que Jean, parti depuis trente minutes, avait oublié quelque chose :

– Il serait revenu avant, il me semble?...

Puis, rapidement, elle réalisa l'impossibilité de la chose :

– Non! Cela ne peut pas être lui! Le chien n'aboierait pas ainsi!

Alors lui vint l'idée qu'il pouvait s'agir de l'antiquaire ou encore de Michelle. Un sourire de gratitude vint embellir son visage épanoui en pensant que Jean s'était arrangé pour que l'un ou l'autre vienne lui tenir compagnie. Machinalement, comme elle le faisait depuis des semaines, elle ramassa en toute hâte son téléphone cellulaire. Elle le mit dans l'ample poche de sa sortie-de-bain, puis, elle enroula ses longs cheveux dans une serviette. Finalement, joyeuse et reposée, elle sortit de la pièce embuée, en chantonnant.

Dès qu'elle se retrouva dans le corridor, le sourire

et l'entrain de Marie-Ève Saint-Amour se transformèrent en pure terreur. Nul autre que Gilles Ducharme se trouvait devant elle.

– ... Toi! Toi! Ici! Sors d'ici! Sors d'ici! se mit-elle à hurler de toutes ses forces.

En voyant l'air victorieux sur le visage de Gilles, Marie comprit aussitôt le subterfuge qu'il avait employé pour éloigner Jean de la maison. Elle se trouva stupide et inconséquente de n'y avoir pas songé, pas même une seule seconde!

– Tu... tu as osé faire croire à Jean... Tu... tu as réussi à le faire sortir de la maison! Tu... t'es un tordu, Gilles Ducharme! Sors d'ici immédiatement ou j'appelle la police! Tu n'as pas le droit de pénétrer ainsi chez les gens!

Sans rien dire, Gilles restait figé sur place à la contempler. Dans sa colère et ses grands gestes nerveux, le peignoir de la jeune femme s'était légèrement entrouvert. Il était aisé pour lui d'apercevoir le début de sa poitrine généreuse ainsi qu'une partie de son énorme ventre.

Il fit un pas pour s'approcher d'elle. En refermant gauchement son vêtement, elle se mit à crier plus fort :

– Je t'avertis! Si tu ne t'en vas pas tout de suite, je vais, je vais... faire un malheur!

– Tu as beaucoup changé depuis la dernière fois qu'on s'est vus, Marie-Ève! T'es encore... plus belle, c'est assez... surprenant! dit-il d'une façon gauche et inattendue. D'habitude, les femmes enceintes... C'est pas... Euh!...

« Alors, tu n'as encore rien dit au notaire! (Sa voix avait repris un certain contrôle.) C'est bien ce que je pensais. Mais, t'as pas besoin de te mettre en colère, ce n'est pas pour aujourd'hui! Comme tu as volontairement changé ton numéro, je me trouvais donc dans l'obligation de venir jusqu'ici. Disons… que je préfère prendre ça pour une invitation, O.K.? »

Il jeta un regard circulaire, puis ajouta :

– On ne peut pas dire que c'est le grand luxe. Toutes ces vieilleries! Beurk!… toi qui aimes tant le moderne! Mais je vais te sortir d'ici très bientôt, ma toute belle! T'auras plus à supporter ça! Dans un sens, je te comprends de ne pas savoir comment quitter ton notaire, si bien nanti! La sécurité financière, ça compte! Mais, il a l'air plutôt radin, à voir l'ameublement. Enfin! tu l'oublieras vite, tu verras!

Il s'approcha encore un peu, ce qui fit hurler la jeune femme :

– Va-t'en! Va-t'en! Ne t'approche pas! Je ne t'aime pas, Gilles Ducharme! Comment dois-je te le dire? Comment? Je ne t'aime pas, je ne t'aimerai jamais plus! Tu es… malade et tu me fais peur! Tu me fais peur! répéta Marie-Ève effrayée et désemparée, en proie à une crise de nerfs, les sanglots se mêlant aux cris.

– Calme-toi, calme-toi, Marie-Ève! Ne te mets pas dans un tel état! Je ne veux pas te faire de mal, voyons! C'est… ce que tu crois? C'est ça? Mais, je ne t'ai jamais fait mal avant! Tu le sais bien! Oh là là! Tout doux, tout doux… Cela doit être ton état qui te rend si nerveuse et si craintive! L'amour viendra avec le reste, tu verras! Et puis, s'il ne vient pas, c'est pas grave! C'est pas ça que je te demande. On sait déjà qu'on s'entend super bien… côté… sexe, c'est pas à dédaigner, crois-moi!

« Quand on sera à nouveau ensemble, je gagnerai beaucoup d'argent et là, je pourrai me faire soigner. Ça te rassure? Et puis, du même coup, ça fera plaisir à madame Au… euh!… à ma voisine, une très bonne personne âgée. D'ailleurs, elle aussi, elle me l'a conseillé dernièrement… Elle est tellement gentille avec moi, si tu savais! Tu peux pas dire que je ne fais pas preuve de bonne volonté, ma toute belle... »

Marie-Ève écoutait plus ou moins les propos de Gilles. Toutefois, elle remarqua l'absence de vulgarité dans le langage, ce qui apaisa un peu ses craintes. De plus, sa voix était calme et il ne semblait pas vouloir lui faire de mal, pour l'instant du moins. Néanmoins, par prudence, elle se dit que, jusqu'à ce que le notaire appelle, la meilleure tactique serait peut-être de jouer son jeu.

– Bon! reprit-il après un court silence. On a pas grand temps pour parler aujourd'hui! Quand ton *chum* va s'apercevoir que personne ne se présente au rendez-vous, il va rappliquer aussitôt!

« Cela me paraît essentiel de fixer ensemble la date de notre rendez-vous officiel. C'est pour ça que je suis venu! »

En voyant l'air ahuri de Marie-Ève, Gilles expliqua :

– Celui qui va marquer notre retour à Montréal, voyons! C'est pas une bonne idée? Il faut absolument que ce soit dans les deux semaines à venir, ma chère.

– Gilles... je... je ne pourrai pas, voyons! Tu... tu vois bien! Je vais accoucher d'un jour à l'autre! Ce ne sera pas possible... tout de suite, en tout cas! réussit à balbutier Marie-Ève sur un ton docile, qui lui sembla crédible.

– Hum!... ça alors! C'est vraiment, vraiment embêtant! Il faut absolument que je quitte l'endroit où je suis avant la fin du mois, sinon, ça risque de chauffer! Hum!... bon! je ne peux pas t'en vouloir pour ça. Ne t'inquiète pas, je vais réfléchir et trouver une solution.

Après un court silence, Gilles se remit à parler, mais sa voix avait soudain pris une intonation caverneuse et très perçante à la fois, comme deux voix dans une. Son débit s'accéléra légèrement. Marie, qui tentait désespérément de demeurer en contrôle, ressentit de grands frissons la parcourir.

– Nous ne sommes pas seuls, Marie-Ève. Je suis certain que la voix ne nous laissera pas tomber! Depuis le début, c'est elle qui m'a porté vers toi, tu sais. Elle me conseille d'une façon extraordinaire. Elle ne se trompe jamais! Ah! j'aurai tant de choses à te raconter! Je suis soulagé de voir que tu commences à comprendre, car je suis de plus en plus las et si fatigué! J'oublie tellement de choses quand je me sens épuisé, à bout de nerfs! Ce que j'ai fait... Ce que l'autre a dit... Bof!... ça va passer! Ah! j'aimerais tant voir tes beaux cheveux! Si tu enlevais cette serviette...

Juste au moment où il s'approchait d'elle, une fine sonnerie musicale se fit entendre, à peine audible, comme lointaine, irréelle... Pendant que sa main moite et tremblante emprisonnait le minuscule appareil dans l'ample poche de son vêtement, le cœur de Marie-Ève chavira, car, depuis quelques minutes, elle n'arrêtait pas d'espérer l'appel de Jean, qui ne pouvait plus tarder!

– C'est quoi, ça? Le téléphone? D'où ça vient? Où il est? Réponds-moi! Marie-Ève!

– De... la salle de bains, juste là... je pense! réussit-elle à bafouiller.

Après que Gilles l'eut poussée légèrement pour se diriger vers l'endroit indiqué, Marie-Ève sortit en vitesse le téléphone de sa poche. Cédant à la panique, elle hurla dans l'appareil :

– Jean! Jean! Viens tout de suite! C'est urgent! Tout de suite! Vite! Vite!

Voyant que Gilles revenait vers elle rapidement, elle jeta le cellulaire encore ouvert, loin d'elle, en espérant que l'interlocuteur au bout du fil comprenne, en entendant le bruit sourd, l'urgence de la situation!

Le regard de Gilles se fit aussitôt menaçant et ses gestes rageurs provoquèrent une peur viscérale chez la jeune femme.

– T'aurais pas dû! T'aurais pas dû... jouer avec moi et rire de moi! Quand vas-tu comprendre que ça sert à rien de lutter contre moi, Marie-Ève? Chus le plus fort! Tu vas revenir avec moi à Montréal, point final! Tiens-toi-le pour dit! Je trouverai un moyen de venir te chercher, t'en fais pas pour ça. J'en trouverai un, juré, promis! Pour astheure, c'est ton... immense bedaine qui te sauve! Sinon, je t'embarquerais tusuite! J'ai pas envie, pis je peux pas me permettre, que tu m'accouches dans les bras! Un jour, tu vas regretter ton arrogance.

Marie-Ève se sentit perdue. Elle se tenait debout, les mains ballantes, le regard vide, sans force et sans courage. Des larmes abondantes coulèrent le long de ses joues, tombèrent sur sa poitrine et roulèrent sur son gros ventre. L'homme devant elle était complètement fou. Désespérée, seule, Marie-Ève comprit son erreur et sa prétention stupide. Gilles Ducharme n'abandonnerait pas : il reviendrait encore, et encore, et encore!

C'est alors qu'elle sentit un grand mouvement dans son ventre, comme un immense raz-de-marée. Elle grimaça de douleur. Puis, tout s'arrêta net, en dedans et en dehors d'elle.

De longues minutes s'écoulèrent, en traçant la signature indélébile d'un temps douloureux dans le cœur de chacun. Gilles Ducharme se tenait coi devant elle, sans bouger, l'air idiot. Il avait la tête baissée et regardait à la hauteur de ses cuisses. Son regard avait quelque chose de paralysant. À son tour, effrayée, elle pencha la tête.

À travers les pans de son peignoir entrouvert, elle aperçut le sang rouge couler le long de ses cuisses blanches. Alors, un cri effroyable, noir comme la nuit, sortit de sa bouche. Un cri d'angoisse et de désespérance qui ressemblait, à s'y méprendre, au hurlement d'une biche mise à mort.

Afin d'échapper à cette plainte insoutenable et parce que toute sa vie il avait été terrorisé à la seule vue du sang, Gilles Ducharme, comme un misérable, s'enfuit en courant, en abandonnant Marie-Ève et son enfant à leur sort.

***

Le notaire conduisait à une vitesse folle, presque de façon dangereuse. Cramponné au volant de sa voiture, Jean entendait encore la panique dans la voix de Marie-Ève. Et ce cri pathétique s'était propagé dans ses veines comme un courant glacial qui lui refroidissait le cœur, qui lui engourdissait l'esprit. Il n'arrêtait pas de se blâmer de l'avoir laissée seule :

– J'aurais pas dû! J'aurais pas dû! Qu'est-ce qui est arrivé, mon Dieu? Le téléphone ne fonctionne même plus! Ah! j'espère que Daniel a pu se dégager aussi vite qu'il a dit. Marie, Marie, attends-moi, j'arrive!

Tout de suite après l'appel désespéré de sa compagne, le notaire avait contacté son ami Daniel, dont il gardait toujours le précieux numéro confidentiel avec lui. Il n'avait jamais pensé devoir s'en servir un jour! Le notaire se félicitait aujourd'hui de l'insistance de son ami et, surtout, d'avoir finalement acquiescé à sa requête.

Jean roulait depuis à peine dix minutes. La distance entre son étude et la maison de la Fine ne lui avait jamais paru si longue. Il se retrouva finalement à la hauteur du rang des Apis. À la vitesse à laquelle il roulait, cela ne lui prit que quelques minutes pour atteindre la maison de campagne. Ne voyant pas la voiture de Daniel stationnée dans l'allée, Jean sentit le découragement l'envahir, mais il essaya tant bien que mal de lutter de toutes ses forces contre lui.

Par contre, à cheval sur l'allée de la maison et le rang de campagne, le conducteur d'une vieille voiture noire faisait une marche arrière. « Encore un autre qui s'est trompé de chemin », songea-t-il. Avant d'entamer son virage pour accéder chez lui, le notaire dut même se pousser afin que le chauffeur, qui semblait avoir des difficultés, puisse terminer sa manœuvre.

– Allez! Grouille-toi! lança Jean, excédé. Ah! il y a vraiment des gens qui ne savent pas conduire. On dirait que le monde lui appartient, à celui-là!

Lorsque le regard des deux hommes se croisa, Jean fut pris de court. Le conducteur de la voiture noire paraissait non seulement furieux, mais il semblait aussi haineux et en proie à l'égarement total.

– Je suis chez moi et, en plus, monsieur prend ça mal! Un autre enragé du volant!... Jean Huot! Arrête! C'est pas le temps de t'énerver. Il y a des choses plus importantes pour le moment! Marie-Ève a besoin de toi, vite, vite.

Dans un braquage d'enfer, le notaire fit crisser les roues de sa voiture et monta la pente, à soixante à l'heure. Juste avant de pénétrer à l'intérieur, dans une sorte de grand élan spirituel, Jean ferma les yeux et implora la Fine quelques secondes.

« Tenez vos promesses, Joséphine Frigon! N'abandonnez pas votre demeure et celle qui y habite! »

Puis, instinctivement, il jeta un dernier regard sur la route. Lorsqu'il vit Daniel arriver en trombe, il se sentit débarrassé d'un énorme fardeau. La seule vue du médecin suffit à lui redonner confiance et courage. Il n'était plus seul. Il prit une bonne respiration et, sans plus attendre, il entra dans la maison en courant et en criant :

– Marie, Marie, ma biche! Mon amour, réponds!

Il ne fallut pas longtemps au notaire pour trouver sa compagne. Elle était debout, en plein milieu du corridor, les cheveux encore mouillés qui lui collaient au visage, le peignoir entrouvert... Grelottante, elle semblait dévastée et pleurait en hoquetant, sans pouvoir s'arrêter. Lorsque Jean vit la coulée de sang séché le long de ses cuisses, il perdit le contrôle de lui-même :

– Non! Non! Non! Pas ça! Non! Oh! Marie, Marie!

Arrivé au seuil de la porte de moustiquaire, Daniel Auger put entendre la plainte douloureuse de son ami. En entrant, il vit Jean, complètement immobile, et ensuite Marie, qui se tenait debout, hagarde, perdue, désemparée. Un puissant courant de désespérance soufflait autour du couple et, pendant un instant, le médecin se sentit aspiré; il dut même résister très fort afin de ne pas y céder. Puis, très vite, à la vue du sang, il réagit promptement :

– Jean! Jean! Aide-moi! Il faut prendre Marie et l'étendre sur le lit. Elle ne doit pas marcher, ni bouger pour le moment. Tout de suite!

En entendant les paroles du médecin, Jean sortit de sa léthargie. Avec l'aide de Daniel, il prit doucement sa compagne dans ses bras et la porta sur le lit. Le praticien fit un examen sommaire. Puis, après des secondes qui parurent interminables au notaire, il donna une première appréciation de l'état de la jeune femme :

– Je ne suis pas certain, je ne peux pas le jurer, mais je crois que le bébé s'est retourné d'un coup! Il ne l'était pas, encore hier! Cela semble s'être passé de façon très brusque! Il peut s'agir aussi du bouchon muqueux qui annonce que l'accouchement ne devrait plus tarder! Ce sont des choses qui arrivent, Jean... Mais il faut absolument hospitaliser Marie-Ève pour déterminer la cause exacte du saignement. Nous ne devons courir aucun risque.

« Jean, tu m'entends? Reprends-toi! Va appeler l'ambulance, va! Fais vite! Je reste auprès d'elle... Je ne la quitte pas. Pour le moment, elle ne court aucun danger! »

***

L'institutrice se berçait au rythme de la brise légère. Du coin de l'œil, elle observait son amie. Cette dernière, qui faisait déjà plusieurs années de moins que son âge, lui paraissait plus épanouie et plus resplendissante que jamais. À l'ombre, sur la galerie, les deux femmes se berçaient en sirotant une boisson gazeuse. Elles revenaient d'un chic restaurant de Chicoutimi. Aurélia avait offert un cadeau d'anniversaire original et savoureux à Béatrice : un repas gastronomique!

– Eh bien! tu avais raison, mon Aurélia. C'est très bon, la fine cuisine! Cinq services... je ne croyais pas être capable de tout manger! C'est bien pour dire! Je te remercie beaucoup pour ton bon cadeau! Ah! il n'y a pas d'âge pour l'initiation aux plaisirs, n'est-ce pas, ma chère!

« Si on pouvait rajeunir au lieu de vieillir... Un soixantième anniversaire, c'est pas rien! Ma mère m'a toujours dit qu'il avait fait une canicule monstre à ma naissance, le 10 août 1942, comme aujourd'hui, et que c'était la raison du feu sacré que je porte en moi! Ah! ah! ah!... En parlant de feu, Aurélia, attends-tu la visite de ton cher antiquaire pour bientôt?

– Demain! Il arrive demain et je suis excitée...

comme une adolescente! J'ai l'impression d'être ridicule, parfois.

– Mais non, mais non! C'est si beau de vous voir ensemble, et tout Sainte-Rose est derrière toi, ma belle!

– Que veux-tu dire? questionna Aurélia, interloquée.

– Ben... t'es aveugle ou quoi? Les Roserains apprécient énormément ton prétendant, monsieur Côté. Tous le trouvent charmant, poli, drôle et si chaleureux. Si tu veux tout savoir, Aurélia Fortin, ils se plaisent à dire que vous faites un bien beau couple!

– Je ne pensais pas intéresser autant les villageois! s'écria Aurélia, confuse, mais tout de même flattée.

– Tu es trop modeste, Aurélia Fortin! Mais, tiens, en parlant des gens du village, reprit Béatrice, y a-t-il du nouveau pour ton voisin?

– Il m'inquiète de plus en plus. Je l'ai rencontré brièvement hier soir, en faisant ma marche. Il est très malade, Béatrice. Je n'arrive même plus à suivre son discours, tant il est décousu. Je dois l'aider, et malgré lui, s'il le faut!

– C'est bien beau de vouloir aider quelqu'un, Aurélia, mais... la prudence s'impose! Tu le connais à peine! N'as-tu pas dit, toi-même, l'autre jour, qu'il avait essayé de faire peur à cette femme qu'il veut reprendre à tout prix?

– Oui... je sais. Je l'ai dit. Pourtant, je ne le crois pas violent, physiquement du moins. Mais, justement, c'est pour éviter un malheur, qu'il faut faire quelque chose! Pour avoir été dépressive plusieurs années, je sais de quoi je parle! Crois-moi!

– Quand même! Tu ne crois pas que tu exagères un peu, Aurélia? Ta dépression n'a jamais eu de conséquences dramatiques!

– ... Euh! oui, mais c'est parce que... j'ai eu un ange pour me protéger!

– Un ange? Un vrai ange? Que veux-tu dire, Aurélia Fortin? questionna l'institutrice, interloquée, qui n'en croyait pas ses oreilles.

– Ben!... une sorte de protection divine, tu vois?

– Je... je ne savais pas que tu croyais aux anges!

– Euh!... on approfondira le sujet un autre jour, bredouilla Aurélia, prise de court. En attendant, dis-moi pour quelles raisons Jules Duchesne ne pourrait pas bénéficier, lui aussi, de la protection d'un ange? Quand je repense à Nicole qui avait annoncé que je devrais certainement venir en aide à un étranger, je ne peux éviter de me poser des questions à ce sujet! Elle m'a dit autre chose aussi, concernant l'énergie le Mat, qui représentait Jules, mais je n'arrive plus à m'en souvenir.

– Tu me perds avec tes énergies, Aurélia! Moi, je veux bien, mais... admettons que Nicole se soit trompée! C'est possible, après tout. La preuve : elle n'avait pas vu pour l'antiquaire et, pourtant, c'était gros, il me semble!

Gênée, prise en flagrant délit, Aurélia baissa la tête. L'institutrice, connaissant bien son amie, s'exclama :

– Ne me dis pas?... Si! Elle t'avait prévenue pour la relation avec Pamphile? Et tu ne m'as rien dit! Oh! que tu es cachottière. Ça alors!... Bon! disons qu'elle ait eu raison pour ton voisin; comment comptes-tu t'y prendre? Il n'a pas ouvertement demandé ton aide, à ce que je sache. C'est délicat, non?

– Je le sais bien et ça m'embête. Mais, j'ai peut-être une idée. Il y a quelque temps, sa sœur Françoise est venue le visiter quelques jours. Il m'a dit qu'elle prenait soin de lui, en quelque sorte. Je sais qu'elle habite Saint-Lambert. Je devrais pouvoir facilement trouver ses coordonnées, non? Je n'aurai qu'à lui faire part de mes craintes et de mes considérations concernant son frère, par téléphone! Ça pourrait marcher, hein?

– Oui... peut-être bien. Mais, ça m'inquiète un peu, toute cette histoire!

Elles n'eurent pas le loisir d'aller plus loin, la sonnerie retentissante du téléphone se faisant entendre.

– Aïe! les oreilles! Oh! je sais pas comment tu fais! s'écria Béatrice en se moquant gentiment d'Aurélia. Tu es loin d'être sourde, pourtant! C'est sûr que tu peux l'entendre de loin!

Quelques instants après, Béatrice vit revenir Aurélia. L'inquiétude et l'angoisse se lisaient sur le visage carrément transformé de son amie. C'est pourquoi elle lui demanda avec empressement :

– Aurélia! Bonne sainte Rose! Mais que se passe-t-il? Une mauvaise nouvelle? Il ne s'agit pas de... l'antiquaire, j'espère? demanda-t-elle, compatissante.

– Non... C'est Marie-Ève, la conjointe du notaire, dont je t'ai souvent parlé. Elle doit accoucher dans deux ou trois semaines. Elle vient d'entrer à l'hôpital d'urgence... Enfin, hier, hier, on l'y a conduite, en ambulance! C'était Pamphile au téléphone. Il est complètement ravagé, le pauvre homme. C'est comme sa petite-fille, tu comprends? Il me demande de venir tout de suite! Je dois y aller, Béatrice! Ils ont besoin de moi!

– Prépare-toi en vitesse, Aurélia. Je t'accompagne à Chicoutimi. Il y a un autobus pour le Lac vers dix-neuf ou vingt heures, je crois. Enfin, je sais qu'il y en a un, en soirée. C'est sûr! Nous avons donc amplement le temps. Si tu veux, pendant ton absence, je peux m'occuper de trouver les coordonnées de cette Françoise Duchesne de... Saint-Lambert, c'est ça? O.K., compte sur moi!

« Je suis sûre que tout ira bien. Ne t'en fais pas trop, mon Aurélia. Et, si tu as besoin de moi, au Lac, n'hésite pas à m'appeler!

« Les amies, c'est pas juste pour les jours de fête! »

IX

Par la fenêtre basse de la chambre climatisée du centre hospitalier situé sur une colline verdoyante qui dominait la ville, Aurélia s'intéressait plus ou moins au paysage citadin qui s'offrait à elle. Alma, très étendue, plus calme que le village de Sainte-Rose en période estivale, paraissait abandonnée de tous ses habitants, partis sous des ombres plus clémentes. Quelques badauds et plusieurs enfants, pieds et torse nus, tentaient tant bien que mal de se rafraîchir dans les eaux récalcitrantes de la Petite Décharge.

Aurélia tourna la tête et regarda Marie-Ève, avec tendresse et empathie. Celle-ci s'était légèrement assoupie après le dîner, qu'elle avait à peine touché.

Le rideau prévu pour séparer les deux lits était ouvert, laissant la pièce spacieuse et bien éclairée. Pour le moment, Marie-Ève était la seule patiente dans la chambre à occupation double. Vers onze heures, on l'avait informée qu'une autre future maman occuperait le lit vacant, en fin d'après-midi.

D'après Jean, sa compagne avait catégoriquement refusé de prendre une chambre individuelle, même si leurs assurances le leur permettaient. Marie jurait de s'en retourner chez elle, s'il n'acquiesçait pas à sa demande. Daniel avait conseillé à Jean de se plier aux exigences de la jeune femme, déjà durement éprouvée.

Sous le coup de l'adrénaline, le notaire avait réussi à passer les journées de jeudi, vendredi et samedi au chevet de Marie-Ève.

Néanmoins, ce matin, après une nuit blanche, il avait ployé sous le joug de l'épreuve. À la fin du déjeuner dominical passé en compagnie de Pamphile et d'Aurélia, qui tenaient à être continuellement à ses côtés, Jean avait éclaté en sanglots. Il s'effondrait à la seule pensée que tout pouvait recommencer. En pleurant, il avait tenté d'expliquer l'état de panique qu'il ressentait juste à l'idée d'aller à l'hôpital.

La présence réconfortante du couple avait néanmoins porté ses fruits. Encouragé par les conseils expérimentés d'Aurélia et touché par le discours chaleureux de Pamphile, Jean réussit à exprimer le désir de reprendre des forces pour être en mesure de contrôler ses émotions en présence de Marie. Pendant que la Roseraine proposait de le remplacer dans l'après-midi, afin qu'il puisse se détendre et se reposer, Pamphile l'assurait de sa présence constante. Jean avait volontiers accepté leur offre généreuse.

***

On frappa discrètement à la porte. Aurélia vit entrer Daniel sur la pointe des pieds. Après les salutations d'usage, il dit à voix basse :

– Je vois qu'elle dort... Je reviendrai plus tard.

– Non! je suis réveillée, Daniel.

– Oh! bonjour, Marie-Ève. Alors, il paraît que c'est terminé, les pertes de sang? Aucune depuis hier soir, c'est ça?

– En effet.

– C'est bien... Très bien! Tout est sous contrôle. Les tests ont révélé une légère cervicite, c'est-à-dire une infection du col de l'utérus, qui est due à un champignon. Rien de dramatique. D'ici quelques jours, il n'y paraîtra plus. Le bébé se trouve dans une bonne position maintenant! C'est au moins ça de pris, tu n'auras pas à subir un accouchement par le siège! Plus d'inquiétude à avoir, Marie, tu pourras retourner chez toi, dans deux ou trois jours. À condition, bien sûr, que les saignements ne recommencent pas. As-tu des questions?

– Deux ou trois jours? Déjà! se contenta de soupirer la jeune femme d'une voix atterrée.

À l'instar du docteur, Aurélia fut surprise de la réaction de Marie-Ève et de son regard suppliant, avec l'air de quémander un sursis.

« Pourquoi ne veut-elle pas retourner chez elle? ne put que se questionner Aurélia, perplexe. L'annonce des bonnes nouvelles ne semble l'intéresser d'aucune manière! »

À ce moment précis, l'évidence d'un secret dissimulé sauta aux yeux d'Aurélia. C'est pourquoi, profitant d'une occasion qui ne se représenterait peut-être plus, elle décida d'extirper coûte que coûte les confidences de la jeune femme, avant que la situation n'aille de mal en pis.

– Bon! tu es en excellente compagnie, alors, je te laisse. Je repasserai après le souper, d'accord? Il faut manger, Marie! À plus tard... Au revoir, madame Fortin!

– Marie-Ève, qu'est-ce qui se passe, mon enfant? questionna la vieille dame, d'une voix amicale. Ce sont d'excellentes nouvelles que tu viens d'avoir! Personnellement, j'en suis très heureuse et très soulagée! Jean et Pamphile le seront également! Tout va pour le mieux, le bébé se porte bien, l'accouchement se passera normalement... Pourquoi ne veux-tu pas retourner à la maison? Nous serons tous là, près de toi.

– Non! non! c'est faux! Vous ne pourrez pas toujours être là! s'écria Marie-Ève, en s'effondrant en larmes. Il y aura toujours une heure, une minute, une seconde où vous serez absents! Ah! Aurélia... Aurélia!

La Roseraine se leva aussitôt et accourut auprès de

la future maman, qui semblait en proie à une soudaine panique. Aurélia s'assit sur le lit et mit la tête de la jeune femme sur son cœur, en caressant ses cheveux.

– Maintenant, Marie-Ève Saint-Amour, tu vas tout me dire! Tout! Il y a quelque chose de grave que tu caches, depuis quelque temps déjà! Il faut que tu parles. Il en va de ta santé, autant mentale que physique, ma petite... Pense à ton bébé et à Jean!

Il n'en fallut pas plus. Avide de se libérer de ce lourd secret, lasse, désormais consciente de ne plus être en mesure de faire face seule à ce problème récurrent et surtout honteuse d'avoir mis la vie de son enfant en danger, Marie-Ève se confia. Elle raconta tout depuis le début, depuis le premier coup de téléphone de son ex-ami, en avril. Elle parla de sa tentative désastreuse de le dissuader, lors de la rencontre au restaurant d'Alma, et du harcèlement qu'elle subissait, depuis.

Par pudeur, par honte, certainement aussi par peur, Marie passa volontairement sous silence la venue de Gilles dans la maison du rang des Apis.

Tout le temps des longues confidences entrecoupées de sanglots, Aurélia recevait d'étranges signaux. C'était comme si on lui racontait l'autre version d'une même histoire, une histoire familière. Néanmoins, ne voulant pas perdre un mot des aveux de Marie, elle mit de côté ses impressions personnelles. Profitant d'une courte pause, la Roseraine s'exclama :

– Dieu du ciel! Pauvre enfant! Mais pourquoi n'en as-tu pas parlé à Jean? Il y a Pamphile aussi, et ta mère et Michelle?

– Je... j'ai sûrement fait preuve d'orgueil, de présomption et d'inconséquence, Aurélia. Mais je me croyais assez forte pour faire face à la situation. Par le passé, Pamphile a déjà eu une attaque à cause de mon étourderie. Et puis, je ne voulais pas donner raison à ma mère, qui a toujours détesté cet homme. De plus, elle est loin, elle aurait été morte d'inquiétude! Michelle? Je ne sais pas pourquoi je n'ai pas osé me confier à elle. Quant à Jean, c'était hors de question! Voyez-vous, Aurélia, je me suis souvent sentie coupable.

En sanglotant, la jeune femme exprima son sentiment de culpabilité par rapport à cette grossesse, possiblement trop hâtive pour Jean, son malaise devant le jugement sévère, mais peut-être exact de Louise Huot, ses propres préoccupations, son désir profond et sincère d'éviter au notaire toutes sources d'inquiétude, quelles qu'elles soient.

– J'ai réussi? Non? Ne s'est-il pas porté comme un charme jusqu'à maintenant? quémanda Marie d'une voix enfantine, en levant des yeux désespérés vers sa confidente et en cherchant son approbation.

Après avoir religieusement écouté, Aurélia ne put que comprendre et admettre les raisons de Marie-Ève. Malgré le fait qu'elle se soit comportée de façon puérile et irresponsable, elle avait agi uniquement par amour. La vieille dame conclut que le temps n'était pas aux reproches, mais bien aux encouragements. « Inutile de lui dire que le notaire se trouve, lui aussi, dans un état lamentable! » jugea-t-elle.

– Dis-moi, maintenant... Comment s'appelle-t-il, au juste?

– Gilles... Gilles Ducharme.

Pourquoi Aurélia eut-elle l'image évanescente d'un feu de bois? Pourquoi songea-t-elle subitement à cette belle soirée passée en compagnie de Michelle et de Daniel, à Sainte-Rose? Pourquoi revit-elle les yeux écarquillés de mademoiselle Pouliot à la vue de Jules Duchesne? Elle aurait été incapable de répondre dans l'immédiat. Surprise, elle s'extirpa de force de ces images envahissantes afin de revenir à la conversation en cours :

– Euh!... excuse-moi, Marie. Ainsi, si je comprends bien, Jean et Pamphile le connaissent de nom seulement, puisque tu leur avais déjà parlé de cette relation passée, bien avant ces événements... Oui? Je vois. Ici, au Lac, personne ne l'a donc jamais vu, à part toi?

– Non! Personne!... Quoique...

– Quoique... Parle, ma petite, dis-moi tout ce qui te passe par la tête! Il me faut plus de détails, si je veux faire quelque chose... Je veux tant t'aider!

– Michelle! Michelle Pouliot a déjà entendu sa voix. Comme il avait été odieux avec elle au téléphone, alors que je n'étais pas encore arrivée au bureau et qu'il demandait à me parler, je pense qu'elle a gardé un très mauvais souvenir de lui! Elle a peut-être eu quelques doutes, surtout quand je me suis évanouie après la conversation téléphonique qui m'avait mise dans tous mes états, mais je me suis efforcée de les lui enlever! En plus, je lui avais fait promettre de ne rien dire au notaire.

« Oh! mais oui, j'y pense! Elle l'a vu... une fois! Au restaurant! Michelle y était aussi, ce jour-là. Elle était accourue vers moi alors que je m'étais de nouveau sentie mal à la fin de l'entrevue catastrophique avec lui! »

En suivant les explications détaillées de Marie-Ève, Aurélia voyait les pièces d'un puzzle macabre se placer toutes seules, une à une, devant elle. Puis, sans qu'elle s'y attende, en plein milieu des aveux troublants de Marie-Ève, les paroles de Nicole lui revinrent à l'esprit, aussi claires qu'en ce jour d'automne :

« Avec le Mat, Aurélia, il faut se souvenir que tout peut être rattaché, sans que quiconque arrive à voir des liens.

Tout peut tendre vers un but sans que les événements paraissent suivre un quelconque cheminement. »

« Dieu du ciel! Non... non... Ce n'est pas possible! C'est impossible! Ce serait trop... Aurélia Fortin, tu divagues! »

– Marie... dis-moi. Que... que fait-il dans la vie? Et sais-tu où il habite, ce Gilles Ducharme?

– Il m'a dit qu'il avait obtenu un contrat de travail de quelques mois à Chicoutimi. Sans plus. Mais je ne sais pas si c'est la vérité, Aurélia. Il ment comme il respire! Il est ingénieur système.

– Ingénieur système? s'écria Aurélia, décontenancée, complètement sous le choc des révélations.

Marie-Ève, tout à ses confidences, mit la surprise d'Aurélia sur le compte de l'incompréhension. Sans s'attarder outre mesure à cette réaction exagérée, elle spécifia :

– Oh! il travaille dans l'informatique, Aurélia. Enfin, c'était son emploi, dans le temps. C'est un homme doué, brillant et... extrêmement séduisant, vous savez. Il a beaucoup de succès avec les femmes. Il est très charismatique. J'ai du mal à croire qu'il soit rendu dans un état si pitoyable! Il aura payé très cher sa dépendance. Trop cher! Ah! ce maudit jeu! Il aura certainement tout perdu, jusqu'à l'intégrité de son esprit.

– ... Tu as bien dit... le jeu? réussit à bafouiller Aurélia d'une voix cassée.

Le doute n'était plus permis. Il s'agissait simplement pour elle d'obtenir une dernière confirmation.

– Oui, le jeu! Et c'est ce qui me fait très peur, Aurélia. C'est un joueur compulsif et je crois que sa dépendance maladive est en train de le rendre fou! Je deviens comme une sorte d'objet de compulsion à ses yeux! Vous savez pourquoi il veut vraiment me reprendre avec lui? Je vais vous le dire. Ce n'est pas par amour... Non! Il croit que je lui porte chance! Il a dit sérieusement qu'il gagnait gros, chaque fois qu'il me parlait ou me voyait! C'est incroyable, non? Il croit aussi qu'une... une voix l'a mené jusqu'à moi et lui dicte sa conduite! C'est pas normal, à mon avis!

« Vous voyez bien, Aurélia, que je ne pouvais en parler à personne. Je ne crois pas qu'il me veuille du mal physiquement, à moi... Mais qui peut savoir? Il aurait pu vouloir faire chanter le notaire pour de l'argent ou pire encore! Dans un accès de folie, qui me dit qu'il ne s'attaquera pas à Jean, par dépit, frustration ou vengeance? Ah! je sais désormais qu'il ne me lâchera plus, Aurélia! Il l'a juré! Il peut être dangereux!

« Je ne veux pas rentrer à la maison. Je me sens en sécurité, ici, car il ne sait pas où me trouver, pour le moment! Aurélia, il faut que vous m'aidiez! Je dois rester ici!

– Calme-toi, calme-toi, ma petite. Ouf!... attends, je vais nous chercher de l'eau fraîche.

La vieille dame avait encore plus besoin de boire que Marie-Ève, tant sa gorge était sèche et lui faisait mal. En s'éloignant quelques secondes, elle désirait ainsi se donner une certaine contenance, car elle ne voulait pas montrer son trouble devant la jeune femme.

– Aurélia, il faut me promettre que vous n'en parlerez pas à Jean.

– Je... je veux bien, se contenta de répondre vaguement Aurélia, en tournant la tête. Par contre, je vais tout faire pour retrouver cet homme. Marie, c'est à ton tour de m'écouter. J'ai de très bons contacts à Chicoutimi. Ma meilleure amie, Béatrice Poulin, a un frère... un enquêteur, justement! Avec les informations que tu m'as données, je suis presque certaine de pouvoir le retracer!

– Et vous ferez quoi, Aurélia? demanda Marie-Ève, interloquée par la répartie de la Roseraine, qui n'était plus très jeune...

– ... Euh! je ne sais pas encore. Cet enquêteur... il saura sûrement bien me conseiller, non? (Aurélia sentait qu'elle mentait très mal; heureusement Marie-Ève était trop préoccupée pour s'en rendre compte.) Pour le moment, le plus urgent, c'est de le localiser! Ne crains rien, tu resteras ici à l'hôpital, compte sur moi! Et puis, tu vas me faire une promesse à ton tour.

« As-tu oublié les écrits de Joséphine, ma mère? N'a-t-elle pas promis de te protéger du ciel? Alors, à l'œuvre : tu vas l'implorer de tenir sa promesse. Désormais, tu me fais confiance, tu ne penses qu'à ceux qui t'entourent, qui t'aiment et qui te veulent du bien. Il faut porter cet enfant à terme dans la joie et le bonheur. Je m'occupe du reste. Promis?

– Promis. Ah! merci! merci, madame Aurélia... Que ferais-je sans vous? J'aurais donc dû...

– Tut, tut, tut! ma petite fille. Ce n'est plus le temps des regrets! Cet enfant a sûrement besoin de sentir sa maman heureuse et détendue.

Au bout d'une demi-heure, après tant d'émotions, Marie-Ève n'eut aucune difficulté à s'assoupir. D'avoir partagé son secret l'avait grandement rassérénée. Aurélia profita de ce moment précis pour sortir dans le corridor et faire deux appels téléphoniques primordiaux.

– Pamphile! C'est moi, Aurélia. Écoute-moi bien et ne me pose aucune question. Il faut que tu réunisses les personnes suivantes chez toi, ce soir, après l'heure des visites à l'hôpital : Jean, Michelle et Daniel. J'ai de grandes révélations à vous faire. Et surtout, Pamphile...

tous doivent venir! Ce que j'ai à dire s'avère de la plus haute importance!

Puis, en toute hâte, elle fit un appel interurbain à Sainte-Rose :

– Béatrice! C'est moi, Aurélia. Écoute-moi et ne cherche pas à comprendre pour le moment. La personne dont tu dois retrouver les coordonnées s'appelle Françoise Ducharme. Tu as bien entendu? Ducharme et non, Duchesne. Je t'expliquerai plus tard. Il faut que tu trouves ces informations aujourd'hui même! C'est d'une urgence capitale, Béatrice!

« Je rentre demain matin et je t'appelle dès que j'arrive. Il faudra que tu viennes me chercher à Chicoutimi! Puis-je compter sur toi, mon amie? »

***

Le salon de Pamphile paraissait encore plus exigu qu'en temps normal. Jean et Daniel, les derniers arrivés, avaient porté deux chaises droites de la cuisine et s'étaient installés près de l'antiquaire. Michelle et Aurélia avaient pris place sur le divan; à voix basse, les femmes partageaient leurs impressions, l'une sur les beautés du fjord et l'autre sur celles de la campagne jeannoise.

Du coin de l'œil, l'antiquaire examinait Aurélia. Malgré tous ses efforts, il n'avait pas réussi à tirer les vers du nez à la belle madame Fortin. Impatient et perplexe, il se berçait en admirant le lac. La dernière remarque de Michelle le fit sourire malgré lui. Elle murmurait, en soupirant d'aise :

– Chacune de nous a le loisir de les découvrir avec son amoureux... N'est-ce pas romantique, Aurélia?

L'atmosphère n'était pas seulement chargée d'humidité et d'orage imminent, elle était aussi lourde d'attente et d'interrogations. D'une étrange manière, le ronronnement du ventilateur remplissait à merveille les intervalles de silence sporadiques. Dans une sorte de tentative puérile d'éviter de réveiller les spectres de l'adversité, ici et là, on discutait, mais, sans élever la voix. Lorsque Aurélia se racla la gorge, tous se turent, sachant qu'elle allait prendre la parole.

– Mes amis! Je ne sais comment débuter tellement... Bon! j'ai passé l'après-midi avec Marie-Ève. Elle... elle s'est confiée à moi!

« Avant toute chose, permettez que j'éclaircisse un point. Quand elle m'a demandé de promettre de ne rien dire, j'ai délibérément répondu : « Je veux bien », tout en sachant pertinemment que je ne pourrais tenir ma promesse.

« Bien. J'aurais pu ne faire venir que son conjoint, mais il me semble que chacun ici présent est concerné d'une manière ou d'une autre par la santé et le bonheur de Marie-Ève. Et je crois que nous ne serons pas trop de cinq pour dénouer l'impasse dans laquelle elle se trouve à cause de ce lourd secret qu'elle garde depuis des mois!

– Excusez-moi de vous interrompre, chère Aurélia, et loin de moi l'idée de paraître brusque ou présomptueux, mais je ne tiens pas particulièrement à ce que l'on fasse, ici, le procès de ma mère. Je crois qu'il n'y a rien à faire pour le moment, hélas! J'ai essayé d'entrer en contact avec elle, mais elle demeure sur ses positions. Je sais que...

– Jean! Jean! Il ne s'agit pas de cela! Ah! si ce n'était que ça! balbutia la Roseraine, d'une voix éplorée.

– Mais... Aurélia, que voulez-vous dire? demanda Jean, fort inquiet en voyant l'air navré de la Roseraine. Il y a autre chose?

– Oh oui! hélas... et c'est plutôt grave, mon ami!

– Mais, parlez! Vous me faites peur, Aurélia! s'écria Jean, en proie au tourment. »

D'une voix timide, Aurélia se mit à raconter les faits tels que Marie-Ève les lui avait relatés. En parlant, elle regardait l'un et l'autre.

Consterné, le notaire semblait ne pas croire un mot de l'histoire, tant il demeurait figé par l'étonnement. L'antiquaire et le docteur, quant à eux, voyaient leurs soupçons confirmés. Et lorsque Aurélia croisa le regard de Michelle, elle sut que cette dernière, sans qu'aucune identité n'ait encore été divulguée, savait pourtant de qui il était question.

Jusque-là, la Roseraine n'avait fait aucune mention de son voisin.

– Je pense que, mis à part Daniel, reprit-elle après avoir laissé un peu de temps pour digérer les premières révélations, vous connaissez le nom de ce personnage... Il s'agit de son ex-ami, Gilles Ducharme!

– Ah! mon Dieu! ne put retenir Michelle, dans un cri du cœur.

– Quoi? quoi? Mais pourquoi Marie ne m'en a-t-elle pas parlé? Pourquoi a-t-elle gardé le silence? Pourquoi ne m'a-t-elle pas fait confiance? s'écria Jean d'une voix accablée. Et puis, Aurélia, ce n'est pas une situation si grave, après tout! Ce sont des choses qui arrivent! Marie-Ève est si belle et si adorable que je peux admettre, à la rigueur, qu'on tente l'impossible pour la reprendre!

– Jean! Je vous arrête tout de suite. Si Marie a agi ainsi, ce n'est pas par manque de confiance en vous, c'est uniquement par amour pour vous. Et puis, il y a reprendre et...

Aurélia prit beaucoup de temps pour expliquer à tous les raisons du silence de Marie-Ève. Elle mit en lumière le sentiment de culpabilité qu'éprouvait la jeune femme par rapport à sa grossesse hâtive, accentué, il est vrai, par les reproches de madame Huot... Aurélia décrivit la volonté et le désir de Marie de ne pas inquiéter ceux qu'elle aimait, autant Pamphile que sa mère et, particulièrement, Jean, l'amour de sa vie, qui n'avait déjà que trop souffert dans des circonstances similaires...

Ensuite, avec plus de difficultés, Aurélia, en choisissant bien ses mots, parla plus spécifiquement du comportement instable, maladif et potentiellement dangereux de Gilles Ducharme. C'est alors qu'elle avoua :

– Si certains le connaissent seulement de nom, d'autres l'ont déjà vu, sans savoir qui il était, et... moi... moi, je le connais intimement!

– Vous? Toi? lança, dans un seul souffle, l'assemblée sur le qui-vive.

– Oui! moi! Aurélia Fortin de Sainte-Rose! Je sais que cela peut paraître incroyable, mais, le hasard, ou... je ne sais quoi d'autre! a voulu qu'en octobre dernier, Gilles Ducharme devienne mon plus proche voisin! Il s'est présenté à moi sous le nom de Jules! Par des circonstances que je n'arrive pas encore à m'expliquer, ni le nom de Marie-Ève ni le vôtre, Jean, n'a été prononcé entre nous! Jamais! Je connais donc aussi sa version de l'histoire, puisqu'il s'est confié à moi régulièrement.

Un silence accablant envahit soudain l'espace restreint. Chacun se sentit ballotté, pris dans un tourbillon de doutes, de remises en question, de stupeur et de grandes perturbations. Au dehors, les éclairs de chaleur sillonnaient le ciel noir en le tourmentant de toutes parts. À l'intérieur, régnait une pénombre relative. Une seule lampe de faible intensité était allumée dans l'étroit salon devenu, pour l'heure, le théâtre d'une pièce aux répliques bouleversantes et insolites. En illuminant les visages à l'improviste, les éclairs accentuaient la tension nerveuse qui avait gagné le groupe de manière insidieuse. À l'instar de l'eau qui n'arrivait pas à percer les nuages noirs, la logique, la compréhension et la raison ne parvenaient pas à faire leur chemin dans l'esprit sceptique et mis à rude épreuve des assistants, au paroxysme de l'effarement.

Enfin, la pluie se mit à tomber, délivrant les nuages lourds et, par la même occasion, elle délia l'esprit obstrué des participants.

L'antiquaire se souvint de ce jour de mai, quand il allait dire le nom de Marie-Ève au voisin d'Aurélia, et que ce dernier lui avait coupé la parole. « I s'en est fallu de peu, vingueu! que le pot aux roses éclate! Pourquoi que c'est pas arrivé à ce moment-là? » songea Pamphile, complètement retourné.

Au même titre que la terre détrempée par l'ondée, Michelle fut baignée par un sentiment de culpabilité. « J'aurais dû abandonner ma réserve stupide et confier mes doutes et mes craintes à Jean, Pamphile ou Aurélia. Ah! j'avais eu raison, je l'avais bien reconnu, même chez Aurélia! J'aurais dû insister et prendre les devants avec Marie-Ève. Son ex-ami! Elle m'en avait parlé une fois, vaguement, mais sans plus... et il y a si longtemps! J'aurais dû briser ma promesse de garder le silence! La vie ne tient donc qu'à un geste qu'on fait ou ne fait pas? » pensait Michelle, tout à fait déconcertée par la simplicité et la complexité de la vie.

Quant au notaire, il était complètement dépassé par la situation. En plus de ne pas admettre l'insouciance et la négligence dont il avait fait preuve, il ne se pardonnait pas son aveuglement.

– Mais, mais, c'est horrible! Comme elle a dû se sentir seule! s'écria Jean, affligé. Et je ne me suis jamais douté de rien! Moi qui ai toujours dit qu'on pouvait lire en Marie comme dans un livre ouvert! Comment ai-je pu être si aveugle et croire que seule ma mère était en cause! Aurélia, si cet homme est... dangereux, comme vous semblez le croire, il faut faire quelque chose au plus vite, appeler la police ou...

– Jean! Permettez que je vous arrête. Justement, je voudrais que nous n'ayons pas recours à la police. Pas tout de suite, en tout cas.

– Aurélia, ce monsieur Jules, c'est un homme très malade, dérangé mentalement, insista Pamphile d'une voix douce, mais ferme. Tu me l'as affirmé toi-même au mois de mai, je m'en souviens bien. Si l'on ne fait rien, il pourrait commettre des gestes irréparables... Car, astheure, tu peux voir, comme nous autres, qu'il a comme... deux personnalités, on dirait? Pis, ça, apparence que c'est assez grave... me semble! On ne peut pas prendre de chance, vingueu! C'est trop sérieux, ma Noirette!

– Je sais tout cela! lança Aurélia d'une voix émue, mais empreinte d'impatience. Oh! excusez-moi... Ce que je vous demande, c'est de me laisser deux jours. Trois, au maximum! Jules me considère comme une amie et une confidente. Je sais, je sais que je peux l'aider. Il y a des centaines de détails dont je suis au courant et qui seraient trop longs à résumer ici. Je sais pertinemment qu'il ne veut pas faire de mal à Marie-Ève.

« Voyez-vous, je pense pouvoir résoudre le problème d'une manière qui ne laissera pas de séquelles. J'ai un plan, mais je ne crois pas nécessaire de vous en faire part maintenant. Si j'échoue et que je ne n'arrive à rien dans les jours à venir, vous pourrez appeler la police.

« Donnez-moi une chance de l'aider, lui aussi, supplia Aurélia, en fixant Jean droit dans les yeux, sans broncher. Ne le voyez pas seulement comme un criminel, c'est un homme malade, avant tout. Je ne sais pas pourquoi c'est si important pour moi! J'ai une étrange impression. L'aider, c'est comme... protéger votre enfant, vous comprenez? Je sais que cela peut paraître insensé et présomptueux, vu mon âge! Mais c'est exactement ce que je ressens! Je ne peux pas vous en dire plus! »

Sans le savoir, Aurélia venait de toucher une corde sensible chez Jean. En effet, les dernières paroles avaient fortement ébranlé le notaire.

« N'ai-je pas toujours cru Aurélia Fortin garante de l'avenir de notre enfant? réfléchit le notaire. C'est le temps de passer de la pensée à l'acte, on dirait... »

Par conséquent, d'une voix remplie d'espoir, il accepta :

– Je veux bien vous faire confiance, Aurélia. Vous êtes la mieux placée, en effet, pour aider Marie. Mais, nous pouvons certainement participer, non? Il doit bien y avoir des choses à planifier, à régler.

– Non, Jean. Je n'ai besoin que de votre appui moral. Je partirai demain matin, à l'aube.

– Je t'accompagnerai, Aurélia, signifia l'antiquaire dans un geste d'autorité protectrice. Pas question que tu te lances seule dans une aventure pareille, vingueu!

– Oh non, Pamphile Côté! Je partirai en autobus. Je ne serai pas seule. Béatrice, mon amie à Sainte-Rose, m'aidera. Je peux compter sur elle. Ne vous inquiétez pas pour moi. Vous allez tous rester ici pour tenir compagnie à Marie-Ève et pour assurer sa protection, en quelque sorte, sans rien lui montrer de ce que vous savez, évidemment.

« Vous ne laissez rien paraître, sous aucun prétexte! C'est clair, pour tout le monde? »

***

Comme Aurélia avait cessé de parler depuis de longues minutes, l'antiquaire se leva pour se dégourdir les jambes et chasser le malaise qui avait envahi son cœur. Il vint vers sa compagne, toute pâle, pour la réconforter.

D'une voix grave, mais au travers de laquelle on sentait le besoin de se rattacher à une réalité connue et sécurisante, Jean demanda si quelqu'un avait envie de boire quelque chose. Chacun avoua avoir besoin d'un solide remontant. Par conséquent, Aurélia et Michelle se levèrent et se dirigèrent à la cuisine pour préparer boissons et cafés forts.

Les conversations continuèrent, mais à une cadence plus posée, au rythme de la pluie douce dont on entendait le mélodieux crépitement par la fenêtre ouverte. On allait et venait dans le petit appartement, visitant la cuisine et la salle de bains, cherchant tant bien que mal à se donner une contenance. À la demande d'Aurélia, Daniel s'était approché de l'antiquaire, en s'enquérant de sa santé :

– Ça va pour le moment, docteur. Je m'attendais pas à ça, vingueu! quoique j'étais certain depuis le début que la p'tite cachait un secret! Je la connais tellement! Je m'inquiète ben gros pour elle pis pour son Jean, itou. C'est pas des situations recommandables pour un cœur, malade ou pas! admit tristement l'antiquaire. Prendriez-vous mon pouls, docteur? Ça me rassurerait ben gros, pis, par le fait même, la belle Aurélia... C'est pas elle qui vous aurait envoyé, par hasard?

Chacun retourna à son siège, un peu plus calme, un peu plus optimiste.

– Vous savez, reprit Aurélia, d'une voix posée, vous

ne devez pas vous inquiéter outre mesure, puisque Jules Duchesne n'habite pas au Lac et qu'il ne semble pas connaître la maison du rang des Apis.

– Oh! oh! mon Dieu! Je... je ne vous ai pas encore mis au courant! Je dois vous dire quelque chose d'important! s'écria Michelle.

Prise d'une soudaine agitation, elle échappa sa tasse vide par terre. Quand l'objet de porcelaine se cassa, désolée, atterrée, elle se mit à pleurer.

– Ah! qu'est-ce que j'ai fait? S'il arrivait un malheur, jamais je ne me le pardonnerais!

Chacun, malgré qu'il n'y crût pas une seconde, voulut voir dans la désolation de Michelle une réaction immédiate à sa bévue.

– Ne te mets pas dans un tel état, voyons! s'écria Daniel, en se penchant pour ramasser les morceaux. Mais qu'est-ce qui se passe, Michelle? Marie-Ève se porte bien pour le moment et l'enfant ne court aucun danger!

– Ce n'est pas ça, Daniel, réussit-elle à balbutier, en hoquetant. Gilles Ducharme sait où habite Marie-Ève! C'est moi qui le lui ai dit!

Tous demeurèrent sans voix, incrédules, terrassés.

Honteuse, abominablement mal à l'aise, Michelle raconta néanmoins son histoire. Elle décrivit avec peine la façon dont l'ex-ami de Marie-Ève lui avait soutiré des renseignements en se présentant à la fin de l'automne dernier comme un parent de la famille, éloigné depuis des années, et souhaitant faire une belle surprise à la jeune femme et à son conjoint...

– Je suis bêtement tombée dans le panneau! Mais c'est surtout parce que j'ai été ensorcelée par son charme puissant! Comme s'il m'avait envoûtée! Il... était si... Ah! qu'ai-je fait, mon Dieu!

– Michelle, ne vous sentez pas coupable! Vous n'aviez

aucune raison de douter de lui. Pourquoi auriez-vous pensé à un subterfuge? Vous n'êtes certainement pas la seule à avoir été ensorcelée par Gilles Ducharme! Croyez-moi! Et moi, moi qui vis à côté de lui depuis des mois! Que dois-je dire, alors? Comment dois-je me sentir? Je n'ai jamais, jamais relié Jules à Marie-Ève, ou l'inverse. Pourquoi y aurais-je songé? Pas une seule seconde, je n'y ai pensé!... Ce qui est fait, est fait!

« Pourtant, sans tomber dans la paranoïa, nous devons tenir compte des aveux de Michelle, ajouta Aurélia en s'adressant à l'assistance. Il faut faire preuve de prudence jusqu'à ce que je passe à l'action. Jean, assurez-vous de donner une liste de visiteurs à l'hôpital. Exigez qu'elle soit respectée à la lettre. Quoique ce soit certainement inutile. Il ne peut pas savoir qu'elle s'y trouve! Enfin, jugez par vous-même. Aussi, il serait bon, surtout dans les environs du rang des Apis et du centre hospitalier, de surveiller la présence d'une vieille voiture noire... Une Toyota, je crois, n'est-ce pas, Pamphile? Toi qui connais mieux les voitures...

– Qu'est-ce que vous venez de dire, Aurélia Fortin? Une Toyota noire! Une vieille Toyota noire? » hurla le notaire qui, en se levant d'un bond, semblait avoir soudain perdu le contrôle de lui-même.

Pendant que tous se trouvaient figés par la douche froide des révélations qui se succédaient à un rythme délirant, le notaire, pratiquement en état de choc, n'arrivait pas à admettre l'inconcevable. À bout de nerfs, il s'écria :

– Ah! ah! mon Dieu! Moi aussi, je l'ai vu! J'ai vu cet homme! Il y a à peine quelques jours! Il était tout près de moi! Et je n'ai rien fait! Comment aurais-je pu me douter? Si j'avais su! Non! Ah!... Seigneur!... Non! C'est lui qui m'avait donné rendez-vous pour me faire sortir de la maison, j'en suis sûr!

Personne ne reconnaissait la voix du notaire tant la panique et le désespoir l'avaient transformée. Il semblait en proie à un état de tension insoutenable. Les yeux rivés sur Jean, le souffle court, tous ne purent qu'attendre avec anxiété la suite des confidences. Cette fois, chacun, le cœur serré et la peur au ventre, craignit le pire.

– Aurélia, il est déjà venu... au rang des Apis! Il est venu le 9 août, précisément, confessa Jean, d'un air abattu. Je suis sûr que c'est lui. Aucun doute n'est possible. Au téléphone, sur le message du répondeur du bureau, il s'est présenté sous le nom de... J. Duchesne! Je viens juste de faire le lien, Aurélia! admit-il, humilié et démoralisé. Et c'est à cause de lui, ce matin-là, mercredi, que Marie s'est retrouvée à l'hôpital!

En essayant de garder son sang-froid, Jean divulgua tous les détails de l'épisode dramatique. Puis, en terminant, il ajouta :

– Que lui a-t-il dit pour la terroriser à ce point? Que lui a-t-il fait, mon Dieu? Aurélia, son intention est de revenir, et, très vite. Et Marie-Ève le sait. C'est pour cette raison qu'elle n'a pas voulu une chambre individuelle et qu'elle ne souhaite pas revenir à la maison! Elle est terrifiée! Et il doit se douter qu'elle est maintenant à l'hôpital! Il l'a lâchement abandonnée pendant qu'elle saignait, qu'elle était en danger et qu'elle était peut-être en train de perdre son bébé! C'est un être immonde, ignoble, immoral! Il doit être arrêté! Marie est en danger!

Jean prit une grande respiration et essaya tant bien que mal de contrôler ses émotions. Puis, d'une voix froide et déterminée, le regard devenu soudain impénétrable, il s'adressa à la Roseraine :

– Je ne reprendrai pas mon engagement envers vous, Aurélia. J'ai confiance en vous... mais, étant donné les derniers développements, vous conviendrez avec moi que la situation a changé. C'est pourquoi, je vous laisse deux jours. Pas un de plus. Demain, nous serons lundi, le 14! Si, mercredi, je n'ai pas de vos nouvelles, je jure de prendre moi-même la situation en main et de la régler, d'une façon ou d'une autre!

– Monsieur Jean! Du calme, mon ami, du calme! exhorta Pamphile, après avoir surpris la rage, la colère et le désir de vengeance dans la voix du notaire. Je suis persuadé qu'Aurélia va réussir. Pensez-y, notaire, sans les aveux de la Marie à la justice, il serait difficile de le mettre hors d'état de nuire tusuite! Pis, dans son état, ce serait pas recommandé de la soumettre à un pareil exercice!... Hein, docteur?

Pendant que Daniel, sans hésiter, approuvait l'antiquaire, celui-ci entrevit en un éclair la pensée des participants réunis autour de lui. Pamphile Côté termina son exposé d'une voix de patriarche :

– Et puis, mon cher ami, ça intéresse personne icitte d'aller vous rendre visite derrière des barreaux, vingueu! On a déjà assez d'aller à l'hôpital avant le temps! On serait ben avancés! La Marie a besoin de vous, Jean. De vous, en avant d'elle pour y montrer le chemin, pis l'encourager, pas derrière! Vous êtes pas tout seul dans votre épreuve, vous le savez, ça! On va donc tous garder notre calme et faire comme Aurélia a dit, pour deux jours, du moins! On a certainement rien à perdre à essayer! Si, à quatre, icitte, on est pas capables de protéger la Marie...

– Daniel, j'ai une faveur à vous demander, relança Aurélia, qui, suite aux sages conseils de Pamphile, semblait plus décidée que jamais. Maintenant, comme moi, vous comprenez la réaction de Marie-Ève quand vous lui avez annoncé qu'elle pourrait sortir dans deux ou trois jours! Elle n'a pas osé me confier le tragique épisode du rang des Apis, la pauvre enfant! Elle doit se sentir honteuse, coupable et absolument traumatisée.

« Écoutez-moi bien, docteur. Vous devez la garder à l'hôpital, au moins trois ou quatre jours encore. Elle s'y sent en parfaite sécurité! Vu les circonstances, ce serait plus sage et plus prudent, pour elle et le bébé!

– Je vais faire tout ce qui est en mon pouvoir pour accéder à votre requête, mais je ne réponds de rien, madame Fortin! Ce sera difficile! Avec les compressions, nous ne pouvons garder les patients sans raison valable! D'autant plus que, physiquement parlant, elle se porte assez bien. Trois jours... ce sera certainement le maximum!

– Bien, bien, je suis certaine que ce sera suffisant! Faites-moi confiance! »

X

À voir la masse nuageuse, compacte et immobile, la journée resterait grise. D'une certaine façon, Béatrice Poulin en fut soulagée, car la luminosité commençait sérieusement à gêner sa vue, déjà affaiblie. En regardant l'horloge dans le hall du terminus, elle se rendit compte qu'il restait encore une trentaine de minutes avant l'arrivée d'Aurélia! Vu l'heure matinale, elle décida de s'installer au comptoir et de prendre des toasts et un café.

Au moment de régler l'addition, elle vit, par les larges fenêtres, l'autocar venant du Lac qui entrait en gare. Elle se dépêcha pour aller accueillir son amie.

– Ah! Aurélia! Que je suis contente de te voir! Je suis tellement inquiète depuis ton appel d'hier! Que tu as l'air fatigué! Est-ce que ça va, mon Aurélia?

– Béatrice! Je suis si heureuse de te retrouver! lança Aurélia dans un cri du cœur, en embrassant chaleureusement l'institutrice. Je n'ai presque pas fermé l'œil de la nuit... Allons, dépêchons-nous, nous n'avons pas une minute à perdre! Je vais tout te raconter en route. Ah! mon Dieu! Est-ce que je vais pouvoir rencontrer mes engagements?

Une fois installée dans la voiture de Béatrice, Aurélia résuma assez clairement les faits en insistant sur le peu de temps à leur disposition. À la fin, sans même se préoccuper du saisissement de sa compagne, sans tenir compte de la situation singulière qui prévalait, du moins aux yeux de Béatrice, Aurélia demanda :

– Alors, tu as trouvé ses coordonnées, j'espère?

– Je... Oui! oui! Mais il y a trois... trois personnes du nom de Françoise Ducharme à Saint-Lambert!

– C'est mieux que rien du tout! Espérons qu'elle soit parmi ces trois et qu'elle n'ait pas un numéro confidentiel, elle aussi! Confiance. Sois positive, Aurélia Fortin!

« Béatrice, chère amie, pourras-tu m'aider, aujourd'hui? »

Le signe de tête affirmatif de l'institutrice, pourtant léger, déchargea Aurélia d'un lourd fardeau.

– Ah! tant mieux! Tu me soulages, car, dans mon énervement, hier, j'avais oublié de te le demander. Je sais que tu as tes classes à préparer...

– Tut, tut, tut! Crois-tu que je ne te connais pas, Aurélia Fortin? À ta voix, hier, je me doutais bien, va, que tu aurais besoin d'aide! Depuis quelques mois, tu n'arrêtes pas de me surprendre! Ton cher voisin, celui que tu voulais aider à tout prix, même malgré lui, se trouve au centre de l'histoire de la protégée de Pamphile, l'antiquaire! Quelle étrange rebondissement! Toute une coïncidence!

« Tu vas faire d'une pierre, deux coups en quelque sorte! Incroyable... Qu'est-ce que tu as dit au bon Dieu, Aurélia Fortin, pour qu'Il guide aussi bien tes pas? Ce matin, je dois t'avouer que tu dépasses, et de loin... Les *Frontières du réel*, mon émission préférée! »

Ces paroles inattendues, mais touchantes de sincérité, détendirent l'atmosphère. Béatrice afficha un air satisfait : elle avait réussi à faire sourire son amie. Un sourire timide, mais rempli de promesses.

– Tu es un ange, Béatrice Poulin. Plus que ça! Tu es mon ange!

« Je devrai te parler d'autre chose... très bientôt. D'un événement qui nous concerne, toi et moi. Et là, je pense pouvoir affirmer gagner toutes les cotes d'écoute! Les tiennes, en tout cas. Bref, aujourd'hui, nous devrons chercher plusieurs informations sur

Internet et ta rapidité sera bienvenue, car nous n'avons que cette journée du 14...

– Qu'y a-t-il, Aurélia, un problème?

– Oh! c'est juste... Je me suis soudainement rappelé ce que Nicole disait sur le 14 : le fameux arcane Tempérance dont je t'ai souvent parlé... Je crois que c'est de bon augure!

« Je disais donc que nous n'avons qu'une seule journée pour tout mettre en place! Alors, écoute-moi bien, maintenant. Voici mon plan... »

***

Contrairement à ce qu'elle avait anticipé, Aurélia avait passé une bonne nuit. En robe de chambre, un café à la main, elle se promenait dans sa belle cuisine couleur soleil. Chaque matin, la pièce devenait un pot-pourri permanent d'herbes, d'épices, de fleurs et de confitures qui réveillait subtilement ses sens. Pensive, elle s'arrêta devant le calendrier. L'image du mois d'août portait un titre bien déclamatoire : *Pleins feux sur Montréal.* Les centaines de réverbérations des lumières de la ville créaient un effet magique et captivant sur l'eau foncée et paisible du fleuve Saint-Laurent. Malgré l'originalité de la photographie, le sujet laissait la Roseraine indifférente. Elle s'attarda plutôt à la date du jour : 15 août.

Jules avait accepté son invitation à dîner.

« C'est vrai que j'ai tellement insisté, qu'il n'a pas vraiment eu le choix! » songea Aurélia. Malgré les multiples objections présentées par son voisin, principalement son départ imminent et une fatigue accumulée, Aurélia avait quand même trouvé le moyen de le convaincre de venir lui faire ses adieux, en quelque sorte.

– Vous ne pouvez pas partir comme ça!? C'est impensable, voyons! Je serais froissée et tellement déçue si vous deviez refuser! J'ai aussi quelque chose pour vous, Jules! avait-elle lancé, dans l'esprit de l'attirer.

Il avait finalement consenti à venir vers la fin de la matinée, en réitérant son impossibilité de s'attarder. Le dénouement aurait donc lieu dans quelques heures à peine. Tout était en place!

Aurélia Fortin ne ressentait aucune angoisse, comme si toutes les expériences de sa vie se focalisaient ici, maintenant, pour lui venir en aide. À l'aise, elle alla s'asseoir à sa place préférée, au bord de la fenêtre.

La masse épaisse de nuages commençait à s'effriter, se transformant en gros cumulus blancs et cotonneux qui flottaient, librement, ici et là, dans un ciel de plus en plus bleu. Leurs formes étranges, blanches et évanescentes évoquèrent des images dans l'esprit sagace de la Roseraine dont elle put dresser un tableau. Sa pensée devint claire. Un à un, elle saisit les éléments qui la poussaient à aider Gilles Ducharme.

« J'ai tant reçu en une seule année de ma vie! J'ai besoin de donner, à mon tour, de partager... L'ange m'a fait don de la vie en m'insufflant le courage de continuer à avancer et, grâce à lui, j'ai pu cueillir les fruits de l'arbre de l'espérance. Je ne sais pas si c'est présomptueux de ma part, mais, depuis sa venue dans ma vie, j'avais l'impression d'avoir un rôle à jouer. Et je crois que la scène principale se passera ici même, aujourd'hui.

« Si Marie-Ève s'est confiée à moi, alors qu'elle aurait pu le faire auparavant, à une autre personne, ce n'est pas sans raison. Tout ce qui se passe présentement doit s'inscrire dans le déroulement des « coïncidences significatives »! Comme s'il me revenait de tenir, sur terre, les engagements de Joséphine... Pourquoi pas? Ne suis-je pas sa fille, l'enfant que Jean Huot a retrouvée?

« Connaissant les deux versions de l'histoire, je serai peut-être en mesure de mieux aider les protagonistes! Je l'espère de tout mon cœur!

« Ah! il n'empêche que ce sont des états d'âme que l'on peut rarement partager... Pamphile comprendra sûrement, quand je lui en parlerai. Heureusement que Béatrice m'a soutenue. Chère, chère Béatrice!...

« Tiens, je vais les appeler tous les deux pour les rassurer. »

***

De toute évidence, Jules appréciait le café fort qu'Aurélia lui avait servi. En s'astreignant à de gros efforts, il avait avalé quelques légumes, sans toutefois réussir à toucher à la viande. Ensuite, il avait poliment refusé le dessert.

Aurélia l'observait. L'homme en face d'elle dépérissait à vue d'œil. Les yeux cernés, le teint blafard, les cheveux en broussaille, la tenue négligée, Gilles Ducharme, amaigri, secoué de tics nerveux, n'était plus que l'ombre de... *l'autre*!

« Marie-Ève et Michelle n'avaient pas tort! Même dans cet état, cet homme possède un charisme foudroyant! Bon!... il est temps de passer à l'action. »

– Jules, j'ai besoin de vous parler. Ces derniers mois, on ne mentirait pas en disant que c'est... surtout vous qui vous êtes confié, n'est-ce pas?

– Oh oui, madame Fortin! J'ai beaucoup, beaucoup apprécié de vous avoir comme voisine. Vous avez été on ne peut plus patiente avec moi!

– Tant mieux!... J'ai besoin, à mon tour, de me confier à vous!

– Oh!... je vous écoute, madame Aurélia. Peut-être ai-je été très égoïste et n'ai-je pensé qu'à moi?

– Ne croyez pas cela. Voilà... Je fais face à un grand dilemme et je pensais que vous pourriez m'aider.

– Moi? Vous m'étonnez! Comment pourrais-je vous venir en aide dans l'état pitoyable où je suis! Je n'arrive même pas à m'aider moi-même, pauvre madame Fortin! Je ne dors plus, je ne mange plus... Oh! vous voyez comme je suis! Veuillez m'excuser. J'étais encore reparti! Je... je vous écoute!

– Bien, bien. Ce ne sera pas long, Jules. Voilà. J'ai des amis plus jeunes que moi. Des amis très intimes, de ceux qu'on ne rencontre qu'une fois dans une vie! Il n'y a pas si longtemps, ils ont fait quelque chose qui a transformé ma vie, pour le meilleur. Sans entrer dans les détails, je tiens à préciser que je leur suis redevable de mon bien-être et de mon bonheur actuel. Aujourd'hui, ils affrontent une épreuve très pénible. Les aimant sincèrement et ne voulant que leur bien, je souffre de les voir ainsi. J'ai donc décidé, contre vents et marées, de les aider.

– Ils ont beaucoup de chance de vous avoir pour amie, Aurélia!

– Ah! Jules, quiconque les connaît les apprécie énormément. La jeune femme se trouve présentement à l'hôpital. On a craint pour sa santé, mais, pour le moment, malgré qu'elle soit encore en état de choc, le pire semble écarté.

– Oh! que lui est-il arrivé? Un accident?

– Pas vraiment. Le fait est que, depuis plusieurs mois, elle est victime de harcèlement...

– Oh!...

Aurélia vit Jules changer de position, et son regard,

si concentré sur elle auparavant, devint évasif. Vraisemblablement, même s'il ne se doutait pas une seconde de ce qui l'attendait, les paroles d'Aurélia le mettaient mal à l'aise.

– Elle souffre beaucoup, mentalement et physiquement.

– Elle, elle a été agressée, physiquement?

– D'une certaine manière, oui.

– Que voulez-vous dire?

– Voyez-vous, Jules, elle est enceinte et, à cause de ce harcèlement, elle a failli perdre son enfant, tout dernièrement.

Aurélia laissa passer un peu de temps avant de poursuivre. Jules commençait à se tortiller sur sa chaise. Malgré son agitation subite, elle était certaine qu'en dépit de la coïncidence troublante, il n'avait pas encore fait un rapprochement définitif. Pourtant, avant qu'il ne décide de se lever, inventer un prétexte et partir, elle enchaîna :

– Son conjoint est fou de rage, voyez-vous. Il veut venger sa compagne à tout prix et je pense que sa réaction est normale, vu les circonstances. Car, voyez-vous, il a déjà perdu un enfant à la naissance, puis sa première épouse par la suite... J'ai donc offert de l'aider, car j'espère ainsi l'empêcher de commettre un geste irréparable. Dans l'état où il se trouve, il en serait capable, vous savez!

– Vous? L'aider? Loin de moi l'idée de vous sous-estimer, madame Fortin, mais que peut faire une femme seule et âgée contre un agresseur? Et, il vous a laissé faire? Il a accepté que vous courriez un tel danger? Êtes-vous certaine qu'il soit votre ami, Aurélia?

– Oh oui, oui! Aucun doute possible. Le... notaire a tant fait pour moi que je ne peux douter un seul instant de son amitié.

– Le notaire? Quel notaire?

– Oh! excusez-moi. Je saute peut-être des étapes... Mon ami est notaire, au Lac-Saint-Jean.

Voyant que Jules entamait un geste pour se lever, Aurélia dit, d'un ton poli mais ferme :

– Ah! je vous en prie, Jules. J'insiste : prenez le temps d'écouter mon histoire jusqu'au bout! Je vais nous servir un autre café.

Déjà passablement perturbé, Gilles n'osa pas bouger. Il tenta plutôt de se ressaisir. Comme Aurélia l'appelait toujours par l'autre prénom, il ne put songer qu'au fruit du hasard. Après tout, il y avait des dizaines de notaires au Lac dont certains, avec une femme enceinte!

« Une telle coïncidence serait inconcevable, de toute façon! » en vint-il rapidement à conclure. Et l'homme, confiant, se détendit à nouveau

– Donc, comme je vous le disais, le sort de l'agresseur se trouve désormais entre mes mains! reprit Aurélia d'une voix grave, en s'asseyant avec grâce. Étrange affaire... Qui l'eût cru, n'est-ce pas?

– Si vous voulez vraiment mon avis, comme vous sembliez me le demander au début, vous... vous devriez laisser tomber cette histoire, madame Aurélia. Vous pourriez être en danger, vous-même, et vous ne seriez pas plus avancée!

– Je ne crois pas, voyez-vous. Car, avant d'être un criminel, en quelque sorte, cet homme est malade et il a surtout besoin d'aide.

– Vous... vous le connaissez? C'est vrai que, dans ces drames, il arrive souvent qu'on ait affaire à un proche de la famille.

– En effet, je le connais. Et c'est peut-être ce qui va lui sauver la vie, d'une certaine manière. Car je ne réponds pas de Jean, *Jean Huot*, mon ami! Son cœur et tout son être crient vengeance. Il a été extrêmement blessé de voir souffrir sa Marie chérie et adorée.

– ... Marie... comment? demanda Jules, anéanti, démuni, incrédule, la voix complètement brisée, le regard éteint, le dos courbé.

D'instinct, Aurélia comprit que l'homme déposait les armes et levait le drapeau blanc. Trop blessé, il n'avait plus la force d'avancer ni de lutter. Elle n'avait rien à craindre de lui. Jules avait simplement posé la question pour la forme.

– Marie-Ève Saint-Amour, la protégée de mon très grand ami, l'antiquaire de Saint-Gédéon, monsieur Côté, que vous avez d'ailleurs rencontré! Et le nom de... Gilles Ducharme? Je pense qu'il vous dit quelque chose, n'est-ce pas?

***

Depuis plus d'une heure, Béatrice tentait de réconforter Aurélia. Inconsolable, cette dernière pleurait comme une enfant, sans pouvoir s'arrêter. Toutefois, l'institutrice ne s'inquiétait pas outre mesure, sachant que ces larmes étaient bienfaitrices et libératrices. En effet, elles servaient à évacuer une tension insoutenable, trop longtemps gardée.

À travers les étreintes, les mots d'encouragement et les mouchoirs en papier offerts avec tact, Béatrice, discrète et attentionnée, préparait un thé et quelques biscuits. Elle disposa le tout sur de jolis napperons, aux motifs fleuris.

– Ne te donne pas tant de mal, Béatrice. Je n'ai pas faim!

– Tu vas faire un effort, Aurélia Fortin, et venir au moins boire un peu de thé! ordonna l'institutrice, d'une voix affectueuse. Viens, viens t'asseoir près de moi. Ce n'est pas le temps de te rendre malade! Tout s'est bien passé. Tout! Exactement comme tu l'avais dit. Marie-Ève est désormais hors de danger. Grâce à toi, Aurélia!

« Tu as réussi quelque chose d'extraordinaire, tu le sais? Jules, ou plutôt Gilles, a quitté le fjord, soulagé et délivré de ses tourments, c'était évident! Tu sais à quoi j'ai songé en le voyant entre Françoise et Roger. Il me faisait penser à ces criminels qui tentent de cacher leur crime pendant un temps, mais qui deviennent vite torturés par d'intenses remords. Ne semblent-ils pas parfois soulagés de se faire prendre par la justice, libérés d'un fardeau qu'ils n'arrivent plus à porter seuls?

– Oui... J'ai eu cette impression, moi aussi. Tu sais, Béatrice, après avoir prononcé le nom de Marie-Ève, Jules... enfin, Gilles a, pour ainsi dire, tout de suite abdiqué, constata Aurélia d'une voix apaisée.

« Cela m'a fait réaliser que, dans la vie, lorsque les situations tardent à trouver un dénouement ou que les rêves ne se réalisent pas, c'est que le moment n'est tout simplement pas propice pour nous. Nous avons encore des choses à apprendre ou à faire, avant.

« De plus, tant et aussi longtemps que nous ne possédons pas l'état d'esprit parfaitement en ligne avec le but à atteindre, le résultat escompté peut être retardé ou, même, ne jamais se produire! Trois, deux semaines avant, voire hier, à la limite, notre plan n'aurait pas fonctionné de la même manière, Béatrice! Il aurait peut-être même échoué! »

Une courte période de réflexion et de silence s'imposa. Aurélia but une gorgée de thé qui lui fit du bien. À travers la fenêtre ouverte, elle put entendre les notes douces, musicales et gazouillées du merlebleu : *trou-li... trou-li...* Le couple et sa progéniture seraient bientôt prêts, eux aussi, à s'envoler sous d'autres cieux. Ils lui manqueraient.

– Je lui ai rappelé que ses comportements étaient en majeure partie directement liés à son état dépressif, poursuivit Aurélia, d'une voix soudain apaisée par le chant de l'oiseau bleu. Puis, je lui ai annoncé que sa sœur Françoise et son mari étaient arrivés la veille et qu'ils logeaient chez toi. Dès mon appel, ils viendraient le chercher pour l'accompagner dans un centre de thérapie. Je lui ai dit que je m'occuperais personnellement du Grand Tremblay...

– Ah! Aurélia, s'exclama Béatrice, impressionnée, je n'en reviens pas encore! Tu es une femme hors du commun! Quel sang-froid! Je ne crois pas qu'il y ait grand monde qui ferait, qui donnerait autant pour un simple étranger, un voisin! Tu fais ce que tu veux avec ton héritage, évidemment, mais...

– J'ai fait ce que toute personne compatissante aurait fait à ma place, Béatrice, ni plus ni moins. Et puis, l'héritage de ma mère doit servir à une bonne cause. Je ne l'aurais jamais reçu si Jean n'avait pas pris le temps, ni mis les efforts nécessaires pour me retrouver! Je n'ai pas besoin de tout cet argent et je n'avais jamais compris pourquoi une telle somme m'était tombée du ciel, tout d'un coup, à presque quatre-vingts ans! J'ai ma réponse, vois-tu! De plus, Françoise n'avait pas les moyens de payer la thérapie de son frère et c'est uniquement de cela dont il a besoin, pas d'une prison!

« Tu le sais toi-même, Béatrice, quand nous avons parlé au psychiatre, hier... Suite à ce que je lui ai raconté, cela n'a pas pris de temps à le convaincre d'accepter Gilles dans sa clinique! Il nous a bien dit que ce serait long!

« Gilles a été aimé de Marie-Ève, autrefois, et d'autres

femmes aussi, par la suite. Sa sœur l'estime beaucoup. C'est un homme intelligent, brillant même, et qui a des qualités... J'ai apprécié sa présence, aussi, à ma manière...

– C'est vrai qu'il est tellement beau! ne put s'empêcher de déclarer Béatrice, spontanément. Ouf! quel charme! Quel charisme! On penserait que c'est un cadeau du ciel, mais... peut-être pas toujours, après tout!

– Justement, tu mets le doigt dessus. Il doit avoir, ne serait-ce qu'une fois dans sa vie, la possibilité de découvrir sa beauté intérieure! Cesser d'être uniquement centré sur son ego. Gilles sait tout cela. Je suis sûre qu'il arrivera à guérir. J'en suis persuadée! Quand il m'a demandé qui paierait les frais de son séjour à la Maison Renaissance, dans le nord de Montréal, je ne lui ai pas caché que c'était moi. Mais j'ai exigé une condition en retour, Béatrice. Il a accepté de donner un papier d'une valeur inestimable pour Marie-Ève et Jean, pour Pamphile aussi et Michelle. Mis à part tous ces détails, c'est surtout quand il a quitté ma maison avec sa sœur et son beau-frère! Quelle tristesse! Et après, quand ils se sont arrêtés, en voiture, sur leur départ... Ah! que c'était difficile! Que c'était dur, Béatrice!

À ce souvenir, Aurélia ne put empêcher les sanglots de revenir. Elle prit quelques instants pour se ressaisir, avant de poursuivre :

– Il pleurait, Béatrice! On aurait dit un adolescent en crise, un jeune homme qui n'a jamais réussi à devenir adulte. Il regardait intensément le vieux pommier, puis le fjord et la rivière et j'ai eu l'impression qu'il les voyait et qu'il les aimait pour la première fois! D'une voix douce et amère à la fois, il m'a confié que, ironiquement, malgré qu'il ait tout perdu, il se sentait presque gagnant!

– Je voulais tant savourer à nouveau le goût de la liberté, m'a-t-il avoué, dans un sanglot. Ce n'est plus de nourriture dont mon corps avait faim... J'avais besoin d'être libre dans ma tête, affranchi de ma dépendance et libéré de cette voix maudite.

« Sa sincérité ne faisait aucun doute, Béatrice. Puis, il a ajouté :

– Et je rêvais d'y arriver! Croire cela possible était un leurre, comme le reste. Je réalise aujourd'hui que je n'y serais jamais parvenu seul! Depuis notre dernier entretien, dans lequel je me suis confié à vous, je me suis mis à prier, dans une sorte de dernier recours en grâces. Oui, pour la première fois de ma vie, j'ai imploré le ciel, le fjord, la grande rivière, tout ce qui me semblait beau et intouchable, pur et inviolable, car cette histoire allait trop loin!

« Je ne voulais pas finir par tomber et m'écraser sur les rochers. Je ne voulais plus jamais voir de sang, Aurélia, vous comprenez? J'avais tellement honte! Tellement honte de ma lâcheté! Elle était peut-être en danger de mort ou en train de perdre son enfant et j'avais fui. Je me suis sauvé comme un poltron, un pauvre type, comme le lâche que je suis!

« Ainsi, au moment où il n'y avait plus que cette image qui me torturait et me hantait et que je me croyais définitivement perdu, quelqu'un, quelque part, a entendu ma prière. Je suis tombé, oui, mais... dans les bras d'un ange. Je ne vous remercierai jamais assez, madame Fortin!

– Tout à fait! Je suis de son avis, s'écria Béatrice, d'une voix éclatante de fierté. Tu as été un ange pour lui, Aurélia Fortin, et ça, ce n'est pas donné à tout le monde... sur terre, du moins! »

***

La belle Roseraine regarda son amie avec beaucoup d'amour, de bienveillance et de gratitude. Puis, une étincelle espiègle apparut dans son regard, ce qui étonna beaucoup l'institutrice, vu la gravité des confidences.

– Quoi?... Qu'est-ce que j'ai dit?

– Je crois qu'il est temps de mettre les pendules à l'heure. Avant de téléphoner à Jean... Oh oui, il y aura aussi Pamphile et peut-être Michelle? Ah! ils vont tous vouloir connaître les derniers développements et je les comprends! Mais je vais devoir répéter la même chose plusieurs fois. Enfin! Je me coucherai plus tard, c'est tout! Je dormirai dans l'autobus, demain.

« Donc, je disais? Oui... Écoute bien le récit qui va suivre, Béatrice Poulin, et tu comprendras mieux pourquoi j'ai agi ainsi pour mon voisin! »

Quand Aurélia eut fini de raconter l'histoire de l'ange, l'institutrice, à la fois ébranlée et émerveillée, se leva et vint serrer la douce Aurélia dans ses bras. Le silence solennel qui suivit résuma à lui seul tous les sentiments et les mots de leurs cœurs, recouvrant d'un voile de sérénité trente années d'amitié!

Ensuite, à brûle-pourpoint, Aurélia s'exclama :

– J'ai hâte de lui voir la frimousse, à cette petite fille-là!

– Oh! je croyais que personne ne connaissait le sexe de l'enfant?

– Tu as raison, Béatrice. Mais je jurerais que c'est une fille. Il n'y a qu'une fille pour faire de sa naissance une affaire si compliquée, non?

Pendant qu'elles riaient et qu'à la dérobée, l'institutrice essuyait quelques larmes de ravissement, elle s'éloigna d'Aurélia en s'approchant du téléphone :

– Aurélia Fortin, sans vouloir te couper les ailes, y a pas que les anges qui font des miracles!

– Que veux-tu dire?

– T'as jamais entendu parler des conférences par téléphone?... Non! Alors, viens que je te montre... *Tempérance* moderne!

***

Depuis les aveux troublants de Marie-Ève, un intervalle de trois jours, à peine un long soupir, avait traversé la gamme du temps. En ce 16 août 2002, Aurélia Fortin se retrouvait assise au même endroit et regardait le même paysage. Sauf que, cette fois, elle n'était pas seule.

Michelle prenait place dans l'autre fauteuil réservé aux visiteurs. Pendant qu'elle surveillait d'un œil attendri la voisine de Marie-Ève, qui se préparait à quitter l'hôpital avec son nouveau-né, un beau bébé joufflu, Aurélia, désirant éviter le regard inquisiteur de Marie-Ève, jetait un œil curieux sur la ville.

En ce mercredi de la mi-août, Alma était soumise à un incessant mouvement de voitures et un va-et-vient de gens à pied. De jeunes enfants s'accrochaient à leurs parents pendant que les adolescents, en mal d'indépendance et de différence, marchaient en retrait. Les mains vides, ils entraient dans les boutiques aux vitrines attrayantes pour en ressortir, les bras et les sacs à dos remplis d'effets, lesquels, selon l'âge, devenaient plus ou moins précieux, plus ou moins utiles! À l'instar de Béatrice, les écoliers, excités, se préparaient pour la rentrée des classes...

Les deux femmes attendaient Jean et Pamphile, ainsi que Daniel. Aurélia avait exigé leur présence, encore une fois.

Elle tourna la tête quand elle entendit Marie-Ève s'exclamer :

– Ah! je t'envie, Annie. J'aimerais que tout soit terminé, pour moi aussi!

– Ça va venir, Marie-Ève, et bien plus vite que tu ne penses, crois-moi! Je te souhaite un beau poupon, en santé. Tu as bien mon numéro? Oui? On se rappelle, c'est sûr? Donne-moi des nouvelles dès que tu accouches… O.K.? Bisous, salut à ton *chum* et à bientôt! Bonne chance!

Aurélia trouvait fascinante cette aisance qu'avait Marie-Ève à se lier avec les gens. C'est vrai qu'elle était adorable…

Juste quand le jeune couple passait la porte avec le bébé en disant au revoir, Pamphile et Jean firent leur apparition, suivis de Daniel quelques instants plus tard. Le médecin vint discrètement murmurer à l'oreille de la Roseraine qu'il ne disposait tout au plus que de trente minutes. Mal à l'aise, Daniel ajouta ne pas avoir encore prévenu Marie-Ève qu'elle devrait quitter l'hôpital, le lendemain.

Sans plus attendre, Aurélia se leva sur-le-champ et s'approcha du lit. Elle tenait une enveloppe à la main.

– Marie-Ève, ma chérie… C'est moi qui ai demandé à ce que l'on soit tous présents, ici, cet après-midi. J'ai une… une lettre à lire. Malgré que j'en connaisse le contenu, elle te concerne, en particulier. Néanmoins, je pense sincèrement que chacun doit en prendre connaissance. Tu veux bien me faire confiance?

La jeune femme, interloquée par la requête d'Aurélia, ne put que balbutier :

– … Euh! Oui, oui, Aurélia. Oui, bien sûr!

D'une voix ténue, la Roseraine se mit à lire :

Marie-Ève,

J'avoue, devant toi et aussi tous ceux qui prendront connaissance de cet aveu, me sentir responsable, coupable et extrêmement honteux pour tout le mal que je t'ai fait. Toi, ainsi que madame Aurélia, pouvez confirmer l'état mental désastreux dans lequel je me trouve depuis des mois. Je ne dis pas cela pour me disculper, mais bien pour faciliter, peut-être, votre pardon.

Quand tu liras cette lettre, je serai dans le nord de Montréal, dans une clinique de réhabilitation et de soins particuliers. J'ai un mal à l'âme et des troubles de l'esprit qui seront longs à guérir.

Ma sœur, Françoise Ducharme, se porte garante de mes paroles. Elle signera cette lettre avec moi. Je ne reviendrai jamais te harceler, jamais, sous peine d'accepter de me faire poursuivre en justice. Je l'ai juré à Aurélia. Et, qui serait assez fou pour briser une promesse faite à un ange?

Je pars pour remplir mon engagement envers elle : guérir et apprendre à devenir un homme libre de toute dépendance.

Peut-être est-ce trop te demander, à toi et à ton conjoint, de songer un jour à me pardonner?

Bonne chance, Marie-Ève. Je te souhaite le plus bel enfant du monde! Tu le mérites.

Gilles Ducharme

En premier lieu, Marie-Ève, très émotive, fut choquée par la lettre, parce qu'elle se sentit prise en flagrant délit devant ses proches. Par conséquent, troublée, intimidée, inquiète, elle gardait délibérément la tête baissée, n'osant regarder personne.

Cependant, très vite, à cause d'un extraordinaire appétit de libération, elle abandonna toute réserve, dédaignant l'orgueil et la honte, et rejetant la peur du jugement des hommes, et elle dégusta à plein cœur la grâce de la délivrance. De discrets, les pleurs se firent donc abondants et bruyants, faisant une longue coulée de soulagement sur son visage pâle et transfiguré. Les larmes tombaient dru, en mouillant son vêtement.

Pour l'heure, les comment et les pourquoi n'intéressaient pas la jeune femme. Seul le dénouement importait : elle était prodigieusement délivrée de Gilles Ducharme! Malgré la meilleure volonté du monde, elle fut incapable de dire quoi que ce soit.

En la considérant amoureusement, Jean lui prit la main. Aujourd'hui, cette eau de larmes lui faisait penser à un bain de jouvence. Pourtant, il se rappela les pleurs de Marie sur la route de Saint-André, quand Pamphile avait eu son attaque, en mai 99. En voyant sa robe mouillée par les pleurs, il avait songé à un ouragan de douleur qui avait foncé sur elle, la laissant à la merci d'un intarissable chagrin. Il se souvint aussi des heures qui avaient suivi, de leur première nuit d'amour... Puis, la vision fugace de sa compagne aux yeux de biche blessée, petite et fragile, immobile, désemparée et ensanglantée dans ce couloir maudit, vint le rattraper cruellement. Le notaire eut soudain besoin d'exprimer ses états d'âme :

– Quand je me suis levé ce matin, je ne cessais de repenser à ce qu'Aurélia m'avait appris la veille. En dépit des bonnes nouvelles, je gardais une rage au cœur, un goût amer dans la bouche... Un sourd désir de vengeance me tenaillait encore quand je suis arrivé à l'hôpital, tout à l'heure. Et, surtout, j'étais rempli de honte. Celle de n'avoir pas vu la détresse dans laquelle ma bien-aimée se débattait!

« Mais, là, tout de suite, en prenant connaissance de cette lettre en même temps que vous, je pense plutôt que je... que nous devons essayer de faire preuve d'empathie et aussi de maturité.

« Partager un secret douloureux avec quelqu'un, sans crainte du jugement, c'est plus que simplement se confier. C'est aussi lui donner les clefs de notre coffre-fort intérieur, lui permettre de l'ouvrir pour nous, lorsque nous devenons impuissants à le faire... Marie et cet homme ont donné leurs clefs à la bonne personne, certainement la seule, parmi nous, à pouvoir si bien les aider!

« Laissons le temps faire son œuvre et nous mener au pardon.

« Par contre, si Marie était en mesure de s'exprimer, elle vous dirait : « Merci! merci, Aurélia Fortin. » Sans vous, sans vous, Dieu sait ce qui aurait pu arriver? J'aime Marie, encore plus qu'hier! C'est pourquoi je voudrais profiter de votre présence pour...

– Aïe! aïe!... s'écria Marie-Ève, sans aucun avertissement. Oh non!... Qu'est-ce qui se passe? Daniel! Daniel! »

La plainte découragée et remplie d'effroi de la future maman tortura le cœur des participants, déjà passablement meurtri par les événements des derniers jours. En grande hâte, repoussant tout le monde, le docteur accourut vers Marie-Ève en tirant l'épais rideau protecteur.

Pris au dépourvu, chacun se tenait coi, retenant son souffle.

Assaillie de questions et de doutes, Aurélia se mordait les lèvres en serrant la main de Pamphile à lui faire mal. Était-elle allée trop loin en lisant la lettre devant tout le monde? Avait-elle exagéré et peut-être perdu la confiance de la jeune femme? Le choc était-il trop grand? Aurait-elle dû lui parler seule à seule, avant?

L'attente fut de courte durée. Avec un soulagement énorme, tous purent entendre Daniel gronder sa patiente d'un ton gentil :

– Marie-Ève Saint-Amour, ne me fais jamais plus un coup pareil! Tu entends? Sinon, tu te cherches un autre médecin! Tu ne perds pas de sang, ce sont tes eaux qui viennent de crever, ma belle!

XI

Le notaire avait beau insister, personne ne voulait quitter l'hôpital. Tous attendaient dans la salle d'attente réservée à la famille.

– Mais ça risque d'être long! Plusieurs heures! Aurélia, Pamphile, soyez raisonnables et allez prendre un peu de repos.

– Vous n'êtes pas sérieux, monsieur Jean! Après toutes les émotions par où on vient de passer dans les derniers jours, vous voudriez qu'on s'en aille pis qu'on se repose? Je pourrai pas me reposer tant que ce bébé-là sera pas venu au monde, vingueu! Ah! il nous en a fait voir de toutes les couleurs! Ça fait qu'un peu plus, un peu moins...

– Bon, bon, comme vous voulez! Je n'insiste plus. Allez au moins manger un morceau à la cafétéria! Vous avez amplement le temps! Francine devrait arriver très bientôt. Elle partait peu après mon appel, et il y a six heures de cela. J'ai... j'ai appelé ma mère aussi, mais elle était absente. J'ai quand même laissé un message sur son répondeur.

« Je retourne à mon poste. Tout se passe bien pour le moment, plus ou moins un centimètre à l'heure... Dans les normes, il paraît! Cela ne devrait plus tarder!

– Que c'est qu'il a voulu dire, juste là, Aurélia? C'est quoi, un centimètre à l'heure? On va pas loin avec ça, me semble! » demanda Pamphile, le plus sérieusement du monde.

Dans le creux de l'oreille, Aurélia lui expliqua certains aspects incontournables de l'accouchement...

Peu après, Francine fit son entrée. Tous savaient qu'elle n'était pas au courant des dernières complications rencontrées par Marie-Ève, car, de concert, le couple avait décidé de remettre les révélations à plus tard. Au comble de l'excitation, Francine était ravie de constater qu'elle n'avait rien manqué. On lui permit d'aller saluer et embrasser sa fille unique.

La conversation allait bon train quand le groupe vit une dame bien vêtue, sans doute citadine, faire son entrée dans la salle d'attente. En dépit de son aspect sévère et un peu bourgeois, la septuagénaire semblait timide, effarouchée et, surtout, très mal à l'aise :

– Euh!... excusez-moi! Je me trompe peut-être? On m'a dit d'attendre ici pour... mademoiselle Saint-Amour? Je... je suis...

Sans hésitation, Pamphile se leva pour accueillir l'étrangère:

– Vous êtes à la bonne place, ma chère dame... Madame Huot? C'est bien ça? Je l'aurais juré, votre garçon vous ressemble ben gros! C'est un grand honneur de vous rencontrer enfin! J'ai tellement entendu parler de vous, au fil des ans! Je pense que votre fils va être très heureux de vous voir! Permettez que je me présente. Je suis Pamphile Côté, antiquaire de Saint-Gédéon, le meilleur compagnon de route de Josépha Bouchard, de la parenté à Claire...

« Je suis, comme on pourrait dire, le grand-père de la belle Marie-Ève et un intime du notaire, votre garçon. »

Pamphile prit délicatement le bras de madame Huot et fit le tour pour la présenter d'abord à Aurélia, puis à Michelle et ensuite à Francine. Louise choisit un fauteuil, près de la mère de Marie-Ève.

– Vous voulez-ti que je dise à Jean que vous êtes là?

– Non! Surtout pas! Ne le dérangez pas... Je vous en prie! Laissez-le près de... sa conjointe. Elle a sûrement besoin de lui.

– C'est comme vous voulez, madame Huot, comme vous voulez! Apparence que ce sera pus ben long. La p'tite est rendue... ben avancée!

– Bien! Merci, monsieur Côté. Merci de votre accueil. Je vais attendre ici, avec vous! Cette jeune personne est choyée de vous avoir tous près d'elle!

– Ah! s'exclama Pamphile, quand vous allez la connaître, vous comprendrez pourquoi! La Marie, c'est pas une fille ordinaire, vous savez! Elle est loin d'être banale! Votre Jean a ben de la chance, ben de la chance! C'est *réciproque*, comme de raison! (L'antiquaire réalisa que, pour la première fois, il avait réussi à prononcer ce mot correctement.) Elle va nous faire le plus beau moussaillon du Lac, madame! Prenez-en ma parole d'antiquaire!

Une autre heure passa. Francine et Louise faisaient connaissance et Michelle s'était jointe à elles. Pendant que les trois femmes conversaient à voix basse et semblaient bien s'entendre, Pamphile murmura dans le creux de l'oreille d'Aurélia :

– C'est Jean qui va avoir tout un choc en voyant sa mère! Je pense ben qu'il va être le plus heureux des hommes dans pas ben longtemps. Mais, jamais plus heureux que moi, ma Noirette...

***

Un peu après minuit, la porte de la salle d'attente s'ouvrit en grand. Épanoui, fier, heureux, soulagé, le notaire s'avança vers le groupe. Dans son énervement, et, surtout, parce qu'il ne s'attendait pas à la trouver là, il ne vit pas Louise.

– Ça y est! Ça y est! Le bébé de trois kilos deux cents et la maman se portent à merveille! Ah! ah! mes amis, mes amis, quelle expérience! Je suis comblé!

– Jean! Qu'est-ce que c'est? Un garçon? Une fille? demanda Aurélia, curieuse. Ne nous faites pas languir comme ça.

– Oh oui! Excusez-moi! C'est une fille! Une merveilleuse petite fille! Et elle est en parfaite santé! En parfaite santé! Dieu merci! Dieu merci!

La tension et les dernières appréhensions du notaire cédèrent sous l'impulsion vive du soulagement et de l'euphorie générale. Il partit dans un grand éclat de rire, de ceux qui délient jusqu'aux plus infimes nœuds du cœur.

L'antiquaire comprit que Jean, dans son excitation, n'avait pas encore pris conscience de la présence de sa mère. C'est pourquoi, en se levant pour venir féliciter le notaire, il lui souffla :

– Monsieur Jean... Vous n'avez pas remarqué? Regardez, votre maman est là!

En voyant Louise, le visage du notaire passa de l'incrédulité à la stupéfaction, puis au contentement le plus absolu. En se dirigeant vers elle, tant l'émotion était intense, il ne réussit qu'à balbutier :

– Toi? Ici! Je... je...

– Je sais. Tu ne t'attendais pas à ça! C'est le moins qu'on puisse dire, n'est-ce pas? J'ai suivi ton conseil, Jean, je suis montée dans le premier train venu! Après toutes ces années! Je suis venue pour te voir, pour connaître Marie-Ève, vous féliciter et aussi pour embrasser ma... petite-fille! Mais, avant tout, pour me faire pardonner. J'ai honte de ma conduite... Jean... mon garçon...

– Viens, viens dans mes bras, maman! Ne pleure pas, c'est une si belle journée! À moins que ce ne soit des larmes de joie!

En tenant toujours la main de Louise, serrée dans la sienne, Jean s'adressa à ses amis :

– Marie-Ève retournera dans sa chambre d'ici trente à quarante-cinq minutes. Allez prendre un café pour vous garder éveillés et, au retour, je vous présenterai ce petit bout de chou, tant attendu.

« Maman, non! Toi, je ne te laisse pas partir! Tu viens avec moi! »

***

Vers une heure du matin, le 17 août, dans la chambre de l'hôpital endormi, ils étaient nombreux à souhaiter la bienvenue au magnifique poupon de Marie-Ève Saint-Amour et Jean Huot.

La première personne autre que le couple à prendre l'enfant fut Francine, la grand-mère maternelle. Puis, ce fut au tour de Louise et, après, de Michelle. Dans les rires, les soupirs, les ravissements, les exclamations, la petite fut largement examinée, embrassée, cajolée, respirée, complimentée et même consolée. Sous les regards attendris et épanouis de ses parents, l'enfant apprenait déjà à ressentir la qualité des êtres qui participaient à sa venue au monde.

Témoins privilégiés d'une des plus belles scènes de la vie, Aurélia et Pamphile se tenaient un peu en retrait, souriant et attendant sereinement leur tour. Partageant le bonheur de tous, se tenant la main, ils jouissaient de l'instant présent, à sa juste valeur. C'est Marie-Ève qui s'adressa à eux :

– Vous ne voulez pas prendre la belle *moussaillonne*, monsieur Pamphile? Ça vous rappelle quelque chose, non? J'avais eu raison, le soir de votre anniversaire, dans la maison du rang des Apis...

– Oui, c'est vrai. De ça, je m'en souviens, vois-tu! Il y a des moments qu'on oublie jamais, fillon...

« Oh! qu'elle est belle, vingueu! (L'antiquaire ne

put empêcher une larme de glisser sur sa joue, tant sa joie était intégrale.) C'est toi, p'tite de même, qui as reviré notre grand monde solide à l'envers! T'en as des nergies à revendre! T'es ben comme ta mère, va! T'as même pas besoin de voguer sur notre beau Lac pour faire des vagues!

« Que c'est p'tit, vingueu! J'ai peur de l'échapper! J'ai pas pris un bébé dans mes bras depuis... Je m'en souviens même pus! Oh! pleure pas, pleure pas de même! Tiens, prends-la, Aurélia. Une femme perd jamais le tour avec les p'tits... Coudon, elle est pas obligée de ressembler en tous points à ses parents! Peut-être ben qu'elle, elle aime pas trop les antiquités, après tout! »

En réponse aux remarques de l'antiquaire, qui avaient pourtant été faites d'un ton sérieux, les rires fusèrent de partout à la fois. La joie et le plaisir se lisaient sur tous les visages. L'amour était au rendez-vous.

Dès que l'enfant se retrouva dans les bras d'Aurélia, elle cessa aussitôt de pleurer. La Roseraine la contemplait comme s'il s'agissait d'une pure merveille. Attendrie, émue devant cette vie naissante, trésor de fragilité et de force à la fois, Aurélia serra tendrement le bébé sur son cœur.

– Alors, avez-vous choisi son nom? demanda-t-elle au couple resplendissant de bonheur et de fierté.

– Nous avons décidé de l'appeler... Rosalie! répondit Jean d'une voix forte, qui, vraisemblablement, désirait capter l'attention des personnes présentes. Vous tous qui êtes ici, avec nous, nous tenons à vous remercier de vos encouragements, votre présence, votre chaleur humaine, votre amitié tout au long de ce parcours, parfois chaotique!

« Mais, permettez-moi de souligner que la compagne

de notre cher antiquaire, Aurélia Fortin de Sainte-Rose, a joué, d'une manière certaine, un rôle particulier et essentiel dans le processus de la naissance de notre enfant. C'est pourquoi, dès que nous avons su que nous avions une fille, nous avons choisi de l'appeler par ce nom! Pour faire honneur à notre chère Roseraine! »

Dans un silence solennel, des larmes de grâce coulèrent sur le visage angélique de la fille de Joséphine et de Marc-Aurèle. Doucement, elles se mirent à glisser comme des perles de cristal sur le front pur de l'enfant dans ses bras. À l'instar de tous les participants, Pamphile n'avait jamais vécu un moment d'une telle intensité. C'était le plus étrange baptême auquel il leur fût tous donné d'assister...

Quelques instants après, Jean pria Aurélia et Pamphile de s'approcher. Alors, dans l'intimité, en reprenant Rosalie dans ses bras, Marie-Ève murmura :

– C'est notre façon de vous remercier, Aurélia. Nous croyons vraiment que vous avez été un ange pour Rosalie!

Puis, le notaire s'adressa de nouveau à l'assemblée :

– Maintenant, avant de laisser Marie-Ève se reposer, elle le mérite bien et elle en a grand besoin, je crois, j'aimerais faire une requête particulière à monsieur Pamphile.

– À moi? Oh! vous savez que je peux rien vous refuser!

– Dans les dernières années, vous avez tenu le rôle de père pour Marie-Ève, quoique que vous préfériez dire grand-père, probablement en raison de vos hivers! C'est donc à vous que je m'adresse, monsieur Côté, pour demander officiellement la main de votre protégée, Marie-Ève Saint-Amour.

« Je veux épouser *la Marie*, monsieur Pamphile, pour le meilleur et pour le pire. Je vous promets, sur mon honneur et sur la vie de Rosalie, de la rendre heureuse. »

L'émotion était à son comble. Daniel, qui venait de se joindre au groupe, se tenait derrière Michelle. De ses bras, il entoura sa compagne qui versait quelques larmes. Aurélia, en souriant, posa sa main douce et blanche sur le bras de Pamphile. Dans un élan de fraternité et de complicité féminine, Francine se rapprocha de Louise et se serra naturellement contre elle. Quant à Rosalie, endormie sur le sein de sa mère, elle découvrait les premiers instants de sa vie bien au chaud, entourée d'amour, petite au centre du grand monde. Elle sentit sûrement que son jardin serait fleuri, car une contraction de béatitude, courante chez les nouveau-nés, vint embellir son petit visage encore tout froissé.

– ... Euh! si sa maman est d'accord? balbutia Pamphile, surpris, impressionné et ému par la requête de Jean... Je... je vois pas aucune objection, quant à moi!

Avant de poursuivre, il se tourna vers la mère de la belle Marie. Le regard de Francine, baigné de fines gouttes d'eau chatoyantes, explosait d'un aval éclatant. C'est pourquoi, Pamphile, heureux et fier, ajouta :

– Y a là un regard qui parle ben gros... Ça m'a tout l'air qu'elle accepte, elle itou! Bon, l'affaire est réglée, me semble! Vous pouvez donc vous marier, les jeunes, pis... même que le plus vite serait le mieux! Je pense que tout le monde, icitte, veut vous fêter pis vous dire à leur manière comment qu'i vous aiment ben gros, ben gros... mais pas plus que moi, vingueu!

– Alors... Marie-Ève?

– Oh oui! Oh oui! J'accepte de t'épouser, cher notaire Huot! Qui oserait refuser une si belle demande en mariage, hein, Rosalie?!

***

Les yeux fermés, la tête légèrement appuyée sur le dossier de la chaise, Aurélia Fortin se berçait sur la galerie. Cette fois, elle ne portait pas son tablier fleuri.

Plutôt sur son trente et un, elle attendait l'antiquaire qui devait venir la chercher. Désirant ne pas être en retard un jour pareil, Aurélia s'était préparée longtemps d'avance. C'est pourquoi elle s'apprêta avec patience à attendre encore une bonne demi-heure.

Au passage d'une voiture, plutôt rare dans le coin, elle ouvrit les yeux. Et, parce qu'elle revenait de lointaines rêveries, elle se surprit à chercher les moutons du Grand Tremblay et le vieux pommier.

Ce que son regard découvrit n'avait rien de commun avec son paysage connu. Elle vit des terres labourées à perte de vue, parsemées, ici et là, de boisés colorés, et souvent délimitées par une rangée de hauts peupliers. De beaux sillons bien tracés par les charrues annonçaient le repos de la terre pour les mois à venir... Le ciel bleuté d'octobre était saupoudré de blancheur. D'impressionnantes volées d'Oies des neiges exploraient les hauteurs azurées en dessinant de grands « V » laiteux dans l'espace infini. Leurs *houk... houk...* nasaux et forts, émis dans un seul et même élan, donnaient l'impression d'une chorale céleste.

Seule, à la maison ancestrale de la Fine, Aurélia Fortin découvrait la quiétude et la magnificence du rang des Apis, à la saison des couleurs. Elle avait dormi dans la chambre de sa mère, dans la maison où elle avait été conçue, si longtemps auparavant.

La Roseraine, qui fêtait aujourd'hui même ses soixante-dix-neuf ans, fit un rapide tour d'horizon des semaines qui venaient de s'écouler...

Après tant d'années de dépression saisonnière,

Aurélia Fortin se sentait enfin bien dans sa peau. En effet, l'équinoxe d'automne, dans sa malle de couleurs criardes et de grands vents fous, de pluies maussades et de refroidissements subits, n'avait porté aucun symptôme de dépression pour Aurélia. Rien! pas la moindre inquiétude, ni le plus petit cafard, même dans les plus infimes recoins du cœur!

« Je suis désormais guérie de ce mal à l'âme, quel sentiment de libération! » songea-t-elle, détendue.

Ce souvenir précis lui rappela son ancien voisin. Mensuellement, Aurélia téléphonait à Françoise pour prendre des nouvelles de Gilles. Le mois de septembre s'était avéré extrêmement difficile, tant il avait été agité. Puis, sans prévenir, au début d'octobre, il était tombé dans une sorte de léthargie maladive. Le psychiatre insistait pour dire que de tels comportements étaient à prévoir, vu les circonstances. Il ne doutait pas de la guérison de Gilles, mais elle se ferait à très long terme.

Depuis la naissance de Rosalie, qui fêtait ses deux mois aujourd'hui, Aurélia était revenue plusieurs fois au Lac et, toujours dans la maison du rang des Apis. Toutefois, depuis la mi-septembre, elle s'y retrouvait tout fin seule.

Jean n'avait eu aucune peine à convaincre Marie-Ève d'emménager dans sa demeure ancestrale du rang Belle-Rivière. Après deux jours, comme chacun avait mis la main à la pâte et que Marie-Ève possédait peu d'effets personnels, les plus importants étant Trompette et le secrétaire, le déménagement avait été complété en un tour de main. Cette fois, Pamphile avait conduit la Ford, au grand soulagement du notaire!

« Malgré le fait qu'elle adore cette maison-ci, Marie a préféré la quitter, se dit Aurélia. Elle n'avait sûrement pas envie d'avoir toujours l'image de Gilles, dans le corridor. Tout comme Jean, elle pourra oublier plus facilement ce mercredi noir du mois d'août! Je les comprends! Et puis, la demeure du notaire est plus spacieuse que celle-ci et ce n'est pas à dédaigner, avec la petite Rosalie! Et la vue! Ah! c'est à couper le souffle! Le notaire se trouve heureux d'y être revenu. Il m'a aussi confié que sa blessure est cicatrisée, pour Claire et Sophie. Elle se rouvrira encore, c'est certain. Mais, pour le moment, il affirme que la venue de Rosalie dans sa vie le guérit de la plus sûre manière qui soit. »

***

Ainsi, la maison de la Fine, presque entièrement meublée, s'était retrouvée sans locataire... permanent, du moins! Depuis la mi-septembre, Aurélia venait y passer de deux à quatre jours par semaine. Elle retournait à Sainte-Rose, par simple formalité. Souvent, Pamphile l'accompagnait. Après avoir vérifié que tout était en ordre, ils revenaient dès le lendemain!

Pendant l'absence d'Aurélia, Béatrice surveillait l'humble fermette. En s'amusant beaucoup, l'institutrice avait raconté aux tourtereaux, lors de leur dernière visite, les élucubrations du Grand Tremblay.

– Aurélia! Tu as beau faire tes gros yeux! Moi, je te répète ce qu'il m'a dit, et, comme il m'a demandé de le faire! C'est tout! Il veut racheter ta maison! Il a dit que ton prix sera le sien. Il trouve aussi que t'es plus tellement sérieuse!...

« Elle a bien changé, en quelques mois, la belle Aurélia! qu'il m'a dit, avec un brin de jalousie dans la voix. Ça lui ressemble pas d'abandonner sa fermette de même! La clef sous le paillasson, pis, bye-bye la visite! Comme une jeunesse! Elle va finir par se faire dévaliser. Elle serait mieux de vendre, partie comme elle est là!... Ah! les femmes! Ben toutes pareilles! Tomber en amour, à son âge! Avec un pur étranger, en plus! Un Jeannois! Comme si y avait pas de Roserains assez grands pour elle!... Y a rien à comprendre! Heureusement que je me suis jamais marié! »

Pendant que le couple s'amusait de ces papotages, l'institutrice avait profité de la situation pour renchérir :

– Il n'a pas tout à fait tort, Aurélia. Euh!... pour la vente de ta maison, on s'entend! Pour le reste... Ah! ah! Tout un numéro, ce Grand Tremblay! Mais, plus sérieusement, tu devrais y songer, Aurélia! Tu vas avoir des travaux à faire bientôt et puis, l'hiver, c'est quand même plus dur de quitter aussi longtemps! Tu le sais! Et tu as un acheteur, en plus, ce qui enlève bien des tracas!

L'idée faisait peu à peu son chemin. Aurélia en avait discuté avec l'antiquaire. Celui-ci, de toute évidence stimulé à la pensée qu'une telle chose puisse se produire, demeurait toutefois réservé à ce propos. Il n'osait pas influencer Aurélia, de quelque manière que ce soit. Bien au contraire! Dans le but de bien lui faire réaliser l'importance d'un si *gros barda* dans sa vie régulière, et aussi des conséquences qui pouvaient en découler, le vieil homme se contentait d'énoncer sagement :

– Les déménagements, c'est déjà pas évident quand on est jeunes! Crains pas! C'est sûr qu'on ferait tous notre bout de chemin pour t'aider! Mais c'est à toi de voir et de décider, ma Noirette... C'est vrai que, toi, t'es même pas encore rendue à quatre-vingts! Quant à moi, tu t'en doutes, i me reste pas ben gros d'hivers à traverser...

Par ce matin aux douceurs et aux senteurs d'été des Indiens, en paix avec elle-même, devant le paysage bucolique, la Roseraine réalisa qu'il y avait beaucoup plus de chemin de fait qu'elle n'aurait cru :

– Avant l'hiver, je vends ma fermette à Elzéard Tremblay et... j'achèterai celle-ci à Pamphile Côté! décida-t-elle, sans plus d'hésitation. Ils vont en faire une tête, tous les deux!

« Pourquoi pas? C'est la maison de ma mère, après tout! Je ne me vois pas passer l'hiver au fjord, toute seule, dans ma maisonnette. Pas après l'année mouvementée et excitante que je viens de vivre. Je n'ai pas envie de me retrouver à Sainte-Rose, loin de Pamphile et de tous mes amis! Je ne suis pas dupe! Je comprends ce que Pamphile essaie de me dire quand il parle du peu d'hivers qui lui restent! Je sais bien qu'il risque de partir avant moi et je me retrouverai, alors, à nouveau seule!

« Mais ici, au Lac, il y a la Marie et Jean! J'aimerais tellement voir grandir Rosalie. Sans parler de Michelle et Daniel, avec qui je m'entends si bien! Et puis, Francine et Louise m'ont invitée chez elles et viendront régulièrement voir la petite... Béatrice, ma chère amie, me rendra souvent visite, j'en suis certaine. En plus, elle a de la famille au Lac! Elle dit qu'elle aura enfin un prétexte pour faire sortir son Yvon de Sainte-Rose! Sans parler de tout ce temps que je passerai à découvrir ce beau coin de pays!

« Rien ne m'empêchera d'aller au fjord, en touriste, du printemps à l'automne! »

***

Une brise légère s'était levée. D'instinct, Aurélia fit un geste de la main pour surveiller sa jolie coiffure. Elle n'avait pas laissé ses cheveux dégagés depuis fort longtemps...

Marie-Ève et Michelle, avec l'enfant, étaient venues

prendre Aurélia très tôt le matin. Sans même qu'elles descendent de voiture, la Roseraine était montée à l'arrière et s'était installée à côté de la petite Rosalie qu'elle avait couverte de câlins.

– C'est pas croyable! Vous avez vu la température, Aurélia! s'était écriée Marie-Ève, excitée et en verve. Et toutes ces couleurs merveilleuses! On est tombés en plein dans l'été des Indiens! Quelle chance! Dire que c'est à peu près dans le même temps que j'avais acheté le vieux *toaster* à l'antiquaire, et, l'année suivante, il m'offrait le fameux secrétaire! Et l'année d'après, j'emménageais au rang des Apis... Ah! là là! Aujourd'hui, Rosalie fête ses deux mois, et vous, belle madame, vos soixante-dix-neuf automnes!

« Vous savez, Aurélia, Jean ne voulait que cette date et aucune autre! Pas moyen de le faire changer d'avis! « C'est une date porte-bonheur! » qu'il a dit... Ah! comme il a eu raison! Dieu merci! j'ai tellement prié Joséphine pour qu'il ne pleuve pas. Je n'y crois pas encore!

– Calme-toi un peu, Marie, et conduis-nous à bon port, ma petite! Je veux bien avoir une belle tête pour mon anniversaire et pour ton mariage, mais pas particulièrement pour me retrouver exposée dans un salon funéraire!

– Ah! ah! Oh oui! vous avez raison, Aurélia. Gardons nos folies pour Chez Denise...

Au bout de dix minutes, les trois femmes étaient arrivées saines et sauves au seul salon de coiffure du village de Saint-André. Denise, la propriétaire, une Jeannoise exceptionnelle et expérimentée, coiffait Marie-Ève depuis quelques années. En leur souhaitant la bienvenue, elle avait lancé, d'une voix délicieuse à l'accent chantant de la région du Lac, avec des « là, là » un peu partout :

– C'est un cas de force majeure, là! Je vous ai donc réservé le salon, là, pour vous toutes seules, mesdames. Oh là là, comme je suis invitée au même mariage que vous, là, nous n'avons pas une minute à perdre, là!

Tour à tour, en se faisant laver, couper et coiffer les cheveux, chacune s'occupait de Rosalie. La petite commençait à esquisser de timides sourires de contentement. En réalité, ces airs béats, pour la majorité d'entre eux, s'adressaient à l'univers entier. N'y voulant voir qu'un beau sourire spécialement adressé à elles seules, les femmes, pâmées et heureuses, s'exclamaient de joie chaque fois.

Le bruit familier de la Ford tira la Roseraine de ses rêveries.

« Ah! voilà Pamphile », se dit-elle.

Elle se leva et ramassa son sac, posé près d'elle, pour venir à la rencontre de son compagnon. Quand elle le vit sortir de la camionnette antique, elle fut bouleversée! Pamphile n'avait jamais autant resplendi de bien-être! L'antiquaire, rajeuni de plusieurs années, portait avec aisance un smoking d'une grande élégance. L'habit le mettait dans une « classe à part », celle à laquelle, depuis le tout début de leur rencontre, Aurélia savait qu'il appartenait.

Ses nouvelles bretelles, cadeau d'Aurélia, se mariaient à la couleur de la robe. Elles étaient roses, en l'honneur de la petite Rosalie et en raison de l'amitié amoureuse qu'ils se portaient, l'un envers l'autre.

– Pamphile Côté, tu me plais! s'exclama spontanément Aurélia, en venant embrasser son cher antiquaire. Ah! tu sais quoi? Pas question de passer un autre hiver de ma vie à Sainte-Rose-du-Nord! Tu vas m'avoir dans les... antiquités, dans pas bien longtemps!

***

Le parvis de l'église centenaire de Saint-Gédéon n'avait jamais supporté autant de monde d'un seul coup, surtout un jour d'été des Indiens! Un peu dépassé par les événements, le photographe essayait tant bien que mal de diriger le groupe disparate et animé, en tentant poliment d'indiquer à chacun la place à prendre.

En bons mariés, Marie-Ève Saint-Amour, la petite Rosalie dans les bras, et Jean Huot connaissaient l'endroit où ils devaient se placer : en plein centre du parvis, au bas des marches. Enjoués, amoureux, complices, ils s'embrassaient en attendant que les invités se positionnent à leur tour.

Accompagnée d'un charmant libraire de Sherbrooke, Francine vint prendre place à côté de sa fille, pendant que Louise, Jean-Claude Huot, père, et leur aîné, Pierre, venaient entourer Jean. Sur la deuxième rangée, l'autre couple qui faisait tant jaser, Aurélia Fortin et Pamphile Côté, surplombait fièrement les mariés.

Marie et Jean, à intervalles réguliers, saluaient de la main leurs invités : Suzanne de Montréal et son ami de cœur, les Archambeault, Michelle et Daniel, Paule Brisebois et son mari, Pierre-Paul Simard, qui tentait de se rapprocher subtilement du frère de Jean, pilote de ligne, envers qui il avait ressenti une incontrôlable envolée amoureuse, madame Gingras, l'infirmière de Claire qui félicitait « la veuve Saucier » d'avoir, encore une fois, si bien chanté à l'église, Béatrice Poulin et son conjoint, Yvon, qui s'entretenaient avec le docteur Thibeault et son épouse, quelques membres de la famille Bouchard, des collègues de travail, des commerçants et voisins de Saint-André et de Saint-Gédéon...

En attendant la traditionnelle séance de photos, sous les rayons tièdes du soleil automnal, l'on riait, l'on s'extasiait encore sur la beauté des mariés, de l'enfant et de la cérémonie.

L'antiquaire de Saint-Gédéon, en digne patriarche, avait fait honneur aux villageois, qui n'auraient manqué la cérémonie religieuse pour rien au monde! Son entrée dans l'église centenaire au bras de sa protégée resterait gravée dans l'esprit de tous comme l'un des plus mémorables souvenirs du village...

La Marie, comme on la surnommait affectueusement, était belle.

Parsemée de délicats motifs de dentelle, sa robe blanche et longue à manches courtes et effilées, sans traîne, lui seyait à ravir. Un châle antique, d'une grande beauté, recouvrait ses jolies épaules. Les gants, assortis au châle, remontaient de façon gracieuse jusqu'aux coudes. Sa longue chevelure, torsadée sur la nuque, était simplement rehaussée d'une rose.

Le marié, accompagné de sa mère, était élégamment vêtu d'un smoking marine bien coupé, qu'il portait à merveille sur une chemise de soie blanche. Jean avait remplacé la cravate par le nœud papillon mais aussi les lunettes par des verres de contact; par conséquent, plusieurs eurent peine à le reconnaître tant il paraissait différent et... bien bel homme!

Durant la cérémonie, Rosalie, ayant tendance à geindre, s'était promenée d'une grand-mère à l'autre. Finalement, quand elle était arrivée à celle qu'elle cherchait, l'enfant s'était endormie net, sans plus déranger personne. Dans les bras d'Aurélia, elle avait trouvé le paradis.

– Ça y est! je crois... Vous, là-bas, à droite! un peu plus à l'intérieur... Oui. C'est parfait! Allez, on sourit! lança le photographe, enfin satisfait.

Une fois la séance terminée, le joyeux groupe d'une cinquantaine de personnes se dirigea à pied vers L'Escalier. Le village, habituellement tranquille en octobre, connaissait une effervescence digne des processions religieuses d'antan. Les voitures qui passaient dans la rue Principale klaxonnaient gaiement, saluant les nouveaux mariés et le cortège d'invités, tous plus chic les uns que les autres. On sortait des maisons pour venir serrer la main au notaire et à son épouse, la belle Marie, et leur souhaiter beaucoup de bonheur. On s'extasiait devant le magnifique poupon. On en profitait, évidemment, pour se faire présenter à celle qui avait su gagner le cœur de l'antiquaire.

***

Arrivée à L'Escalier, Marie-Ève se dépêcha d'aller retrouver Valérie, qui avait préparé un biberon pour Rosalie. Mariage d'une maman oblige : la petite oublierait le sein, pendant quelques heures.

Pendant ce temps, les invités, à qui on servait un « kir jeannois au vin blanc et à la délicieuse liqueur de bleuets maison », s'extasiaient devant les rénovations entreprises par le couple de restaurateurs. Désirant élargir leur clientèle en servant des banquets, Valérie et Stéphane avaient aménagé, à l'arrière du restaurant, dans ce qui était auparavant la cour aux bouleaux, une magnifique verrière trois saisons. On avait réussi à garder les arbres intacts, un exploit, vu l'ampleur des travaux, qui venaient tout juste d'être terminés. La magnifique salle de réception *Au pied des arbres*, dont l'éclat trouvait sa source dans la lumière du jour qui la pénétrait de part en part, pouvait accueillir environ cinquante personnes.

On se pâmait aussi devant la décoration originale, dont le thème était la rose, réalisée par Francine, Louise, Michelle et Marie-Ève.

Ici et là, de petits groupes se formaient; on faisait connaissance...

Pour le seconder en ce 17 octobre, en plus d'avoir engagé plusieurs serveurs et serveuses – tous gens du Lac –, Stéphane avait demandé l'aide de Guillaume, un ami, chef de renom dans un restaurant huppé du Vieux Québec. Pas question pour Stéphane et Valérie de manquer leur premier banquet!

Trop occupés par les derniers préparatifs, les aubergistes n'avaient pu assister à la cérémonie à l'église. Qu'à cela ne tienne! Madame Marie-Ève Saint-Amour, rayonnante, resplendissante dans sa robe blanche, débordait d'un bonheur inégalable. Confortablement assise dans la cuisine, elle racontait tout, dans les moindres détails.

La petite, probablement à cause de la chaleur des fourneaux, s'endormit tout de suite après le biberon. Elle alla rejoindre Benjamin, sur les marches de l'escalier, au centre du restaurant.

Après que tous eurent présenté leurs vœux de bonheur aux mariés, Valérie, en hôtesse distinguée, pria les participants de s'avancer pour le repas. Dans une musique d'ambiance, les mariés et leur famille prirent place à la table d'honneur, suivis des autres convives, autour des tables rondes.

Le repas gastronomique se passa dans la meilleure ambiance qui soit. On frappait les verres, et les mariés s'embrassaient aussitôt! On recommençait, on riait, on buvait le bon vin, on dégustait les plats savoureux qui se succédaient à une cadence régulière.

Un peu avant le dessert et le champagne, Marie-Ève et Jean firent le tour des invités pour dire un mot d'appréciation à chacun. Quand ils arrivèrent près de l'antiquaire et de sa compagne, ils en profitèrent pour remercier Pamphile du magnifique cadeau de mariage, reçu le matin même :

– Monsieur Pamphile, c'est trop! Vous n'auriez pas

dû! Quel beau présent! s'exclama Marie-Ève, avec entrain et ravissement.

– Jean a dû t'en glisser un mot, la Marie... Si cette horloge-là était arrivée dans les mains de mes garçons, elle serait repartie aussi vite, pis, Dieu sait pour où et dans quel état! Ça les intéresse pas pantoute, ces affaires-là, pis on peut pas grand-chose de contre ça!...

Soudain attristé à la pensée de ses fils, dont il n'avait plus aucune nouvelle depuis son attaque, Pamphile baissa les yeux et s'éclaircit la voix avant d'avouer :

– Faut dire itou que je considère monsieur le notaire comme mon troisième fils, chacun le sait. Ça fait que ma promesse envers mon paternel est respectée, vingueu! Pour moi, la Marie, ton cher époux est le seul homme capable de perpétuer convenablement la tradition de mes ancêtres!

« Là, chus au moins certain qu'elle va rester au Lac pour un bon bout encore. Pis, y a pas juste les Frigon qui peuvent vous protéger, vous savez. Les Côté donneront pas leur place, vingueu! Promesse d'antiquaire!

« C'est donc à vous en particulier, notaire, que ça revient astheure de protéger l'horloge de mes aïeux! Mais, j'ai un autre cadeau... spécialement pour toi, la Marie. Par contre, je vas te faire languir un brin!...

– Ah! vous ne changerez jamais, monsieur Pamphile! Mais, je crois que je peux attendre, aujourd'hui! On se voit tout à l'heure. »

***

En grande pompe, on porta le dessert, un impressionnant croquembouche, artistiquement décoré de roses fraîches et de bleuets des champs. Stéphane et Valérie, qui portaient la pièce montée de petits choux à la crème et nappée de caramel ambré, furent applaudis à leur juste mérite par les convives, ravis et animés. On dégusta ce magnifique dessert, digne des plus fins palais! Puis, pendant que le champagne coulait à flots, Stéphane s'adressa à l'assemblée en leur demandant quelques minutes d'attention :

– Chers mariés, chers invités! Nous espérons que vous vous êtes bien régalés! (Les applaudissements et les bravos fusèrent de toutes parts.) Merci! merci! C'est trop... Il est temps pour les mariés de venir danser pour nous.

Ne voyant aucun membre de l'orchestre rejoindre leur poste, ou même s'apprêter à le faire, la surprise fut de taille. Chacun, allègre, sur le qui-vive, attendit la suite avec intérêt.

Les mariés, un sourire malicieux aux lèvres, main dans la main, s'étaient levés pour venir au centre de la salle. C'est alors que Jean s'adressa aux invités :

– Chers parents, amis, voisins, collègues... C'est un jour absolument magique que nous vivons, ma femme et moi! Et nous vous remercions de le partager avec nous. Nous aimerions féliciter nos amis restaurateurs pour leur magnifique travail! Et aussi... souligner un anniversaire de naissance : celui de notre charmante Roseraine, Aurélia Fortin, à qui nous souhaitons une heureuse fête!

Jean attendit la fin des applaudissements avant de poursuivre :

– Marie et moi désirons sortir des sentiers battus en invitant un autre couple à se joindre à nous, pour cette première danse. Aurélia, Pamphile, s'il vous plaît...

Ne s'attendant pas à cette requête, les deux tourtereaux furent pris de court pendant quelques secondes. Puis, ils se regardèrent tendrement et l'antiquaire prit la main de sa compagne en se levant. Enjouée et gracieuse, Aurélia le suivit de bon gré.

Alors, on vit Stéphane se diriger lentement vers un coin de la salle. Un peu à la manière d'un magicien, dans un grand geste théâtral, il enleva un drap blanc qui recouvrait un meuble. Sous les exclamations de surprise et d'intérêt non dissimulé, un magnifique gramophone antique avait fait son apparition. Avec moult précautions, Valérie sortit un très vieux disque d'une pochette...

– La Marie! Y a ben juste toi qui peux avoir des idées de même! s'exclama Pamphile, la voix remplie d'émotion.

Puis, en s'adressant à Aurélia, qui l'interrogeait du regard, il murmura :

– L'air qui va jouer, ma Noirette... c'était le morceau préféré de ta mère, la Fine! Elle l'a sûrement écouté des milliers de fois, pis de toutes les façons, tu sais. Marie-Ève l'avait fait jouer, le jour qu'on est allés ensemble pour chercher le fameux secrétaire! C'est vraiment une belle attention de la part de la Marie... C'est pas une fille ordinaire, je te le dis!

Quand les premières notes de musique s'élevèrent dans la salle silencieuse aux murs de verre entourés de couleurs d'automne, Aurélia Fortin reconnut immédiatement l'air :

– Oh! mon Dieu! C'est pas vrai? Pamphile! C'est l'un de mes morceaux préférés. Je... je connais les paroles par cœur!

L'intimité, la complicité des deux couples d'amoureux donnèrent aux invités le goût de se rapprocher subtilement entre eux, comme pour participer pleinement à l'énergie puissante d'harmonie qui circulait librement. Il semblait à tous que l'amour avait largement dépassé les frontières de l'espace et du temps...

La Roseraine, émue, commença à entonner l'air :

N'oublie jamais le jour où l'on s'est connus
Si tu l'oubliais mon bonheur serait perdu...

– Tu sais, mon ami, confia Aurélia à Pamphile, la tête posée sur la forte poitrine de son merveilleux compagnon, chaque fois que je fredonnais cet air, j'aimais à penser que les paroles s'adressaient à moi, comme si une personne en particulier me les chantait...

« Si mon esprit avait oublié, mon cœur, lui, a sûrement été marqué par les pleurs entourant ma naissance. C'est pourquoi, chaque automne, à mes anniversaires, mon cœur pleurait à son tour...

« Quel troublant hasard! Joséphine aussi aimait cet air qui devait autant lui rappeler mon père que moi... Et aujourd'hui... enfin! mon cœur exulte. Ah! s'écria Aurélia, la gorge nouée par l'émotion, j'ai du mal à croire que tout cela est possible et, en même temps, je pense qu'il ne pouvait en être autrement! Je suis si heureuse, Pamphile! »

– Ma belle Aurélia, depuis que j'ai fait cadeau du secrétaire à la Marie, j'ai été témoin de ben des affaires invraisemblables, tu sais. Je pense que la destinée a ben des nergies dans son sac... Elle nous dévoile ses secrets juste quand ça lui chante, ça a l'air! Un à un, sans se presser... Pis, y a des secrets qui s'avèrent être... des vrais trésors!

Ému, troublé, l'antiquaire avait serré sa compagne un peu plus fort en disant ces mots. Puis, il s'éclaircit la voix avant de poursuivre :

– La destinée, elle nous fait emprunter toutes sortes de chemins, itou! Moi, ç'a été le chemin des antiquités, en quelque sorte... Prends la Marie et Jean, i ont pas suivi, pas à pas, la correspondance entre la Fine pis le docteur pour se rencontrer, pis s'aimer? Ensuite, y a pas si longtemps, encore une lettre, celle de ton voisin qui a été de la plus haute importance pour eux autres! Dans leur cas, on pourrait dire qu'i ont emprunté des chemins de papier, non? Pis toi, ma belle madame Fortin de Sainte-Rose, pensais-tu que t'allais prendre, un jour dans ta vie, le chemin du Lac?

« I faut regarder, parler pis aimer ben gros avec le cœur, comme t'as dit un jour, pis rester ben patients, itou! Parce que, des fois, ça arrive ben tard...

« Mais, Aurélia, y a une question qui me trotte dans la tête. Elles s'arrêtent-ti, un jour, toutes ces nergies? Probablement quand on meurt... hein? »

Marie-Ève et Jean, tout proches, avaient entendu la dernière remarque de l'antiquaire. En dansant, ils se rapprochèrent un peu plus du couple âgé :

– Ces énergies, monsieur Pamphile! ÉNERGIE, et non pas « nergie »! lança Marie, dans un rire cristallin. Ah! ah! ah! Ne croyez pas que, parce que je suis mariée, vous ne m'aurez plus dans les parages, mon cher ami! Correctrice un jour, correctrice toujours!

« L'énergie de Joséphine et du docteur est parmi nous, ici et maintenant. Vous la portez dans vos bras, monsieur Pamphile : Aurélia, le fruit de leur amour! Quand un cycle se termine, c'est pour qu'un autre recommence. Comme un mouvement perpétuel! »

Et les mariés s'éloignèrent à nouveau pendant que Marie-Ève, à son tour, fredonnait :

J'ai compris combien je t'aimais
N'oublie, n'oublie jamais

***

La voix d'antan, un peu déformée par le passage des saisons, mourut dans les applaudissements et les hourras qui honoraient les deux couples. Parmi l'assemblée présente, eux seuls connaissaient la signification de cet air et tout ce qu'il représentait à leurs yeux. En se penchant pour serrer Aurélia, Marie-Ève s'extasia :

– Hum!... que votre parfum sent bon, Aurélia! Jean, approche-toi!

Pendant que le notaire respirait délicatement la Roseraine et approuvait de la tête, intimidée, elle avoua :

– C'est un cadeau... de Pamphile, pour mon anniversaire!

– Eh bien! Vous avez vraiment le chic pour les cadeaux, monsieur l'antiquaire! Ce qui n'est pas toujours mon cas! Félicitations! complimenta Jean, avec sincérité.

– Ah! j'ai pas de mérite, monsieur Jean. Je l'ai choisi parce qu'il sentait bon et que je pensais qu'il irait bien sur Aurélia. Quand la p'tite vendeuse m'a dit le nom du parfum, *Bouquet de rêves*, j'étais plus que fier de mon choix! Pour une femme qui dit toujours qu'elle est en train de vivre le plus beau rêve de sa vie, me semble que c'était de circonstance, hein?

– Oh oui, tout à fait! approuva Marie-Ève. Ah!... je crois que j'entends Rosalie.

– Je vais la chercher, ne bouge pas, madame Huot! s'empressa d'ordonner Aurélia, qui se languissait de prendre l'enfant.

Ce n'est qu'au bout d'une vingtaine de minutes que la Roseraine, souriante, revint avec Rosalie dans les bras. Elle prétexta avoir été obligée de s'arrêter partout :

– Les grands-parents, le tonton, Michelle, Suzanne, Béatrice... tous voulaient voir et embrasser Rosalie. Je ne pouvais quand même pas passer tout droit!

Le bébé, tout à fait réveillé, tenait sa petite tête bien droite, par-dessus l'épaule d'Aurélia.

– Viens, ma jolie fée. Tu as été tellement sage! Oh! on dirait bien que tu as faim, toi! Hum!... que tu sens bon! Mais... elle s'est imprégnée de votre parfum, Aurélia! Jean, viens la sentir...

– Vous savez, déclara Jean d'une voix savoureuse et profonde, en respirant la petite, on aurait pu donner un autre nom à ce parfum...

– Oh! s'exclamèrent Pamphile, Aurélia et Béatrice, qui s'était jointe au groupe.

– Et... lequel, notaire? questionna l'antiquaire, curieux et tout de même un peu déçu qu'on puisse songer à remplacer le si joli nom.

Jean regarda tendrement Béatrice Poulin, puis Aurélia Fortin et ensuite sa fille, Rosalie Huot. Les yeux bleus du notaire, en l'absence de verres correcteurs, dispensaient à volonté les mille et un reflets du beau lac Saint-Jean, qui l'avait accueilli en son sein.

– Voyez-vous, dit-il d'une voix grave et mélodieuse à la fois, je suis persuadé qu'une telle fragrance ne peut s'apparenter qu'à un... *parfum d'anges*.

Pendant que Béatrice et Aurélia rougissaient sous le coup du compliment, l'antiquaire, ravi et charmé, approuva tout de go.

– Notaire, si j'ai le tour pour les cadeaux, vous, vous l'avez... avec les déclarations, vingueu!

***

Marie-Ève retourna s'asseoir à sa place pour nourrir Rosalie. L'attendait bien sagement sur la table le cadeau de l'antiquaire. Curieuse, l'enfant dans les bras, elle se dépêcha d'ouvrir le petit paquet, soigneusement enveloppé.

À l'intérieur, elle y trouva un pot de miel du Lac :

– Oh! mais... mais c'est un pot de miel... de la Fine!

En versant des larmes de joie, elle ouvrit le contenant précieux et y trempa l'auriculaire. Puis, le petit doigt encore dans la bouche, charmée, elle releva la tête et chercha monsieur Pamphile du regard. Elle le trouva immédiatement.

Il l'observait, de loin, avec un amour infini dans les yeux, sans aucune intention de se lever pour venir vers elle. Car tous deux savaient que le langage n'avait pas assez de mots pour exprimer ces années qu'ils venaient de passer ensemble, pour révéler l'amour et le respect réciproque qu'ils se vouaient, pour décrire la magie de leur histoire.

Dans le brouhaha de la fête qui battait son plein, à travers les danseurs qui s'exécutaient sur la piste, les notes aériennes de musique, les rires et les exclamations, sous les bouleaux aux couleurs d'automne, dans la féerie de l'été des Indiens, en présence de Jean, d'Aurélia, de Rosalie... et de tous les autres, leurs cœurs parlèrent amplement pour eux.

En effleurant avec douceur le pot de miel, son « rêve », celui qu'elle avait fait juste avant de recevoir le secrétaire en cadeau, vint prendre toute la place de ses jeunes souvenirs. Dans un éclair, elle revit nettement « l'étrangère qui caressait... une ruche ».

Mis au courant du cadeau par Pamphile lui-même, Jean s'approcha sans bruit de Marie. Il prit la menotte de Rosalie d'une main; de l'autre, il caressa le visage de son épousée et, avec une grande tendresse, il replaça une mèche de ses cheveux aux reflets dorés.

C'est alors qu'en lui rappelant le songe, Marie-Ève, absorbée par la vision du rêve, si actuelle, ne put que constater :

– J'en ai mis du temps pour arriver, saine et sauve, à mon rendez-vous! J'ai failli me perdre en chemin, quand je me suis éloignée, trop loin, toute seule... Je croyais avoir appris en te voyant aller, solitaire et renfermé, quand tu avançais dans la tourmente. Mais non! J'ai fait la même erreur que toi : j'ai cru que j'y arriverais, sans l'aide de personne! Heureusement... d'une certaine manière, la petite Rosalie, dans un ultime mouvement de vie, est venue à mon aide!

« Tu sais, Jean, quand j'étais à l'hôpital, après m'être confiée à Aurélia, pendant ces trois jours, j'ai imploré la Fine. Je lui ai demandé que notre enfant vienne au monde pour que nous puissions l'aimer et le protéger, lui faire découvrir l'âme du monde comme elle aurait tant désiré le faire avec sa fille, Aurélia. Joséphine a tenu sa promesse... par l'intermédiaire de la belle Roseraine.

« Ah! je vous aime... Je vous aime pour longtemps!

– Je suis comblé par votre présence, mes amours! soupira Jean, dans un élan passionné. De vous aimer et d'être aimé de vous m'enivrent de bonheur! Je suis heureux aussi d'avoir retrouvé ma famille. Et tous ces amis sincères qui nous entourent! Nous sommes chanceux, Marie... »

Puis, dans un instant de contemplation et de profonde concentration, pendant lequel il caressait affectueusement le doux visage de Rosalie, le notaire se mit à philosopher :

– Qu'ils soient anges ou démons, tous ceux qui croisent notre route ou qui avancent avec nous pour une brève ou longue période ont tous leur raison d'être là, Marie. Les expériences que nous vivons avec ou à cause d'eux nous font progresser, si l'on arrive à considérer et accepter le fait qu'elles font partie de notre chemin!

« Ce que je crois, c'est que nous sommes des apprentis de la vie en quelque sorte et nous devons demeurer prêts à tout : même à cheminer parfois sur des sentiers inconnus et fort inhabituels! On est bien placés pour le savoir, hein? ma biche... »

Le notaire se pencha vers Marie pour embrasser sa bouche vermeille, aussi innocente, mais certainement plus sensuelle qu'au premier jour de leur rencontre. Puis, désirant lui murmurer des mots doux à l'oreille, il effleura sa joue au passage.

Une larme sur le visage de son épouse, la belle Marie, une perle d'eau qui s'attardait avec le rêve, avait le goût de l'hydromel...